見て覚える！

中央法規

介護
福祉士

国試ナビ

いとう総研資格取得支援センター／編集

中央法規

JN094949

は じ め に

　いとう総研資格取得支援センターでは、福祉系資格（介護福祉士、社会福祉士、精神保健福祉士、介護支援専門員など）の受験対策講座を毎年開催しています。本書は、そのなかでも介護福祉士受験対策講座で使用している教材をもとに書籍としてまとめたものです。

　介護福祉士試験は、「人間と社会」「こころとからだのしくみ」「医療的ケア」「介護」の4つの領域と「総合問題」で構成されています。出題数は12科目と総合問題から125問が出題され、出題範囲が広いのが特徴です。また、第35回試験からは新しいカリキュラムにより試験が実施されています。

　本書は、より短期間に膨大な出題範囲の全体像をつかめるようにするため、過去出題された内容を分析し、科目間の重複事項をなくし、「63単元」に編成し直しています。「63単元」と数字で表すことで、「ゴール」がイメージしやすくなり、「達成感」を感じながら学習を進めることができると思います。また、効果的に学習できるように、各単元にA〜Cの重要度を示しました。時間がない場合には、重要度の高い単元から取り組むのも1つの方法です。

　さらに、視覚に働きかけるためにオールカラーにし、単元ごとに見開きにすることで、より「繰り返し学習」がしやすくなり、「確実に」記憶・理解できるように工夫しています。

　本書を通じて、少しでも受験生のお役に立つことができれば幸いです。

　最後に、ご担当の廣瀬久夫氏をはじめ、中央法規出版第2編集部の方々には大変お世話になりました。心より感謝いたします。

令和6年7月　編集代表　伊東利洋

はじめに

「介護福祉士」という資格と
試験の全体像

国家試験を受験するにあたって

介護福祉士試験に合格するためには、まずはどんな試験なのか知る必要があります。
どんな科目が何問出題されているのか？　およそ何問正解すると合格するのか？　合格の基準は？
試験の出題形式は？　出題傾向は？　何名ぐらい受験して、何名合格するのか？……など。

介護福祉士試験の「科目名」と「出題数」は必ず暗記しましょう。そして、試験の全体像を把握したうえで、「私は○○の科目で○○点取り、合計○○点で"合格"する」と宣言をします。そうすることで学習意欲がわいてきて、合格への近道になります。

社会福祉士及び介護福祉士法において、「介護福祉士」とは、「介護福祉士登録簿」に登録され、「介護福祉士の名称を用いて、専門的知識及び技術をもって、身体上又は精神上の障害があることにより日常生活を営むのに支障がある者につき心身の状況に応じた介護（喀痰吸引等を含む。）を行い、並びにその者及びその介護者に対して介護に関する指導を行うことを業とする者」と定義されている。

指定登録機関

介護福祉士登録簿

登録

介護福祉士以外でも介護はできるので名称独占

心身の状況に応じた介護

介護に関する指導

介護福祉士です

介護福祉士は、「介護福祉士の名称を用いて……」とあります。つまり**名称独占**の資格です。介護福祉士の名称を使用するには、厚生労働大臣が指定する指定登録機関に登録する必要があります。

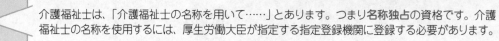

指定登録機関に登録すると、介護福祉士登録証が交付されます。

第○○○○○○号

介護福祉士登録証

本　籍　地	●●県
氏　　　名	介　護　花　子
生　年　月　日	○○年○月○日生
登　録　年　月　日	令和5年○月○日
登　録　番　号	第777777号
試　験　合　格　年　月	令和5年3月
厚生省令第49号第24条の2第4号に基づく喀痰吸引等行為	該当無し

　社会福祉士及び介護福祉士法第42条第1項の規定により登録したことを証する

　　令和5年○月

指定登録機関
公益財団法人 社会福祉振興・試験センター

　　　　　　　理事長

━━━━━━━━━━━━━━━━━━━━━━━━━━

　公益財団法人社会福祉振興・試験センターは社会福祉士及び介護福祉士法第43条第1項の規定により厚生労働大臣が指定した指定登録機関である

　　令和5年○月

　　　　　厚生労働大臣

介護福祉士登録証をもらっている自分をイメージして、受験勉強でくじけそうになったときなどは、じっくりとながめてモチベーションを高めましょう!!

介護福祉士国家試験の受験資格を得るには、大きく分けて次の4つのルートがあります。第30回試験から介護福祉士養成施設卒業者も受験することになりました（2026（令和8）年度まで経過措置あり）。

受験資格（資格取得ルート）

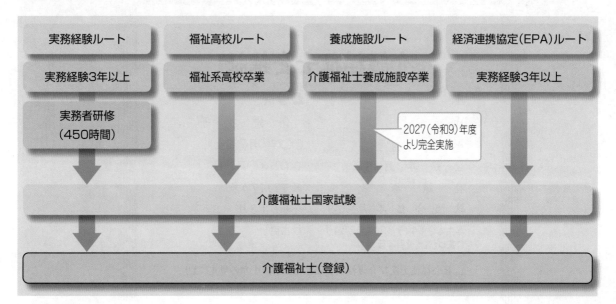

実務経験ルート	福祉高校ルート	養成施設ルート	経済連携協定（EPA）ルート
実務経験3年以上	福祉系高校卒業	介護福祉士養成施設卒業	実務経験3年以上
実務者研修（450時間）			

2027（令和9）年度より完全実施

介護福祉士国家試験

介護福祉士（登録）

実務経験

実務経験は、介護等の業務に通算して3年（1095日）以上かつ従事日数は540日以上の期間が必要です。

介護等の業務		● 身体上または精神上の障害があることにより日常生活を営むのに支障がある者につき心身の状況に応じた介護を行い、ならびにその者およびその介護者に対して介護に関する指導を行うこと。
通算して	従業期間	3年（1095日）以上（産休、育休、病休等の休職期間を含む）
	従事日数	540日以上（休暇、欠勤、出張、研修等により実際に介護等の業務に従事しなかった日数を除く）

介護福祉士試験は、1989（平成元）年に第1回試験が実施され、今までに36回実施されています。
合格率は、近年は70％前後で推移していましたが、第35回試験では84.3％に上昇し、第36回試験
は82.8％でした。

序章 「介護福祉士」という資格と試験の全体像

これまでの試験結果

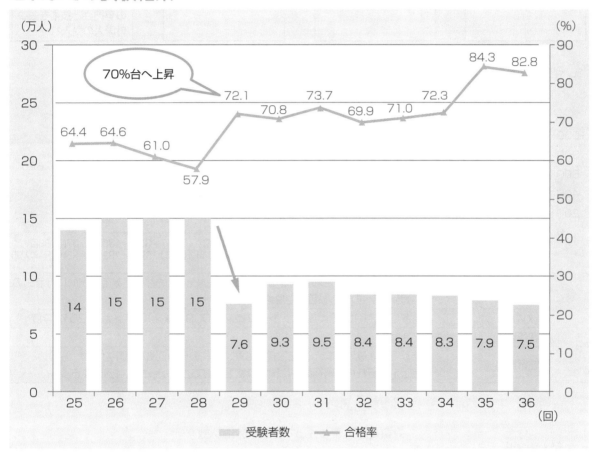

合格者の内訳（第36回）

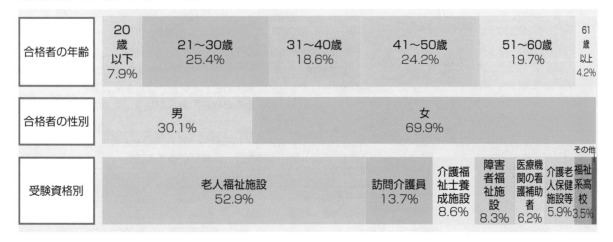

合格者の年齢	20歳以下 7.9%	21～30歳 25.4%	31～40歳 18.6%	41～50歳 24.2%	51～60歳 19.7%	61歳以上 4.2%
合格者の性別	男 30.1%		女 69.9%			
受験資格別	老人福祉施設 52.9%		訪問介護員 13.7%	介護福祉士養成施設 8.6%	障害者福祉施設 8.3% ／ 医療機関の看護補助者 6.2% ／ 介護老人保健施設等 5.9% ／ 福祉系高校 3.5% ／ その他	

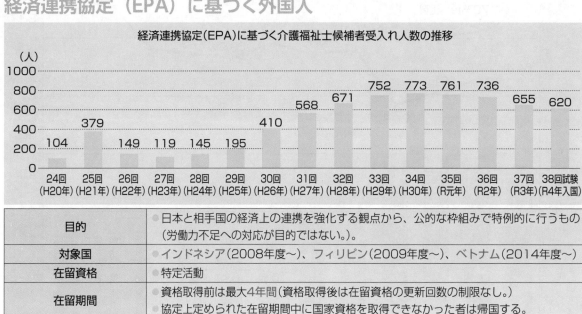

	外国人介護人材受入れ制度

経済連携協定(EPA) (2008年7月～)	在留資格「介護」 (2017年9月～)	技能実習 (2017年11月～)	特定技能1号 (2019年4月～)
二国間の経済連携の強化	専門的・技術的な分野に対する外国人の受入れ	国際貢献として、日本から相手国への技術移転	介護現場の人手不足をカバーするため、一定の専門性と技術をもつ外国人の受入れ

経済連携協定(EPA)に基づく外国人

経済連携協定(EPA)に基づく介護福祉士候補者受入れ人数の推移

目的	●日本と相手国の経済上の連携を強化する観点から、公的な枠組みで特例的に行うもの(労働力不足への対応が目的ではない。)。
対象国	●インドネシア(2008年度～)、フィリピン(2009年度～)、ベトナム(2014年度～)
在留資格	●特定活動
在留期間	●資格取得前は最大4年間(資格取得後は在留資格の更新回数の制限なし。) ●協定上定められた在留期間中に国家資格を取得できなかった者は帰国する。

在留資格「介護」をもつ外国人

在留資格「介護」をもって在留する外国人数

在留外国人統計(各年12月末。2023年は6月末)

目的		●日本の介護福祉士養成施設を卒業して介護福祉士国家資格を取得した留学生に対して、国内で介護福祉士として業務に従事することを可能とする在留資格 ●2020(令和2)年4月より、介護福祉士の資格を取得したルートにかかわらず、在留資格「介護」が認められることとなった。
	在留資格「介護」	●本邦の公私の機関との契約に基づいて介護福祉士の資格を有する者が介護または介護の指導を行う業務に従事する活動
対象国		●制限なし
在留資格		●介護福祉士を取得する前:留学 ●介護福祉士を取得した後:介護
在留期間		●介護福祉士の資格を取得した後は、制限なしで更新でき、永続的な就労が可能。

外国人技能実習制度「介護」職種

「介護」職種の技能実習計画認定件数

(件)

外国人技能実習機構業務統計

目的	● 国際貢献として、技能、技術または知識の開発途上地域等への移転を図り、開発途上地域等の経済発展を担う「人づくり」に協力することが目的。 ● 対象職種は、2024（令和6）年現在、「介護」を含む90職種ある。
対象国	● 各国との協力覚書により、東・東南・南アジア等の計16か国が対象。
在留資格	● 1年目：技能実習1号、2～3年目：技能実習2号、4～5年目：技能実習3号
在留期間	● 技能実習1号：最長1年、技能実習2号：最長2年、技能実習3号：最長2年、合計最長5年

※2024（令和6）年6月21日、技能実習に代わる新たな制度「育成就労」の創設などを盛り込んだ改正法が公布され、公布の日から起算して3年を超えない範囲内において政令で定める日から施行される。

在留資格「特定技能1号」をもつ外国人

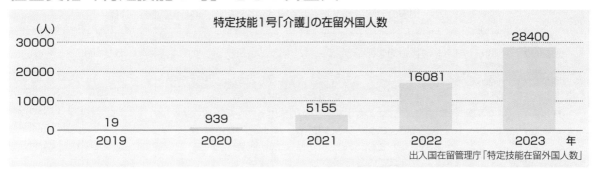

特定技能1号「介護」の在留外国人数

(人)

出入国在留管理庁「特定技能在留外国人数」

特定技能の在留資格			● 深刻化する人手不足に対応するため、人材を確保することが困難な状況にある産業上の分野において、一定の専門性・技能を有し即戦力となる外国人を受け入れ。
	特定技能1号		● 特定産業分野に属する相当程度の知識または経験を必要とする技能を要する業務に従事する外国人向けの在留資格
		特定産業分野 （12分野）	● 介護、ビルクリーニング、素形材・産業機械・電気電子情報関連製造業、建設、造船・舶用工業、自動車整備、航空、宿泊、農業、漁業、飲食料品製造業、外食業
		在留期間	● 通算で5年が上限（定期的な更新が必要）
	特定技能2号		● 特定産業分野に属する熟練した技能を要する業務に従事する外国人向けの在留資格
		特定産業分野 （11分野）	● 特定技能1号の12の特定産業分野のうち、「介護」以外の11分野 ※介護分野については、在留資格「介護」があることから特定技能2号の対象分野となっていない
		在留期間	● 在留期間が無制限（定期的な更新が必要）

介護福祉士試験は、第35回試験より出題の順番や出題数などが変更になりました。

第36回試験の出題実績

領域		科目名	科目群	第36回出題数	試験時間
人間と社会（18問）	1	人間の尊厳と自立	①	2	10：00〜11：40（100分）※EPA候補者10：00〜12：30（150分）
	2	人間関係とコミュニケーション	②	4	
	3	社会の理解	③	12	
こころとからだのしくみ（40問）	4	こころとからだのしくみ	⑥	12	
	5	発達と老化の理解	⑦	8	
	6	認知症の理解	⑧	10	
	7	障害の理解	⑨	10	
医療的ケア（5問）	8	医療的ケア	⑩	5	
介護（50問）	9	介護の基本	①	10	13：35〜15：35（120分）※EPA候補者13：35〜16：35（180分）
	10	コミュニケーション技術	②	6	
	11	生活支援技術	④	26	
	12	介護過程	⑤	8	
総合（12問）	13	総合問題	⑪	12	
合　計			11科目群	125問	3時間40分※EPA候補者5時間30分

第35回試験より、次の2点が変更になりました。
①**人間関係とコミュニケーション**が2問から**4問**に増加し、**コミュニケーション技術**が8問から**6問**に減少
②**こころとからだのしくみ**と**医療的ケア**の領域が午前に、**介護**の領域が午後に変更

合格基準

合格には次の2つの条件があります。

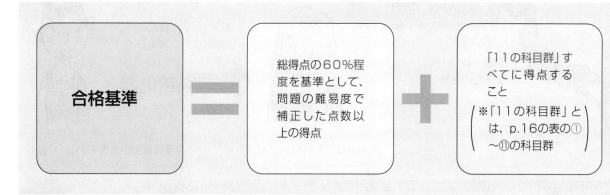

介護福祉士試験に合格するには、総得点の基準を満たすことのほかに、すべての科目群に得点することが必要です。詳しくは、社会福祉振興・試験センターのホームページを確認するようにして下さい。

合格基準の推移

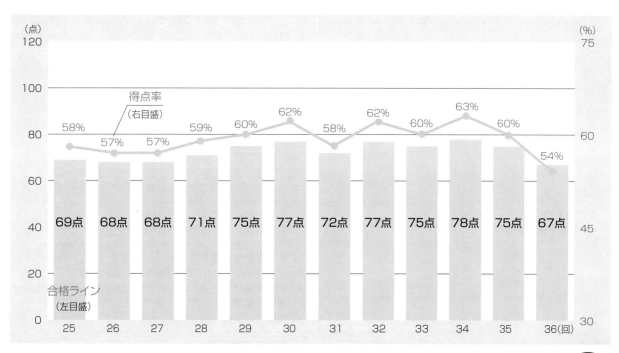

合格基準とは、「125問（第28回までは120問）中、何点得点すると合格するか？」という基準です。過去12年間を見てみると、最低67点・最高78点と年度によりバラツキがあります。安心して合格基準を突破するには、**65%の「81点」**を目指したいですね！

（第36回介護福祉士国家試験科目別出題基準「大項目」より）

介護福祉士試験の科目のイメージ

「人間と社会」

社会保障制度や権利擁護など
人と社会を理解する

発達・老化・障害・こころと
からだの疾病など

食事・保清・排泄、
医療的ケア、家事など

介 護

利用者の「こころとからだ」

介護福祉士の仕事である「介護」

領 域	科 目	大項目
人間と社会 （人や制度を理解する科目）	人間の尊厳と自立	1　人間の尊厳と人権・福祉理念 2　自立の概念
	人間関係と コミュニケーション	1　人間関係の形成とコミュニケーションの基礎 2　チームマネジメント
	社会の理解	1　社会と生活のしくみ 2　地域共生社会の実現に向けた制度や施策 3　社会保障制度 4　高齢者福祉と介護保険制度 5　障害者福祉と障害者保健福祉制度 6　介護実践に関連する諸制度
こころとからだのしくみ （利用者を理解する科目）	こころとからだのしくみ	1　こころとからだのしくみⅠ 　ア　こころのしくみの理解 　イ　からだのしくみの理解 2　こころとからだのしくみⅡ 　ア　移動に関連したこころとからだのしくみ 　イ　身じたくに関連したこころとからだのしくみ 　ウ　食事に関連したこころとからだのしくみ 　エ　入浴・清潔保持に関連したこころとからだのしくみ 　オ　排泄に関連したこころとからだのしくみ 　カ　休息・睡眠に関連したこころとからだのしくみ 　キ　人生の最終段階のケアに関連したこころとからだのしくみ
	発達と老化の理解	1　人間の成長と発達の基礎的理解 2　老化に伴うこころとからだの変化と生活
	認知症の理解	1　認知症を取り巻く状況 2　認知症の医学的・心理的側面の基礎的理解 3　認知症に伴う生活への影響と認知症ケア 4　連携と協働 5　家族への支援
	障害の理解	1　障害の基礎的理解 2　障害の医学的・心理的側面の基礎的理解 3　障害のある人の生活と障害の特性に応じた支援 4　連携と協働 5　家族への支援

日本という社会で「社会保障制度」などを活用しながら、疾病などで介護が必要になった「利用者」に、介護福祉士が「介護サービス」を提供する……という介護福祉士のイメージ図です。
介護福祉士試験は、このような介護福祉士の役割を適切に実施できる能力が問われる試験です。

領　域	科　目	大項目
医療的ケア （介護福祉士の仕事を理解する科目）	医療的ケア	1　医療的ケア実施の基礎 2　喀痰吸引（基礎的知識・実施手順） 3　経管栄養（基礎的知識・実施手順）
介　護 （介護福祉士の仕事を理解する科目）	介護の基本	1　介護福祉の基本となる理念 2　介護福祉士の役割と機能 3　介護福祉士の倫理 4　自立に向けた介護 5　介護を必要とする人の理解 6　介護を必要とする人の生活を支えるしくみ 7　協働する多職種の役割と機能 8　介護における安全の確保とリスクマネジメント 9　介護従事者の安全
	コミュニケーション技術	1　介護を必要とする人とのコミュニケーション 2　介護場面における家族とのコミュニケーション 3　障害の特性に応じたコミュニケーション 4　介護におけるチームのコミュニケーション
	生活支援技術	1　生活支援の理解 2　自立に向けた居住環境の整備 3　自立に向けた移動の介護 4　自立に向けた身じたくの介護 5　自立に向けた食事の介護 6　自立に向けた入浴・清潔保持の介護 7　自立に向けた排泄の介護 8　自立に向けた家事の介護 9　休息・睡眠の介護 10　人生の最終段階における介護 11　福祉用具の意義と活用
	介護過程	1　介護過程の意義と基礎的理解 2　介護過程とチームアプローチ 3　介護過程の展開の理解
総合問題		●4領域（人間と社会、介護、こころとからだのしくみ、医療的ケア）の知識及び技術を横断的に問う問題を、事例形式で出題する。

各科目の出題基準を基に単元別に整理し、第32回〜第36回の試験を分析すると次のような傾向が見られました。どの単元が出題頻度が高いのかを確認しながら整理していきましょう。本書は、基本的にこの63の単元を基に構成しています。

領域	節	単元		主な内容	重要度	32回	33回	34回	35回	36回
人間と社会	社会のしくみ	1	個人・家族	人口、死因、親族、世帯	B		2	3		
		2	地域社会・行政組織	コミュニティ、行政計画、行政組織	B	2		1	1	4
	人権と権利擁護	3	人間の尊厳と人権	ノーマライゼーション、基本的人権	A	2	4	1	3	1
		4	権利擁護	成年後見制度、日常生活自立支援事業	B	1		2	1	2
		5	虐待	高齢者虐待、障害者虐待	B	1	2	1	2	
	社会保障制度	6	社会保障制度の概要	社会保険、社会福祉、社会保障給付費	B	1	2	2	1	1
		7	医療保険	医療保険の概要、医療施設の分類	C					2
		8	年金保険	年金保険の概要	C					
		9	労働関連	労働保険、労働基準法、育児・介護休業等	C	1				
		10	介護保険	介護保険の概要	A	4	7	2	2	6
		11	社会福祉法関連	社会福祉法、社会福祉法人	C	1			1	1
		12	生活保護・社会手当	生活保護制度、社会手当	C	2		1	1	
		13	高齢者福祉	老人福祉法、高齢者関連施設	C		1	2		
		14	障害者福祉	障害者基本法、障害者の定義	A	1	1	2	3	3
		15	障害者総合支援法	障害者総合支援法、障害児支援	A	3	5	6	4	4
こころとからだのしくみ	こころのしくみ	16	こころの発達・人格	発達段階説、高齢者の人格	C			1	2	1
		17	記憶・知能・学習	記憶の過程と分類、知能、学習	C			1	2	
		18	障害受容・適応機制	障害受容の過程、適応機制	B	1	1	1	3	1
		19	欲求・動機	マズローの欲求階層	C	1	1			1
	からだのしくみ	20	人体の構造と機能	骨格、脳・神経、循環器、消化器など	A	4	2	4	5	5
		21	身体の成長と発達	スキャモンの発達曲線、言葉の発達	B	1		1	2	1
		22	加齢による身体機能の変化	老化、脱水、便秘、低栄養	A	3	3	2	4	1
	疾病や障害	23	脳血管疾患	脳卒中、失語症、高次脳機能障害	B	3	1	1	2	
		24	認知症	アルツハイマー型認知症、血管性認知症	A	11	10	13	11	9
		25	神経疾患	ALS、パーキンソン病、脊髄小脳変性症	A	2	3	5	2	2
		26	運動器疾患	骨粗鬆症、関節リウマチ、変形性関節症	A	3	2		2	3
		27	循環器疾患	狭心症、心筋梗塞、高血圧症	B	2	1	1		1
		28	呼吸器疾患	肺炎、肺結核、COPD	C		1	1		
		29	消化器疾患	胃・十二指腸潰瘍、感染性胃腸炎、肝炎	C	1			1	
		30	腎・泌尿器疾患	腎不全、前立腺肥大症、失禁	B	1	1	1		3
		31	内分泌・代謝疾患	甲状腺疾患、糖尿病、痛風	C				1	1
		32	感覚器疾患	白内障、緑内障、白癬、疥癬、老人性難聴	C		1			
		33	先天性疾患	ダウン症、脳性麻痺	C					1
		34	感染症	インフルエンザ、MRSA、日和見感染症	C	1				2
		35	精神疾患	統合失調症、気分障害、入院形態	B	3	1	1		2
		36	発達障害	自閉症スペクトラム障害、ADHD、LD	B	1	3		2	2
		37	リハビリテーション	リハビリテーションの定義、領域、種類など	C		2			
		38	廃用症候群・褥瘡	深部静脈血栓症、フレイル、褥瘡	B	1	3		2	
	医療的ケア	39	喀痰吸引	喀痰吸引の手順、留意点	B	3	1	1	1	2
		40	経管栄養	経管栄養の手順、留意点	B	1	3	2	1	2
		41	在宅医療・緊急時の対応	在宅酸素療法、心肺蘇生法、服薬など	A	2	2	1	4	1

5年平均22問

5年平均38問

5年平均5問

領域	節		単元	主な内容	重要度	32回	33回	34回	35回	36回
介護	介護の基本	42	社会福祉士及び介護福祉士法	社会福祉士及び介護福祉士法、倫理綱領	B	2	1	2	2	1
		43	介護の基本的視点	自立支援、事故防止、腰痛予防、災害対策	A	6	6	8	13	11
		44	国際生活機能分類（ICF）	ICIDHとICF、生活機能、背景因子	B	2	2	1		1
	身体介護	45	食事の介護	食事時の姿勢、食事形態、食事介助	A	2	1	1	5	2
		46	口腔ケア	ブラッシング法、義歯の取り扱い	B		3	2	1	
		47	入浴・清潔保持の介護	入浴の効果、洗髪、清拭、整容	A	2	4	5	3	5
		48	排泄の介護	トイレの排泄、ポータブルトイレ、おむつ交換	A	2	2	2	4	3
		49	着脱の介護	衣服の選択、着脱介助、ベッドメイキング	B	1		2	1	1
		50	移動の介護	歩行介助、車いす介助、ベッド上の介助	A	3	4	2	4	4
		51	福祉用具	福祉用具貸与・購入、補装具	B	1		1	2	2
		52	睡眠の介護	睡眠のしくみ、安眠のための支援	A	3	4	3	2	4
		53	視覚・聴覚障害者の介護	視覚障害者の介護、手話、筆談	B	1		3	2	
		54	終末期の介護	死の受容、終末期ケア、グリーフケア	A	5	5	4	3	3
	生活援助	55	家庭生活の経営	家計における収入と支出、クーリングオフ	C	1				2
		56	食生活	五大栄養素、食品、調理、食中毒	B	4	2	1		
		57	被服・洗濯	被服の汚れ、防虫剤、洗濯、漂白剤	C		2	2		
		58	住生活	住居環境、手すり、住宅改修	B	2	4	1	1	1
	相談援助	59	コミュニケーション	コミュニケーション技術、面接技法	A	7	6	6	2	6
		60	相談援助技術	バイステックの原則、スーパービジョン	C		1		1	
		61	ケアマネジメントと介護過程	ケアマネジメントの過程、介護過程の展開	A	8	7	12	9	10
		62	チームアプローチと専門職	国家資格、事業所に配置される専門職	A	4	1	1	2	3
		63	記録	記録の種類、報告、個人情報保護	A	2	3	4	3	1
合　計						125	125	125	125	125

5年平均
60問

直近5年間の出題回数が、

10以上	→	A
5以上9以下	→	B
4以下	→	C

○直近5年間の各領域の平均

人間と社会 22点（17.6%）	こころとからだのしくみ 38点（30.4%）	医療的ケア5点 (4.0%)	介護 60点（48.0%）

「合格」には、平均60%以上の得点が必要

合格基準　平均75点（60%）

合格するために、どこで得点を獲得するか作戦を立てましょう！

がんばれ！

介護福祉士試験の12科目と「4領域」の趣旨を理解し、今後の学習計画をイメージしましょう。

	領域		科目名	
1	人間と社会	1	人間の尊厳と自立	
		2	人間関係とコミュニケーション	
		3	社会の理解	
2	こころとからだのしくみ	4	こころとからだのしくみ	
		5	発達と老化の理解	
		6	認知症の理解	
		7	障害の理解	
3	医療的ケア	8	医療的ケア	
4	介 護	9	介護の基本	
		10	コミュニケーション技術	
		11	生活支援技術	
		12	介護過程	

学習方法

①社会のしくみ

②人権と権利擁護

③社会保障制度

「人間と社会」の領域は、「社会保障制度」を中心に整理していきます。

①こころのしくみ

②からだのしくみ

③疾病や障害

「こころとからだのしくみ」の領域は、利用者について整理していく科目です。まず「こころのしくみ」「からだのしくみ」を整理したうえで、利用者に多い「疾病や障害」について整理していきます。

医療的ケア

「医療的ケア」の領域は、喀痰吸引や経管栄養について整理していきます。

①介護の基本

②身体介護

③生活援助

④相談援助

「介護」の領域は、介護福祉士の仕事について整理していく科目です。ホームヘルパーなどの業務内容である「身体介護」「生活援助」「相談援助」ごとにまとめて整理していきます。

介護福祉士試験の出題科目は、「12科目125問」と広い出題範囲です。科目間の重複が多いので横断的に整理すると効果的です。

step 1　重要度の確認

介護福祉士試験は、例年125問中8割程度は、過去出題されたことがある内容から出題されています。本書では過去5回の出題実績が10以上ある単元をA、5以上9以下をB、4以下をCとしています。重要度を確認し、**重要度の高い単元から押さえていくと効果的**です。

単　元		重要度	出題実績					最近の出題内容
			32回	33回	34回	35回	36回	
45	食事の介護	A	2	1	1	5	2	食事時の姿勢、身体機能の変化に応じた食事、嚥下障害、介護を行うときの留意点
46	口腔ケア	B		3	2	1		歯ブラシを使用した口腔ケア、経管栄養を行っている利用者への口腔ケア、義歯の取り扱い
47	入浴・清潔保持の介護	A	2	4	5	3	5	入浴の効果、一般浴（個浴）の介助、ストレッチャータイプの特殊浴槽、シャワー浴、足浴、手浴、洗髪、清拭、爪の手入れ
48	排泄の介護	A	2	2	2	4	3	トイレの排泄、ポータブルトイレ、おむつ交換、尿器・便器、便秘の予防、浣腸器を用いた排便の介護
49	着脱の介護	B	1		2	1	1	衣服の選択、片麻痺のある利用者の着脱介助、ベッド上での着脱介助、ベッドメイキング
50	移動の介護	A	3	4	2	4	4	歩行介助、歩行補助用具、階段の昇降介助、移乗の介助、車いす介助、ベッド上介助
51	福祉用具	B	1		1	2	2	福祉用具貸与、福祉用具購入、補装具、日常生活用具、自助具の選択
52	睡眠の介護	A	3	4	3	2	4	睡眠のしくみ、高齢者の睡眠の特徴、睡眠障害、安眠のための支援
53	視覚・聴覚障害者の介護	B	1		3	2		視覚障害者の外出支援とコミュニケーション、手話、筆談、老人性難聴、補聴器
54	終末期の介護	A	5	5	4	3	3	キューブラー・ロス、臨終期の身体の変化、終末期の事前の意思確認、尊厳死、終末期ケア、グリーフケア、死後の介護

2025年度版から、各単元の冒頭に出題実績を基にした重要度を示しています。

2節 45 食事の介護

重要度
A
★★★

step 2 テキストで確認

step 3 穴埋め問題で知識の定着を確認

単元45 食事の介護

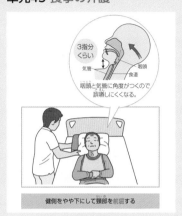

3指分くらい

気管　咽頭　喉頭　食道

咽頭と気管に角度がつくので誤嚥しにくくなる。

健側をやや下にして頸部を前屈する

単元		問題	解答
45 食事の介護	1	飲み込みにくくなって時間がかかる場合、食前に（＿＿＿＿）を勧める。	嚥下体操やアイスマッサージ
	2	腸の蠕動運動の低下に対しては、（＿＿＿＿）の多い食品を取り入れる。	食物繊維や乳酸菌
	3	片麻痺の人には、頸部を（＿＿＿＿）させて介護する。	前屈
	4	右片麻痺の利用者の食事介護では、口の（＿＿＿＿）側に食物を入れる。	左
46 口腔ケア	5	歯ブラシを（＿＿＿＿）に動かしながら磨く。	小刻み
	6	舌の清拭は、（＿＿＿＿）に向かって行う。	奥から手前
	7	外した義歯は、（＿＿＿＿）保管する。	水に浸して

単元49 着脱の介護

しわを作らないために、シーツの角を対角線の方向に伸ばして整える

単元		問題	解答
49 着脱の介護	20	手指の細かな動作が難しい利用者に、（＿＿＿＿）式のボタンを勧める。	マグネット
	21	保温効果を高めるため、衣類の間に（＿＿＿＿）を重ねて着るように勧める。	薄手の衣類
	22	左片麻痺がある場合は、（＿＿＿＿）半身から脱ぐように勧める。	右
	23	前開きの上着をベッド上で臥床したまま交換するときは、介護福祉職は利用者の（＿＿＿＿）側に立つ。	健
	24	ベッドメイキングの際、しわを作らないために、シーツの角を（＿＿＿＿）の方向に伸ばして整える。	対角線
50 移動の介護	25	左片麻痺の利用者の、立ち上がりの介護では、利用者の（＿＿＿＿）側に立つ。	左
	26	ロフストランドクラッチは、（＿＿＿＿）に適している。	握力の弱い人
	27	関節リウマチの利用者が、歩行時に使用する杖として、（＿＿＿＿）が適している。	プラットホームクラッチ

単元54 終末期の介護

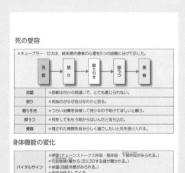

死の受容

※キューブラー・ロスは、終末期の患者の心理を5つの段階に分けて示した。

否認 → 怒り → 取り引き → 抑うつ → 受容

否認	※診断は何かの間違いで、とても信じられない。
怒り	※死ぬのがなぜ自分なのかと怒る。
取り引き	※つらい治療を我慢して受けるので助けてほしいと願う。
抑うつ	※何をしてももう助からないんだと落ち込む。
受容	※残された時間を自分らしく過ごしたいと死を受け入れる。

身体機能の変化

バイタルサイン	※呼吸（チェーンストークス呼吸・肩呼吸・下顎呼吸がみられる。） ※死前喘鳴（喉からゴロゴロする音が聞かれる。） ※体温（四肢の冷感がみられる。） ※血圧が低下してくる。 ※口唇や爪などでチアノーゼが目立つ。

単元		問題	解答
54 終末期の介護	47	（＿＿＿＿）とは、延命だけを目的とする治療を拒み、人としての尊厳を保って自然な状態で死に至ることである。	尊厳死
	48	つらい治療を我慢して受けるので助けてほしいと願うのは、キューブラー・ロスの死の受容過程における（＿＿＿＿）である。	取り引き
	49	（＿＿＿＿）は、終末期に自分が望む医療・ケアをあらかじめ書面に示しておくことである。	リビングウィル
	50	（＿＿＿＿）は、人生の最終段階における医療・ケアについて、家族等や医療・ケアチームと繰り返し話し合う取り組みである。	アドバンス・ケア・プランニング
	51	（＿＿＿＿）では、ケアを振り返り、悲しみを共有する。	デスカンファレンス
	52	死後の処置として、着物の場合は帯紐を（＿＿＿＿）にする。	縦結び

イラストや図表でポイントを整理しましょう。

序　章　「介護福祉士」という資格と試験の全体像

人間と社会

1節　社会のしくみ

「社会のしくみ」では、「個人・家族」「地域社会・行政組織」について整理していきます。

	単　　元	重要度	出題実績					最近の出題内容
			32回	33回	34回	35回	36回	
1	個人・家族	B		2	3			人口動態、合計特殊出生率、死因、社会的役割、親族、世帯
2	地域社会・行政組織	B	2		1	1	4	コミュニティ、セツルメント、互助、共助、限界集落、行政計画、保健所、民生委員

日本の人口動態

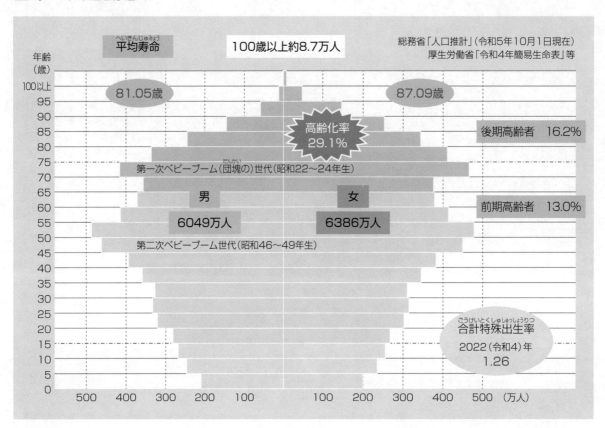

平均寿命 （へいきんじゅみょう）

100歳以上約8.7万人

総務省「人口推計」（令和5年10月1日現在）
厚生労働省「令和4年簡易生命表」等

81.05歳

87.09歳

高齢化率 29.1%

後期高齢者 16.2%

第一次ベビーブーム（団塊の）世代（昭和22～24年生）

男 6049万人

女 6386万人

前期高齢者 13.0%

第二次ベビーブーム世代（昭和46～49年生）

合計特殊出生率（こうけいとくしゅしゅつしょうりつ）
2022（令和4）年
1.26

令和4年出生数	77万人

原因 →

女性のライフスタイル		昭和45年	令和4年
	平均初婚年齢	24.2歳	29.7歳
	合計特殊出生率（こうけいとくしゅしゅつしょうりつ）	2.13 →	1.26

令和4年死亡数		157万人	
内訳（死因）	1	悪性新生物（あくせいしんせいぶつ）	39万人
	2	心疾患（しんしっかん）	23万人
	3	老衰（ろうすい）	18万人
	4	脳血管疾患（のうけっかんしっかん）	11万人
	5	肺炎（はいえん）	7万人
	6	誤嚥性肺炎（ごえんせいはいえん）	6万人
	7	不慮の事故（ふりょ じこ）	4万人
	8	腎不全（じんふぜん）	3万人

内訳 →

悪性新生物　部位別死亡順位（令和4年度）				
男性	1 肺がん	女性	1 大腸がん	
	2 大腸がん		2 肺がん	
	3 胃がん		3 膵がん（すい）	

厚生労働省「人口動態調査」（令和4年）

現在の日本の人口ピラミッドの形は「逆ひょうたん型」といわれています。
日本の人口の「現在、過去、未来」の状況をつかみましょう。

合計特殊出生率（こうけいとくしゅしゅつしょうりつ）……人口統計上の指標で、15歳から49歳までの女性の年齢別出生率を合計したもの

総務省「人口推計」(令和5年10月1日現在)

日本の総人口 (令和5年10月現在)	内　訳		
	年少人口 0～14歳	生産年齢人口 15～64歳	老年人口 65歳～
1億2435万人	1417万人	7395万人	3623万人
	11.4%	59.5%	29.1%

(総人口は、外国人と外国にいる日本人を含めた人口で表記)

日本の人口の推移と将来推計人口

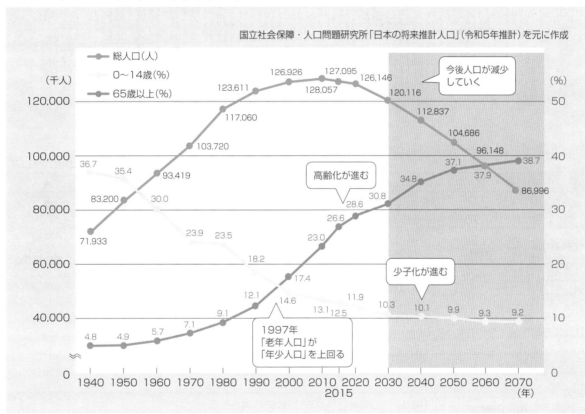

国立社会保障・人口問題研究所「日本の将来推計人口」(令和5年推計)を元に作成

「高齢化社会」から「高齢社会」へ

『高齢社会白書』令和5年版

	韓国	日本	アメリカ	スウェーデン	フランス
高齢化社会(高齢化率7%)	2000年	1970年	1942年	1887年	1864年
高齢社会(高齢化率14%)	2018年	1994年	2014年	1972年	1979年
超高齢社会(高齢化率21%)	―	2007年	―	―	―
7%→14%の所要年数(倍化年数)	18年	24年	72年	85年	115年

高齢化のスピードが速い

29

出生数および合計特殊出生率の年次推移

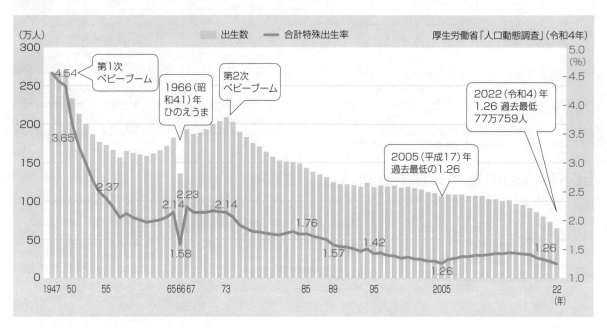

都道府県別合計特殊出生率と高齢化率

厚生労働省「人口動態調査」(令和4年)・総務省「人口推計」(令和5年)

	1	2	3	・・・・	45	46	47
合計特殊 出生率	おきなわ 沖縄 1.70	みやざき 宮崎 1.63	とっとり 鳥取 1.60	全国平均 1.26	ほっかいどう 北海道 1.12	みやぎ 宮城 1.09	とうきょう 東京 1.04
高齢化率	あきた 秋田 39.0%	こうち 高知 36.3%	やまぐち　とくしま 山口・徳島 35.3%	全国平均 29.1%	あいち 愛知 25.7%	おきなわ 沖縄 23.8%	とうきょう 東京 22.8%

死因別にみた死亡率の年次推移

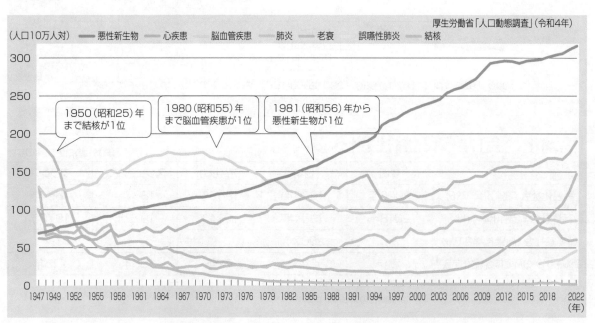

ライフスタイルの変化と生活

ライフステージ	● 人生を発達段階的にとらえ、乳幼児期、児童期、青年期、成人期、老年期など、人生の発達過程における特定時期の特色で区分すること				
	乳幼児期	児童期	青年期	成人期	老年期
ライフサイクル	● 乳幼児期から老年期の各段階に固有の発達課題を達成していく過程を指す。 ● 人間の出生から死に至る過程で設定されるライフステージごとに、人生を分析する。				
ライフコース	● 発達論的に人生を送るのではなく、複数のコースを選択的に自分の人生に位置づけて生活設計をすること。年齢や性別といったまとまりでみるライフステージと異なり、個人を中心にとらえる。				
社会的役割	● 社会的状況のなかで示される一定の規則性をもった行為				
	役割取得	● 他者の役割を認識し、それとの関連において自我を形成すること			
	役割形成	● 既存の役割規定の枠を超えて、新しい人間行為を展開すること			
	役割葛藤	● 保有する複数の役割間の矛盾や対立から心理的緊張を感じること			
	役割距離	● 特定の立場に期待される役割からずれた行為をすること			
生活領域	● 個人の日常生活は、基本的欲求を基礎として「基礎生活」「社会生活」「余暇生活」の3領域で成り立っているといわれている。				
	基礎生活	● 人が生きるために最低限必要な生活（食事、排泄、睡眠など）			
	社会生活	● 他者や組織などとのかかわりの生活（仕事、勉強、家事など）			
	余暇生活	● 生きることの喜びや潤いを感じる生活（趣味活動など）			
ワーク・ライフ・バランス	● 仕事と個人の生活のバランスを維持しながら、仕事と生活の調和を目指すもの。				
ジェンダー	● 生物学的な性別に対して、社会的・文化的な役割としての男女の性差のこと				
	ジェンダー・バイアス	● 男女の役割について固定的な観念をもつこと。男性が安定的に雇用され、女性が労働市場に参入しないことを標準とみなすようなバイアス（偏見）のこと			
	ジェンダー・ギャップ	● ジェンダー・ギャップ指数は、世界経済フォーラムが公表している世界の各国の男女間の不均衡を示す指標（0が完全不平等、1が完全平等を示す） ● 「ジェンダー・ギャップ指数2023」における146か国の総合スコアでは、日本は0.647で125位			
	女性の労働力率	● 女性の労働力率（15歳以上人口に占める労働力人口）は、結婚・出産期に当たる年代に一旦低下し、育児が落ち着いた時期に再び上昇するという、M字カーブを描く。			

親　族

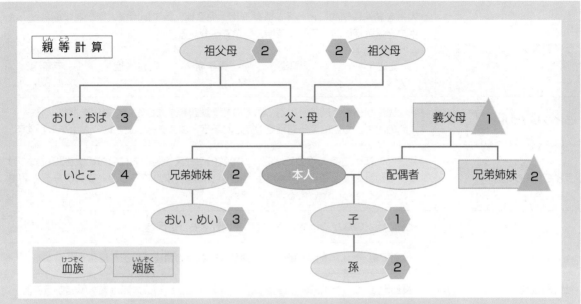

● 親等は、親族間の世数を数える。親子が1親等であり、これを基礎単位として、父母・祖父母・子・孫のように縦につながる血族を「直系血族」という。共通の祖先から分かれた親族を「傍系親族」という。その親等計算は、同一の祖先にさかのぼり、その祖先からの世数を合計する。

親　族	民法上の親族　①6親等内の血族　②配偶者　③3親等内の姻族	
	（「血族」には、自然血族と法定血族（養子縁組）がある。「姻族」は、配偶者の血族または血族の配偶者のこと。）	
扶養義務	● 直系血族および兄弟姉妹は、互いに扶養をする義務がある。 ●（特別な事情がある場合）家庭裁判所は、3親等内の親族間においても扶養の義務を負わせることができる。	
家族	**家族分類**	**定位家族**	● 自分が生まれ育った家族
		創設（生殖）家族	● 自分が結婚してつくる家族
	家族内役割	**手段的役割**	● 仕事・社会との調整
		表出的役割	● 家事・家族内調整
	家族の機能	●「生命維持機能」「生活維持機能」「パーソナリティ安定化機能」「ケア機能」など	
	家族の形態	**DINKs（ディンクス）**	●（Double income no kids）共働きで子どもをもたない夫婦
		DEWKs（デュークス）	●（Double employed with kids）共働きをしながら子どもを育てる夫婦
		ステップファミリー	● 前のパートナーとの子どもを連れて再婚した夫婦
		ネットワークファミリー	● 血縁・姻縁にこだわらずに選択的に形成された家族
世　帯	● 住居と生計をともにする集団	
核家族世帯	●「夫婦のみの世帯」「夫婦と未婚の子のみの世帯」「ひとり親と未婚の子のみの世帯」を指す。	

世帯数および平均世帯人員の年次推移

厚生労働省「国民生活基礎調査」(令和4年)

平均世帯人員は減少

単独世帯が増加

平均世帯人員 約2.25人

(万世帯) / (人)

単独世帯 核家族世帯 三世代世帯 その他 平均世帯人員

世帯の状況

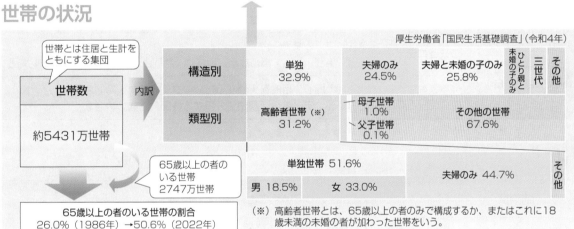

厚生労働省「国民生活基礎調査」(令和4年)

世帯とは住居と生計をともにする集団

| | 構造別 | 単独 32.9% | 夫婦のみ 24.5% | 夫婦と未婚の子のみ 25.8% | ひとり親と未婚の子のみ | 三世代 | その他 |

世帯数 内訳

約5431万世帯

| | 類型別 | 高齢者世帯(※) 31.2% | 母子世帯 1.0% 父子世帯 0.1% | その他の世帯 67.6% |

65歳以上の者のいる世帯 2747万世帯

| 単独世帯 51.6% | | 夫婦のみ 44.7% | その他 |
| 男 18.5% | 女 33.0% | | |

65歳以上の者のいる世帯の割合
26.0%(1986年)→50.6%(2022年)

(※)高齢者世帯とは、65歳以上の者のみで構成するか、またはこれに18歳未満の未婚の者が加わった世帯をいう。

65歳以上の高齢者のいる世帯の世帯構造の推移

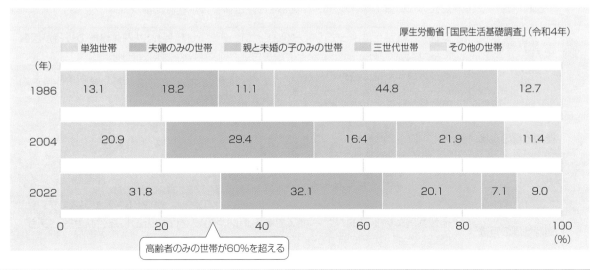

厚生労働省「国民生活基礎調査」(令和4年)

単独世帯 夫婦のみの世帯 親と未婚の子のみの世帯 三世代世帯 その他の世帯

(年)					
1986	13.1	18.2	11.1	44.8	12.7
2004	20.9	29.4	16.4	21.9	11.4
2022	31.8	32.1	20.1	7.1	9.0

高齢者のみの世帯が60%を超える

地域福祉の歴史的展開

慈善組織協会（COS）	● 1869年にイギリスで設立され、アメリカに渡り発展。各々に活動する救済団体を組織化し、別々に行われている活動の連絡調整を図った。 ● 友愛訪問員が要救護者を訪問し、生活相談とともに救済活動を行った。
セツルメント運動	● 貧困地域（スラム）に知識や教養がある人が住み込んで実態調査を行いながら住民への教育や生活上の援助を行う地域改良運動
トインビーホール	● 1884年、バーネット夫妻がイギリスに設立した世界初のセツルメント
ハルハウス	● 1889年、アダムス，J. がシカゴで開設したセツルメント

コミュニティの概念

テンニース (Tönnies, F.)	ゲマインシャフト	● 共同社会 ● 本質意志によって結ばれた自然的集団。家族、村落など
	ゲゼルシャフト	● 利益社会 ● 選択意志によって結ばれた人為的集団。大都市、国民社会など
マッキーヴァー (MacIver, R. M.)	コミュニティ	● 共同生活の基礎 ● 近隣集団・村落・都市など、地域性・共同生活・共属感情を満たす集団
	アソシエーション	● 特定の関心や目的を実現するためにつくられた人為的集団 ● コミュニティの生活課題を分担する機関。家族、教会など

都市化と過疎地域

都市化	● 都市的な生活様式が浸透していくこと
都市化の特徴	● 人口の過密による交通渋滞や交通機関の混雑、コンクリートの環境、競争社会におけるストレス、犯罪が発生しやすいなど
過疎地域（かそちいき）	● 過去の人口減少率等が一定率以上など、法律で指定された地域
限界集落（げんかいしゅうらく）	● 過疎化と高齢化によって「65歳以上人口が50％を超え」、共同体機能の維持が困難になっている集落
過疎地域の現状	● 過疎地域が全国に占める割合　　総務省「過疎対策の現況」（令和4年度版） 市町村数（全国1,719市町村）　過疎 51.5%　　非過疎 人口（全国12,615万人）　過疎 ←9.3%　　非過疎 面積（全国37.8万㎢）　過疎 63.2%　　非過疎 ※市町村数は令和5年4月1日現在。人口および面積は、令和2年国勢調査による。
過疎地域の特徴	● 地域共同体の基礎的なサービスである消防や治安をはじめとした公共サービスが、供給できない状況に陥りがちである。

行政計画：福祉に関する計画

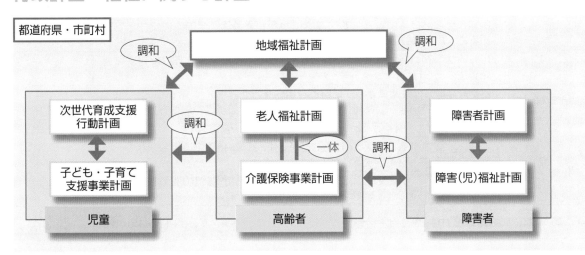

都道府県・市町村

		根拠法
地域福祉計画	●地域福祉の推進に関する計画	社会福祉法
老人福祉計画	●老人福祉事業の供給体制の確保に関する計画	老人福祉法
介護保険事業計画	●介護保険事業の円滑な実施に関する計画（3年を1期）	介護保険法
障害者計画	●障害者のための施策に関する基本的な計画	障害者基本法
障害福祉計画	●障害福祉サービス等の提供体制の確保等に関する計画（3年を1期）	障害者総合支援法
障害児福祉計画	●障害児通所支援等の提供体制の確保等に関する計画（3年を1期）	児童福祉法
次世代育成支援行動計画	●次世代育成支援対策の実施に関する計画（5年を1期）	次世代育成支援対策推進法
子ども・子育て支援事業計画	●子ども・子育て支援給付等の円滑な実施に関する計画（5年を1期）	子ども・子育て支援法

行政計画：医療に関する計画

都道府県

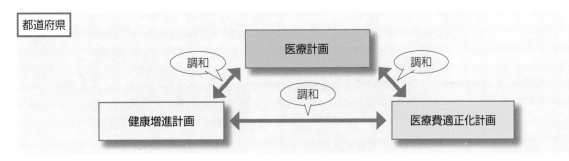

		根拠法
医療計画	●医療を提供する体制の確保に関する計画（6年を1期）	医療法
医療費適正化計画	●生活習慣病対策など医療費適正化のための計画（6年を1期）	高齢者の医療の確保に関する法律
健康増進計画	●住民の健康の増進の推進に関する施策についての計画	健康増進法

行政組織

※2024（令和6）年4月1日現在の総数

国	● 国際社会における国家としての存立にかかわる事務、全国的に統一して定めることが望ましい事務等を行う。		1
都道府県	● 広域的な事務、高度な技術や専門性を必要とする事務、市町村に対する連絡調整などを行う。		47
市町村	● 基礎的な地方公共団体。住民に身近な事務を行う。 ●「特別区」は特別地方公共団体の1つで、市に準ずる基礎的な地方公共団体		1,724 （特別区 23）
市	● 人口5万人以上を有することなどが要件		772
	政令指定都市	● 人口50万人以上などが要件。都道府県が実施する事務の一部を処理する。	（20）
	中核市	● 人口20万人以上などが要件。政令指定都市が処理することができる事務の一部を処理する。	（62）
町 村	●「町」の要件は、都道府県がそれぞれ条例で定める要件を満たすこと。「村」は町以外		町 743 村 189

社会福祉の実施体制

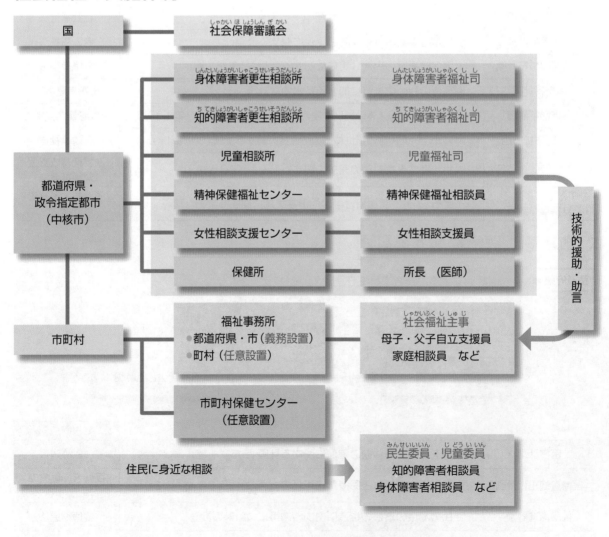

社会福祉・保健の実施体制と専門職

機関	業務内容	配置職員
身体障害者更生相談所	● 身体障害者に関する「専門的な知識及び技術を必要とする相談や指導」、「医学的、心理学的及び職能的判定、補装具の適合判定」などを行う。	身体障害者福祉司など
知的障害者更生相談所	● 知的障害者に関する「専門的な知識及び技術を必要とする相談や指導」、「医学的、心理学的及び職能的判定」などを行う。	知的障害者福祉司など
精神保健福祉センター	● 精神障害者に関する「複雑又は困難な相談や援助」、「精神医療審査会の事務」などを行う。	精神保健福祉相談員など
児童相談所	● 「専門的な知識及び技術を必要とする相談」、「医学的、心理学的、教育学的、社会学的及び精神保健上の判定」、「児童の一時保護」などを行う。	児童福祉司など
女性相談支援センター	● 困難な問題を抱える女性の相談に応じ、「健康回復を図るための医学的または心理学的援助」、「緊急時における安全の確保および一時保護」などを行う。	女性相談支援員など
保健所	● 保健所、市町村保健センターについては地域保健法に定められている。 ● 食品衛生、環境衛生、精神保健、難病、感染症予防など、広域的・専門的な保健サービスを行う。	○所長（医師） ○歯科医師、薬剤師、獣医師、保健師、管理栄養士など
市町村保健センター	● 市町村は、市町村保健センターを設置することができる。（任意） ● 健康相談、保健指導、健康診査など住民に身近な保健サービスを行う。	保健師など
福祉事務所	● 社会福祉法に規定されている、第一線の社会福祉行政機関。都道府県および市は義務設置、町村は任意設置。（※）	○所長 ○査察指導員（社会福祉主事） ○現業員（社会福祉主事）
都道府県福祉事務所	● 福祉事務所を設置していない町村を管轄する。 ● 生活保護法、児童福祉法、母子及び父子並びに寡婦福祉法の3つの法律に定める事務を司る。	
市町村福祉事務所	● 生活保護法、児童福祉法、母子及び父子並びに寡婦福祉法、老人福祉法、身体障害者福祉法、知的障害者福祉法の6つの法律に定める事務を司る。	
民生委員・児童委員	● 都道府県知事の推薦で厚生労働大臣が委嘱する。 ● 民生委員は児童委員を兼ねる。 ● 住民の生活状況を把握し、相談助言などを行う。福祉事務所の仕事に協力する。 ● 任期は3年。給与は支給されない。	

（※）2023（令和5）年4月現在、都道府県（205か所）、市（特別区含む）（999か所）、町村（47か所）の福祉事務所が設置されている。

人間と社会

2節　人権と権利擁護

「人権と権利擁護」では、「人間の尊厳と人権」「権利擁護」「虐待」について整理していきます。

	単　元	重要度	出題実績					最近の出題内容
			32回	33回	34回	35回	36回	
3	人間の尊厳と人権	A	2	4	1	3	1	ノーマライゼーション、ソーシャルインクルージョン、ナショナルミニマム、ユニバーサルデザイン、IL運動
4	権利擁護	B	1		2	1	2	成年後見制度、任意後見制度、日常生活自立支援事業
5	虐待	B		1	2	1	2	高齢者虐待、障害者虐待、児童虐待

人間の尊厳や人権に関する重要用語

自立	●自己決定に基づいて主体的な生活を営むこと。
介護保険法第1条（要約）	要介護高齢者などが尊厳を保持し、その有する能力に応じ自立した日常生活を営むことができるよう、必要な給付を行い、もって国民の保健医療の向上および福祉の増進を図ることを目的とする。
障害者総合支援法第3条	すべての国民は、その障害の有無にかかわらず、障害者等が自立した日常生活または社会生活を営めるような地域社会の実現に協力するよう努めなければならない。
ノーマライゼーション	●障害のある人たちを一人の市民として地域で普通に生活できるように社会のしくみを変えていくこと。
バンク-ミケルセン（Bank-Mikkelsen, N.）	●デンマークで、知的障害者の親の会の運動にかかわるなかで、世界で初めてノーマライゼーションの原理が入った1959年法の制定にかかわった。

ニィリエ（Nirje, B.）

●スウェーデンのニィリエは、バンク-ミケルセンの考えの影響を受けながら、ノーマライゼーションの8つの原理をまとめた。

8つの原理	1	●1日のノーマルなリズム	5	●ノーマルな要求の尊重
	2	●1週間のノーマルなリズム	6	●異性とのかかわり
	3	●1年間のノーマルなリズム	7	●ノーマルな経済水準
	4	●ライフサイクルでのノーマルな経験	8	●ノーマルな環境水準

ヴォルフェンスベルガー（Wolfensberger, W.）	●「価値のある社会的役割の獲得」を目指すソーシャルロール・バロリゼーションを提唱した。
糸賀一雄	●『この子らを世の光に——近江学園二十年の願い』を著し、知的障害者も発達の可能性と権利をもつ主体としてとらえる人間の発達保障を唱えた。

リハビリテーション

●何らかの障害のある人が、全人間的復権を目指して、人として尊厳、権利、資格を本来あるべき姿に回復すること。

全人間的復権	●障害のある人が身体的、精神的、社会的、職業的に能力を発揮し、人間らしく生きる権利

ソーシャル・インクルージョン（社会的包摂）	●障害者だけではなく、すべての人々を社会的孤立や排除などから援護し、社会の構成員として包み込み、共に生き、支え合う地域のあり方。
ナショナルミニマム	●国が社会保障その他の公共政策によって国民に保障する最低生活水準。
アドボカシー（権利擁護）	●利用者の利益を図り生活の質を高めるために主張や代弁をし、権利を擁護していく活動。

バリアフリー	●障害のある人が社会生活をしていくうえで障壁（バリア）となるものを除去すること。		
ユニバーサルデザイン	●年齢や障害の有無などにかかわらず、すべての人が使いやすいように施設、製品などをデザインすること。		
	7原則	1	●誰でも公平に利用できる
		2	●使う人の好みや能力に合うように作られている
		3	●使い方が簡単ですぐわかる
		4	●必要な情報がすぐに理解できる
		5	●簡単なミスが危険につながらないデザインである
		6	●身体への過度な負担がなく、少ない力でも楽に使用できる
		7	●誰にでも使える大きさと広さが確保されている
3つの価値	フランクル（Frankl,V.）は、人間が実現できる価値を3つに分類した。		
	創造価値		●何かを創造することによって実現される価値
	体験価値		●何かを体験することによって実現される価値
	態度価値		●生命が制限される状況において、いかなる態度をとるかによって実現される価値
ケアの本質	●ミルトン・メイヤロフ（Mayeroff, M.）は、著書『ケアの本質――生きることの意味』のなかで、「一人の人格をケアするとは、最も深い意味で、その人が成長すること、自己実現することをたすけることである」と述べた。		

人権運動の歴史

1971年	知的障害者の権利宣言	●第26回国連総会において採択された。「知的障害者は、実際上可能な限りにおいて、他の人間と同等の権利を有する」
1975年	障害者の権利宣言	●第30回国連総会において採択された。「障害者は、その障害の原因、特質及び程度にかかわらず、同年齢の市民と同等の基本的権利を有する」
1970年代	自立生活運動（IL運動）	●アメリカのカリフォルニア州バークレーで展開された。 ●障害者自身の選択による自己決定の尊重を主張している。
1981年	国際障害者年	●第31回国連総会にて決議。障害者の完全参加と平等をテーマとし、障害者が社会生活に完全参加し、障害のない人と同等の生活を享受する権利の実現を目指す。 ●1983年から1992年までの10年間を「国連・障害者の十年」と宣言。
1990年	障害をもつアメリカ人法（ADA）	●障害のある人の社会参加を保障し、公共施設や商業施設、交通機関を、どんな障害のある人でも利用できるよう整備すること、雇用や教育の差別の禁止等を義務づけている。
2006年	障害者の権利に関する条約	●日本は2014（平成26）年1月批准。 ●「Nothing about us without us（私たち抜きに私たちのことを決めるな）」の考え方のもとに、障害者が作成の段階から関わり、その意見が反映されて成立した。 ●障害者に保障されるべき人権・基本的自由を確保・促進するための措置を締約国がとることなどを定めている。「合理的配慮」の概念が、国際条約上初めて取り上げられた。

日本国憲法と基本的人権

日本国憲法は、1946（昭和21）年11月3日に公布されました。国民主権の原則に基づいて、「個人の尊厳」を基礎に「基本的人権の尊重」を掲げています。

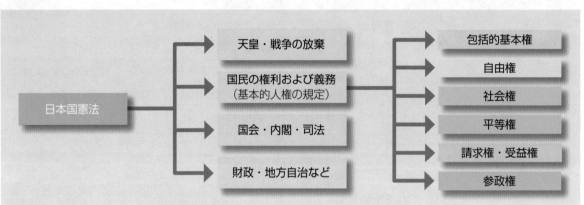

基本的人権の主な規定と判例

11条	基本的人権の享有	● 国民は、すべての基本的人権の享有を妨げられない。この憲法が国民に保障する基本的人権は、侵すことのできない永久の権利として、現在及び将来の国民に与へられる。
13条	個人の尊重、生命・自由・幸福追求の権利の尊重	● すべて国民は、個人として尊重される。生命、自由及び幸福追求に対する国民の権利については、公共の福祉に反しない限り、立法その他の国政の上で、最大の尊重を必要とする。
14条	法の下の平等	● すべて国民は、法の下に平等であつて、人種、信条、性別、社会的身分又は門地により、政治的、経済的又は社会的関係において、差別されない。
19条	思想及び良心の自由	● 思想及び良心の自由は、これを侵してはならない。
24条	家族生活における個人の尊厳と両性の平等	● 婚姻は、両性の合意のみに基いて成立し、夫婦が同等の権利を有することを基本として、相互の協力により、維持されなければならない。 ● 配偶者の選択、財産権、相続、住居の選定、離婚並びに婚姻及び家族に関するその他の事項に関しては、法律は、個人の尊厳と両性の本質的平等に立脚して、制定されなければならない。
25条	生存権、国の生存権保障義務	● すべて国民は、健康で文化的な最低限度の生活を営む権利を有する。 ● 国は、すべての生活部面について、社会福祉、社会保障及び公衆衛生の向上及び増進に努めなければならない。
	判例 朝日訴訟	● 厚生大臣（当時）が定めた生活扶助基準が、健康で文化的な最低限度の生活の水準を維持することができない違法・違憲のものであるかどうかが争われた裁判。人間裁判と呼ばれた。
	堀木訴訟	● 障害福祉年金と児童扶養手当の併給が禁止されている児童扶養手当法の規定が、違法・違憲のものであるかどうかが争われた裁判。

成年後見制度と日常生活自立支援事業の比較

成年後見制度と日常生活自立支援事業を比較して整理しましょう。

	成年後見制度	日常生活自立支援事業
法律	● 民法	● 社会福祉法
管轄	● 法務省	● 厚生労働省
機関	● 家庭裁判所	● 都道府県・指定都市社会福祉協議会
対象者	● 認知症高齢者・知的障害者・精神障害者 ● 後見＝判断能力を欠く常況にある者 ● 保佐＝判断能力が著しく不十分な者 ● 補助＝判断能力が不十分な者	● 判断能力が不十分な者で、本事業の契約の内容について判断し得る能力を有していると認められる者
手続き	● 家庭裁判所に申立て （本人・配偶者・4親等内の親族・検察官・市町村長等） ※本人の同意（後見・保佐は不要、補助は必要）	● 市町村社会福祉協議会に相談・申込み （本人、家族、関係者・機関等） ※本人と社会福祉協議会との契約
意思能力の確認・審査や鑑定・診断	● 医師の鑑定書・診断書を家庭裁判所に提出	●「契約締結判定ガイドライン」により確認困難な場合は「契約締結審査会」で審査
援助の方法	● 家庭裁判所による援助内容の決定	● 本人と社会福祉協議会による援助内容の決定
援助者	● 後見人、保佐人、補助人、任意後見人	● 専門員、生活支援員
援助の内容	● 財産管理 （所有するアパートの家賃の管理、印鑑や通帳などの管理、不動産の売却、遺産分割など）	● 日常的金銭管理 （公共料金、税金、医療費、福祉サービス利用料等を支払う手続きなど） ● 書類等預かりサービス （日常的金銭管理で使用する預貯金通帳（50万円以内）や銀行印の預かりなど）
	● 身上監護（身上保護） （入院・施設の入退所などの契約、介護サービスの契約、費用の支払いなど）	● 福祉サービスの利用援助 （福祉サービスの利用に関する相談や情報の提供など）
費用	● 本人の財産から支弁	● 社会福祉事業として、契約締結までの費用は公費負担。契約締結後の援助は利用者負担
費用の減免・助成	● 成年後見制度利用支援事業等	● 生活保護利用者は公費補助
その他	● 入院、入所した場合も利用できる。 ● 判断能力が不十分な者で、日常生活自立支援事業の契約の内容について判断し得る能力を有している場合等は、成年後見制度も利用できる。	

43

成年後見制度

成年後見制度は、精神上の障害により判断能力が不十分であるために、法律行為の意思決定が困難な人を後見人などが保護する制度です。
申立ては、**家庭裁判所**に対して行います。家庭裁判所は、職権で法定後見人や法定後見監督人を選任します。

成年後見制度

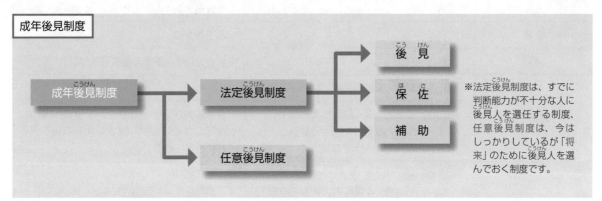

※法定後見制度は、すでに判断能力が不十分な人に後見人を選任する制度、任意後見制度は、今はしっかりしているが「将来」のために後見人を選んでおく制度です。

	後見	保佐	補助
対象となる人	判断能力が欠けているのが常況の者（常にそうした状態にある者）	判断能力が著しく不十分な者	判断能力が不十分な者
申立てができる人	本人、配偶者、4親等内の親族、検察官、市町村長など		
代理権の範囲	財産に関するすべての法律行為	申立ての範囲内で家庭裁判所が定める「特定の法律行為」	
後見人等の名称	成年後見人	保佐人	補助人
後見人等になれる人	配偶者や親族のほか、「弁護士などの専門職」や「社会福祉法人などの法人」も選任できる		

後見人の職務

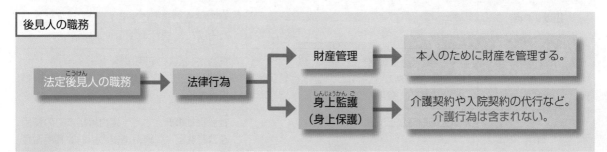

成年被後見人の行った法律行為は、日用品の購入など**日常生活に関する行為以外は取り消す**ことができます。

任意後見制度

任意後見制度は、**本人が契約の締結に必要な判断能力を有している**間に、将来、自己の判断能力が不十分になったときのために、後見事務の内容と後見する人（任意後見人）を、**自ら事前の契約によって決めておく制度**です。

任意後見契約	●任意後見契約は、公証人役場で、「公正証書」によって締結する
登記	●任意後見契約の公正証書が作成されると、公証人の嘱託により法務局に登記される
後見開始の審判	●本人の判断能力が不十分になった場合、本人、配偶者、4親等内の親族や任意後見受任者などが家庭裁判所に、「任意後見監督人選任の申立て」を行う

成年後見制度利用支援事業

成年後見制度利用支援事業	●成年後見制度の利用が有効にもかかわらず利用が困難な人に対し、制度の利用を支援する制度 ●介護保険では、地域支援事業の任意事業として、障害者総合支援法では、地域生活支援事業の必須事業として実施している
利用対象者	●認知症高齢者、知的障害者または精神障害者で、成年後見制度の必要経費の助成を受けなければ制度の利用が困難な人
補助の対象	●成年後見制度の申立てに要する経費（登記手数料、鑑定費用等） ●後見人等の報酬等

成年後見制度の利用状況（2023年）

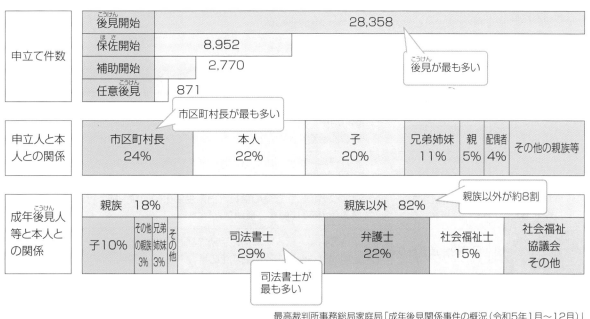

最高裁判所事務総局家庭局「成年後見関係事件の概況（令和5年1月〜12月）」

日常生活自立支援事業

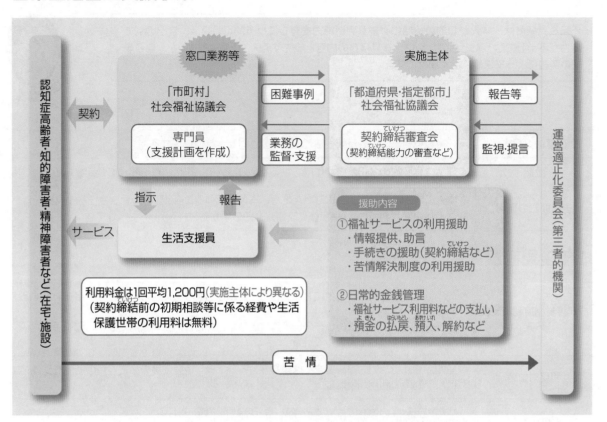

実施主体	●都道府県・指定都市の社会福祉協議会 ●業務の一部を市町村社会福祉協議会(基幹的社協)などに委託できる。		
利用対象者	●認知症高齢者・知的障害者・精神障害者などで、判断能力が不十分な人 (本事業の契約内容が判断できる能力が必要)		
実施体制等	生活支援員	●支援計画に基づき援助する。	
	専門員	●支援計画の作成や契約締結の業務、生活支援員の指導などを行う。 ●原則として、社会福祉士・精神保健福祉士などから任用される。	
	契約締結審査会	●都道府県・指定都市社会福祉協議会に設置。契約締結能力に疑義がある場合に審査する。	
援助内容	福祉サービスの 利用援助	●福祉サービスの利用に関する援助 ●福祉サービスの利用に関する苦情解決制度の利用援助 ●住宅改造、居住家屋の賃貸、日常生活上の消費契約、行政手続き(住民票の届出等)に関する援助など	
	日常的金銭管理など	●預金の払戻、預入、解約の手続きなど ●定期的な訪問による生活変化の察知	
利用にあたって	●入院・入所した場合でも、日常生活自立支援事業を利用することができる。 ●成年後見制度と日常生活自立支援事業を併用することができる。		

苦情解決のしくみ

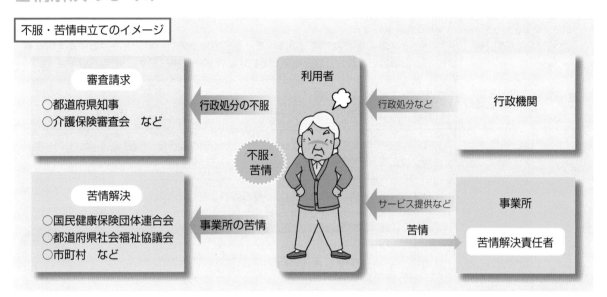

不服・苦情申立てのイメージ

審査請求		
○都道府県知事		
○介護保険審査会　など		

行政処分の不服 ← 利用者 ← 行政処分など ← 行政機関

不服・苦情

苦情解決	
○国民健康保険団体連合会	
○都道府県社会福祉協議会	
○市町村　など	

事業所の苦情 ← サービス提供など ← 事業所　苦情解決責任者

苦情 →

審査請求期間は、その処分があったことを知った日の翌日から3か月以内

	申立て先	申立て内容等
審査請求	国民健康保険審査会	●国民健康保険の保険給付や保険料に関する処分など
	介護保険審査会	●介護保険の要介護認定、保険給付、保険料に関する処分など
	都道府県知事	●市町村長（市町村の執行機関）が行った処分（生活保護）など
	障害者介護給付費等不服審査会	●障害者総合支援法の障害支援区分、サービス種類、支給決定、利用者負担に関する処分など
サービスへの苦情	市町村	●保険者、実施主体として利用者からの第一次的な苦情を受け付ける。
	介護サービス苦情処理委員会	●国民健康保険団体連合会に設置され、介護サービス事業者に対する苦情を受け付ける。
	運営適正化委員会	●都道府県社会福祉協議会に設置され、福祉サービスに関する苦情を受け付ける。
	苦情解決責任者（担当者）	●介護保険法や障害者総合支援法などに基づいて事業所に配置され、利用者からの苦情に対応する。

高齢者虐待防止法

高齢者虐待の防止、高齢者の養護者に対する支援等に関する法律

定義	高齢者	● 65歳以上の者 （65歳未満の者で養介護施設入所者や養介護事業のサービスを受ける障害者は高齢者とみなして、養介護施設従事者等による高齢者虐待に関する規定を適用）
	高齢者虐待	①養護者による高齢者虐待 ②養介護施設従事者等による高齢者虐待
	養介護施設等	● 養介護施設：老人福祉施設、有料老人ホーム、介護保険施設、地域包括支援センター等 ● 養介護事業：居宅生活支援事業、居宅サービス事業等
虐待の種類	身体的虐待	● 身体に外傷が生じ、または生じるおそれのある暴行を加えること。
	心理的虐待	● 著しい暴言、拒絶的な対応など、心理的外傷を与える言動を行うこと。
	性的虐待	● 高齢者にわいせつな行為をすること、またはさせること。
	介護等放棄 （ネグレクト）	● 高齢者を衰弱させるような著しい減食、長時間の放置など養護を著しく怠ること。
	経済的虐待	● 高齢者の財産を不当に処分すること、高齢者から不当に財産上の利益を得ること。
通報義務	①養護者による高齢者虐待	● 養護者による高齢者虐待を受けたと思われる高齢者を発見した者は、高齢者の生命または身体に重大な危険が生じている場合は、速やかに、これを市町村に通報しなければならない。
	②養介護施設従事者等による高齢者虐待	● 養介護施設従事者等は、施設従事者等による高齢者虐待を受けたと思われる高齢者を発見した場合は、速やかに、これを市町村に通報しなければならない。
	免責	● 高齢者虐待の通報をしても、守秘義務違反にならない。 ● 養介護施設従事者等は、通報をしたことを理由として、解雇その他不利益な取扱いを受けない。

5種類の虐待が定義されています。

高齢者虐待への対応

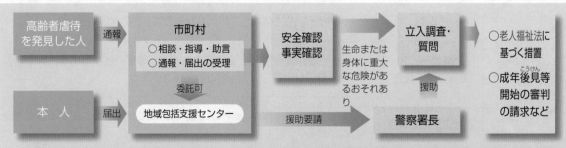

● 市町村は、立入調査または質問をする場合、必要がある場合は、警察署長に援助を求めることができる。
● 市町村は、必要に応じ、高齢者を一時保護するために、特別養護老人ホームへの入所など老人福祉法に基づく措置などを行う。
● 認知症高齢者などで、必要があるときは、市町村長は、成年後見等開始の審判の請求を行うものとする。

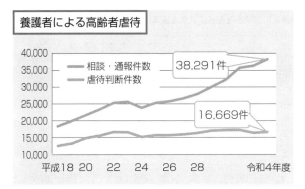

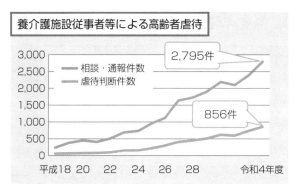

養護者による高齢者虐待

虐待の種類	身体的	11,167件（65%）			
	心理的	6,660件（39%）			
	介護等放棄（ほうき）	3,370件（20%）			
	経済的	2,540件（15%）			
被虐待者	性別	女性 76%			男性 24%
	年齢	65〜69歳 7% ／ 70〜74歳 14% ／ 75〜79歳 19% ／ 80〜84歳 25%		85〜89歳 21%	90歳以上 14%
	要介護認定	認定済み 69%		未申請・申請中・非該当等 31%	
	認知症日常生活自立度	認知症日常生活自立度Ⅱ以上 74%	Ⅰまたは認知症なし等 24%		
虐待者	同居・別居	虐待者のみと同居 53%	虐待者および他家族と同居 34%	別居・その他 12%	
	続柄（つづきがら）	息子 39%	夫 23%	娘 19%	妻 7% ／ その他
対応状況	相談・通報者	警察 34%	介護支援専門員 25%	家族・親族 8% ／ 本人 6% ／ 介護保険事業所職員 5%	その他
	分離の有無	虐待者と分離 20%	分離していない 53%	その他	
	分離の方法	介護保険サービス利用 34%	医療機関への一時入院 17% ／ やむを得ない事由等による措置 16%	施設等の利用 13% ／ 緊急一時保護 10%	その他

身体的虐待が最も多い

養介護施設従事者等による高齢者虐待

虐待の種類	身体的	810件（58%）			
	心理的	464件（33%）			
	介護等放棄（ほうき）	326件（23%）			
被虐待者	性別	女性 72%		男性 28%	
	年齢	70〜74歳 5% ／ 75〜79歳 10% ／ 80〜84歳 15%	85〜89歳 24%	90〜94歳 24%	95〜99歳 12% ／ その他
虐待者	施設の種別	特別養護老人ホーム 32%	有料老人ホーム 26%	認知症対応型共同生活介護 12% ／ 介護老人保健施設 11%	その他

身体的虐待が最も多い

厚生労働省「「高齢者虐待の防止、高齢者の養護者に対する支援等に関する法律」に基づく対応状況等に関する調査結果」（令和4年度）

障害者虐待防止法 ← 障害者虐待の防止、障害者の養護者に対する支援等に関する法律

定義	障害者	●身体障害、知的障害、精神障害（発達障害を含む）その他の心身の機能の障害がある者であって、障害および社会的障壁により継続的に日常生活または社会生活に相当な制限を受ける状態にあるものをいう。
	障害者虐待	①養護者による障害者虐待 ②障害者福祉施設従事者等による障害者虐待 ③使用者による障害者虐待
虐待の種類		●身体的虐待、心理的虐待、性的虐待、放棄・放置（ネグレクト）、経済的虐待の5種類が規定されている。
虐待の禁止		●何人も、障害者に対し、虐待をしてはならない。
機関	市町村障害者 虐待防止センター	●市町村は、障害者福祉に関する事務を所掌する部局または市町村が設置する施設において、市町村障害者虐待防止センターとしての機能を果たすようにする。
	都道府県障害者 権利擁護センター	●都道府県は、障害者福祉に関する事務を所掌する部局または都道府県が設置する施設において、都道府県障害者権利擁護センターとしての機能を果たすようにする。
通報義務	①養護者による 障害者虐待	●養護者による障害者虐待を受けたと思われる障害者を発見した者は、速やかに、これを市町村に通報しなければならない。
	②障害者福祉施設 従事者等による 障害者虐待	●障害者福祉施設従事者等による障害者虐待を受けたと思われる障害者を発見した者は、速やかに、これを市町村に通報しなければならない。
	③使用者による 障害者虐待	●使用者による障害者虐待を受けたと思われる障害者を発見した者は、速やかに、これを市町村または都道府県に通報しなければならない。
免責		●障害者虐待の通報をしても、守秘義務違反にならない。 ●障害者福祉施設従事者等または労働者は、通報をしたことを理由として、解雇その他不利益な取扱いを受けない。

障害者虐待への対応

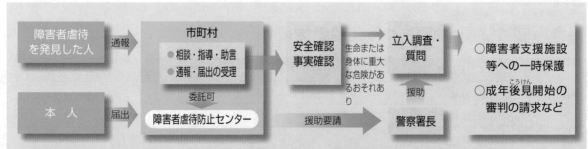

●障害者福祉施設従事者等による虐待の通報を受けた市町村は、都道府県へ報告しなければならない。
●使用者による障害者虐待の通報を受けた市町村は、都道府県へ通知しなければならない。都道府県知事は、通知を受けたときは都道府県労働局へ報告しなければならない。
●市町村は、必要に応じ、障害者支援施設等への一時保護、成年後見開始の審判の請求などを行うものとする。

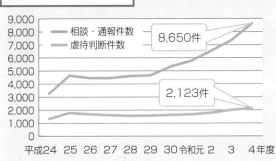

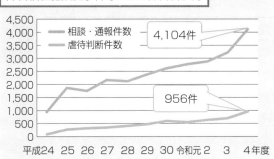

養護者による障害者虐待

> 令和4年度は8,650件の相談・通報がありました。

虐待の種類	身体的	1,455件(69%)				
	心理的	681件(32%)				
被虐待者	性別	女性 66%				男性 34%
	障害種別	知的障害 958人		精神障害 924人		身体障害 404人
虐待者	同居・別居	虐待者と同居 85%				別居 13%
	続柄	父 25%	母 23%	夫 16%	兄弟 11%	姉妹 5% / その他
対応状況	相談・通報者	警察 51%		本人による 届出13%	施設・事業所 の職員11% / 相談支援専 門員11%	その他
	分離の有無	被虐待者と分離 34%		分離していない 46%		その他
	分離の方法	障害福祉サービス利用 47%		医療機関への 一時入院13%	緊急一時 保護13% / やむを得ない 事由等による 措置7%	その他

障害者福祉施設従事者等による障害者虐待

> 令和4年度は4,104件の相談・通報がありました。

虐待の種類	身体的	497件(52%)				
	心理的	444件(46%)				
被虐待者	性別	男性 64%			女性 36%	
	障害種別	知的障害 981人			身体障害 284人	精神障害 214人
虐待者	施設の種別	共同生活援助 26%	障害者支援施設 22%	生活介護 14%	就労継続支援 B型12% / 放課後等デイ サービス10%	その他

使用者による障害者虐待

> 令和4年度は538件の相談・通報がありました。

対応状況	相談・通報者	本人による届出 45%	家族・親 族11% / 相談支援専 門員7%	その他

厚生労働省「「障害者虐待の防止、障害者の養護者に対する支援等に関する法律」に基づく対応状況等に関する調査結果」(令和4年度)

児童虐待

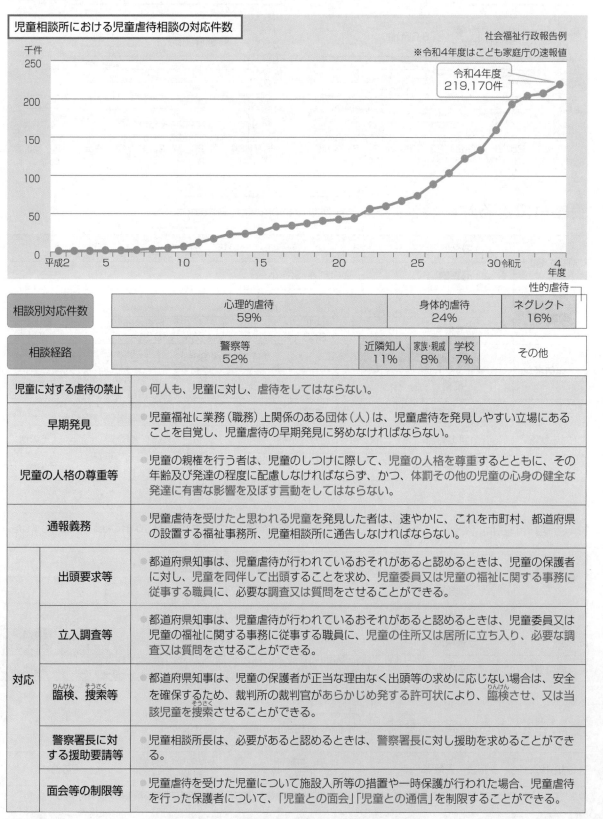

児童相談所における児童虐待相談の対応件数

社会福祉行政報告例
※令和4年度はこども家庭庁の速報値

令和4年度
219,170件

相談別対応件数	心理的虐待 59%	身体的虐待 24%	ネグレクト 16%	性的虐待

相談経路	警察等 52%	近隣知人 11%	家族・親戚 8%	学校 7%	その他

児童に対する虐待の禁止		何人も、児童に対し、虐待をしてはならない。
	早期発見	児童福祉に業務（職務）上関係のある団体（人）は、児童虐待を発見しやすい立場にあることを自覚し、児童虐待の早期発見に努めなければならない。
	児童の人格の尊重等	児童の親権を行う者は、児童のしつけに際して、児童の人格を尊重するとともに、その年齢及び発達の程度に配慮しなければならず、かつ、体罰その他の児童の心身の健全な発達に有害な影響を及ぼす言動をしてはならない。
	通報義務	児童虐待を受けたと思われる児童を発見した者は、速やかに、これを市町村、都道府県の設置する福祉事務所、児童相談所に通告しなければならない。
対応	出頭要求等	都道府県知事は、児童虐待が行われているおそれがあると認めるときは、児童の保護者に対し、児童を同伴して出頭することを求め、児童委員又は児童の福祉に関する事務に従事する職員に、必要な調査又は質問をさせることができる。
	立入調査等	都道府県知事は、児童虐待が行われているおそれがあると認めるときは、児童委員又は児童の福祉に関する事務に従事する職員に、児童の住所又は居所に立ち入り、必要な調査又は質問をさせることができる。
	臨検、捜索等	都道府県知事は、児童の保護者が正当な理由なく出頭等の求めに応じない場合は、安全を確保するため、裁判所の裁判官があらかじめ発する許可状により、臨検させ、又は当該児童を捜索させることができる。
	警察署長に対する援助要請等	児童相談所長は、必要があると認めるときは、警察署長に対し援助を求めることができる。
	面会等の制限等	児童虐待を受けた児童について施設入所等の措置や一時保護が行われた場合、児童虐待を行った保護者について、「児童との面会」「児童との通信」を制限することができる。

虐待などを受けている方を守る法律の全体像を整理しましょう。

		高齢者虐待防止法(※1) (平成18年施行)	障害者虐待防止法(※2) (平成24年施行)	児童虐待防止法(※3) (平成12年施行)	配偶者暴力防止法(※4) (平成13年施行)
虐待の定義	対象	65歳以上の者(※5)	身体障害者 知的障害者 精神障害者 (発達障害を含む)	保護者が監護する児童（18歳未満）	配偶者（内縁関係、同棲関係含む）からの暴力を受けた者
	身体的虐待	○	○	○	配偶者からの身体に対する暴力又はこれに準ずる心身に有害な影響を及ぼす言動
	心理的虐待	○	○	○	
	性的虐待	○	○	○	
	ネグレクト	○	○	○	
	経済的虐待	○	○		
通報	発見した人	●養護者による虐待を発見し、高齢者の生命又は身体に重大な危険が生じている場合は、通報義務。 ●虐待を受けたと思われる高齢者を発見した場合は、通報努力義務。	●虐待を受けたと思われる障害者を発見した者は、通報義務。	●虐待を受けたと思われる児童を発見した者は、通告義務。	●配偶者からの暴力（身体的暴力のみ）を受けている者を発見した者は、通報「努力」義務。
	専門職など	●関係団体、専門職は、早期発見努力義務。 ●施設従事者等は、職員による虐待を受けたと思われる者を発見した場合は、通報義務。	●関係団体、専門職は、障害者虐待の早期発見努力義務。 ●施設従事者等による虐待を受けたと思われる者を発見した場合は、通報義務。 ●使用者による虐待を受けたと思われる者を発見した場合は、通報義務。	●関係団体、専門職は、児童虐待の早期発見努力義務。	●医療関係者は、暴力によって負傷などした者を発見したときは、通報することができる。 ●通報は、本人の意思を尊重するよう努めるものとする。
	通報先	●市町村 （地域包括支援センターなどへ委託可）	●市町村、都道府県	●児童相談所、市町村など（直接または児童委員を介して）	●配偶者暴力相談支援センター、警察官
対応	一時保護	●市町村による老人短期入所施設などへの措置	●市町村による障害者福祉施設等への一時保護	●児童相談所による一時保護	●女性相談支援センター等による一時保護
	警察署長等	●立入調査などに協力	●立入調査などに協力	●立入調査などに協力	●被害の発生を防止するために必要な援助
	措置など	●面会の制限 ●市町村長による成年後見開始の審判など	●面会の制限 ●市町村長による成年後見開始の審判など	●施設入所等の措置 ●面接・通信の制限 ●接近禁止 ●親権の喪失の審判など	●地方裁判所の保護命令 ●接近禁止命令 ●退去等命令など

（※1）「高齢者虐待の防止、高齢者の養護者に対する支援等に関する法律」
（※2）「障害者虐待の防止、障害者の養護者に対する支援等に関する法律」
（※3）「児童虐待の防止等に関する法律」
（※4）「配偶者からの暴力の防止及び被害者の保護等に関する法律」
（※5）65歳未満で、養介護施設入所者や養介護事業のサービスを受ける障害者は、高齢者とみなして、養介護施設従事者等による高齢者虐待に関する規定を適用。

第1章 人間と社会

3節　社会保障制度

「社会保障制度」では、「医療保険」「介護保険」などの社会保険や、「障害者総合支援法」をはじめとする福祉サービスなどについて整理していきます。

単　元		重要度	出題実績					最近の出題内容
			32回	33回	34回	35回	36回	
6	社会保障制度の概要	B	1	2	2	1	1	社会保険、社会福祉、社会保障給付費、社会福祉の歴史
7	医療保険	C					2	医療保険の概要、医療提供施設、健康寿命、特定健康診査
8	年金保険	C						国民年金の被保険者、障害基礎年金
9	労働関連	C	1					労災保険、雇用保険、労働基準法、労働安全衛生法、育児・介護休業等
10	介護保険	A	4	7	2	2	6	介護保険の保険者、被保険者、要介護認定、保険給付、地域支援事業、ケアマネジメント
11	社会福祉法関連	C	1			1	1	社会福祉法、共同募金、社会福祉法人、特定非営利活動法人（NPO法人）
12	生活保護・社会手当	C	2		1	1		生活保護制度、社会手当、生活困窮者自立支援法
13	高齢者福祉	C	1	1	2			老人福祉法、高齢者関連施設
14	障害者福祉	A	1	1	2	3	3	障害者基本法、障害者の定義、障害者手帳、障害者差別解消法、シンボルマーク
15	障害者総合支援法	A	3	5	6	4	4	障害者総合支援法の概要、障害支援区分、介護給付、訓練等給付、地域相談支援、障害児支援

社会保障制度の概要

 日本の社会保障は、**自助や互助を基本**としつつ、自助の共同化としての**共助が自助を支え**、自助・共助で対応できない場合に公的扶助等の**公助が補完**するしくみが基本です。

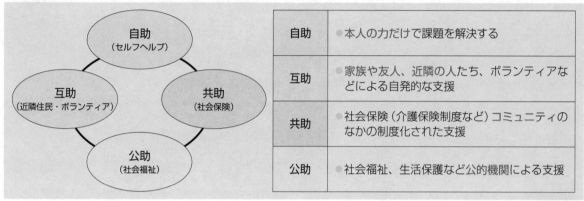

自助	● 本人の力だけで課題を解決する
互助	● 家族や友人、近隣の人たち、ボランティアなどによる自発的な支援
共助	● 社会保険（介護保険制度など）コミュニティのなかの制度化された支援
公助	● 社会福祉、生活保護など公的機関による支援

社会保障制度は、大きく分けて保険のしくみで運営される**社会保険**と、租税を中心に運営される**社会扶助**のしくみがあります。

区分	保障内容	所得保障	医療保障	福祉サービス
社会保険 （保険料が中心）	年金保険	○		
	医療保険	○	○	
	雇用保険	○		
	労災保険	○	○	
	介護保険		（※）	○
社会扶助 （租税が中心）	老人福祉			○
	障害者（児）福祉		○	○
	児童福祉			○
	母子・父子・寡婦福祉	○		○
	公的扶助（生活保護）	○	○	○
	社会手当	○		

（社会保障制度）

（※）介護保険には、訪問看護、訪問リハビリテーションなど、一部医療サービスも含まれる

 社会保障には、「**生活の保障・生活の安定**」「**個人の自立支援**」「**家庭機能の支援**」などの目的があります。

社会保険制度

社会保険は国民のリスクを保障するために国が法律によって定めている**強制加入**の保険です。一方、**任意加入**の民間保険は社会保険を補完する役割があります。

社会保険制度の概要

種　類		保険者	被保険者	保険事故	保険給付
①医療保険	国民健康保険	都道府県と市町村／国民健康保険組合	①自営業者など②働いていない人	病気・けが（仕事などが原因でない場合）	①療養の給付②高額療養費③訪問看護療養費など
	健康保険	全国健康保険協会／健康保険組合	①就職して働いている人②働いている人に扶養されている人		
	各種共済	共済組合			
	後期高齢者医療	後期高齢者医療広域連合（運営主体）	75歳以上の人		
②年金保険	国民年金	国	20歳以上60歳未満の人	①年をとって働けない②障害を負って働けない③配偶者が死んで生活が心配など	①老齢年金②障害年金③遺族年金など
	厚生年金	国	民間のサラリーマン公務員など		
③雇用保険		国	雇用されて働く人	失業（働きたくても働けない状態）	①求職者給付②就職促進給付③雇用継続給付など
④労働者災害補償保険（労災保険）		国	雇用されて働く人	仕事・通勤途中の病気・けが	①療養補償給付②障害補償年金③介護補償給付など
⑤介護保険		市町村および特別区	市町村に住所を有する40歳以上の人	要支援・要介護状態	①居宅サービス②施設サービス③地域密着型サービスなど

補完

民間保険の概要

民間保険	自由意思に基づいて選択し加入する保険で、民間企業が運営を行っている。社会保険制度を補完する役割などがある。
第1分野（生命保険）	人の生命や傷病にかかわる損失を保障することを目的とする保険で、死亡保険、生存保険、養老保険などがある。
第2分野（損害保険）	自然災害や自動車事故など、偶然の事故により生じた損害を補償することを目的とする保険で、地震保険、自動車保険、傷害保険などがある。
第3分野（医療保険・介護保険など）	第1分野、第2分野の保険のどちらにも属さない種類の保険で、医療保険、介護保険、がん保険などがある。

社会福祉の法体系

「社会福祉法」は、社会福祉の基礎となる法律です。これを土台に「高齢者」「障害者」「児童」「母子・父子・寡婦」「生活保護」などの制度があります。

社会福祉の体系図

老人福祉法	障害者総合支援法						児童福祉法	母子及び父子並びに寡婦福祉法	生活保護法
	身体障害者福祉法	知的障害者福祉法	精神保健及び精神障害者福祉に関する法律	発達障害者支援法					
	障害者基本法								
社会福祉法 (社会福祉事業の範囲、社会福祉法人、福祉事務所、社会福祉協議会)									

法律名	概　要	公布	
児童福祉法	●「児童福祉施設」「児童相談所」「児童福祉司」「保育士」などについて定めた法律	昭和22年	福祉三法体制
身体障害者福祉法	●「身体障害者社会参加支援施設」「身体障害者更生相談所」「身体障害者福祉司」などについて定めた法律	昭和24年	
生活保護法	●「保護の種類」「保護の方法」「保護施設」などについて定めた法律	昭和25年	
精神保健及び精神障害者福祉に関する法律	●「精神保健福祉センター」「措置入院・医療保護入院等」「精神障害者保健福祉手帳」などについて定めた法律	昭和25年 (※1)	
社会福祉法	●「福祉事務所」「社会福祉主事」「社会福祉法人」「社会福祉事業」「福祉サービスの適切な利用」などについて定めた法律	昭和26年 (※2)	
知的障害者福祉法	●「知的障害者更生相談所」「知的障害者福祉司」などについて定めた法律	昭和35年 (※3)	福祉六法体制
老人福祉法	●「老人福祉施設」「福祉の措置」「老人福祉計画」「有料老人ホーム」などについて定めた法律	昭和38年	
母子及び父子並びに寡婦福祉法	●「母子家庭・父子家庭・寡婦に対する福祉の措置」「母子・父子福祉施設」などについて定めた法律	昭和39年 (※4)	
障害者基本法	●「障害者の自立及び社会参加の支援等のための基本的施策」「障害者政策委員会」など	昭和45年 (※5)	
発達障害者支援法	●「学校教育における発達障害者への支援」「発達障害者の就労の支援」「発達障害者支援センター」などについて定めた法律	平成16年	
障害者総合支援法	●「自立支援給付」「地域生活支援事業」「補装具」「自立支援医療」などについて定めた法律	平成17年 (※6)	

（※1）昭和25年「精神衛生法」⇒昭和62年「精神保健法」⇒平成7年「精神保健及び精神障害者福祉に関する法律」と改正
（※2）昭和26年「社会福祉事業法」⇒平成12年「社会福祉法」と改正
（※3）昭和35年「精神薄弱者福祉法」⇒平成10年「知的障害者福祉法」と改正
（※4）昭和39年「母子福祉法」⇒昭和56年「母子及び寡婦福祉法」⇒平成26年「母子及び父子並びに寡婦福祉法」と改正
（※5）昭和45年「心身障害者対策基本法」⇒平成5年「障害者基本法」と改正
（※6）平成17年「障害者自立支援法」⇒平成25年「障害者の日常生活及び社会生活を総合的に支援するための法律」（障害者総合支援法）と改正

サービス利用方式

利用者が社会福祉援助を受けるための手続きは、大きく分けて利用契約制度と措置制度があります。

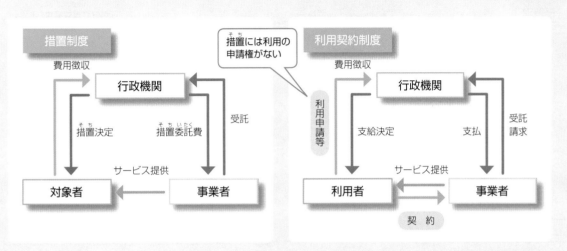

区　分		利用の流れ	施設例
措　置		● 行政機関は、事業者に対して対象者の入所措置を委託 ● 行政機関は、措置委託費を事業者に支払い、事業者は受託した対象者にサービスを提供 ● 本人・扶養義務者から、負担能力に応じた費用を徴収（応能負担）	養護老人ホーム 児童養護施設 女性自立支援施設 など
利用契約	介護保険など	● 利用者は、市町村の要介護認定（支給決定）を受けて、指定サービス事業者との契約によりサービスを利用 ● 利用者は利用者負担額（応益負担）を支払い、市町村は介護給付費等を支給（事業者が代理受領）	介護保険施設 居宅サービス など
	行政との契約	● 利用者は希望する事業者を選択し、地方公共団体に利用を申し込む ● 地方公共団体は利用者が選択した事業者に対しサービス提供を委託 ● 利用者は利用者負担額（応能負担）を支払い、地方公共団体はサービス実施に要した費用を支給	私立保育所 母子生活支援施設 など

費用負担

応益負担（おうえきふたん）	応能負担（おうのうふたん）
サービス利用者に対して利用した福祉サービスなどの諸経費の一定割合を負担させる方法	サービス利用者の負担能力に応じて、費用を負担させる方法

利用者負担額は、給付費の「1割」負担、「3割」負担など

所得税（市町村民税）課税額○○円以上は「○○円負担」、非課税は「0円」など

社会保障給付費

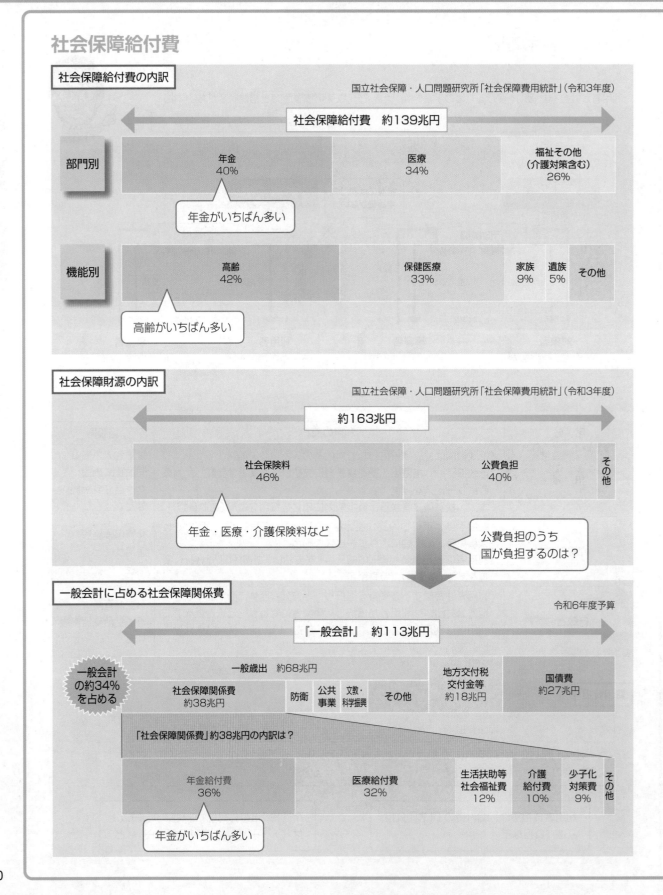

社会保障給付費の内訳

国立社会保障・人口問題研究所「社会保障費用統計」（令和3年度）

社会保障給付費　約139兆円

部門別
| 年金 40% | 医療 34% | 福祉その他（介護対策含む）26% |

年金がいちばん多い

機能別
| 高齢 42% | 保健医療 33% | 家族 9% | 遺族 5% | その他 |

高齢がいちばん多い

社会保障財源の内訳

国立社会保障・人口問題研究所「社会保障費用統計」（令和3年度）

約163兆円

| 社会保険料 46% | 公費負担 40% | その他 |

年金・医療・介護保険料など

公費負担のうち国が負担するのは？

一般会計に占める社会保障関係費

令和6年度予算

『一般会計』　約113兆円

一般会計の約34%を占める

| 一般歳出　約68兆円 | | | | | 地方交付税交付金等 約18兆円 | 国債費 約27兆円 |
| 社会保障関係費 約38兆円 | 防衛 | 公共事業 | 文教・科学振興 | その他 | | |

「社会保障関係費」約38兆円の内訳は？

| 年金給付費 36% | 医療給付費 32% | 生活扶助等社会福祉費 12% | 介護給付費 10% | 少子化対策費 9% | その他 |

年金がいちばん多い

日本の社会保障給付費は、高齢化の進展に伴い年々増加しています。

社会保障給付費の部門別推移

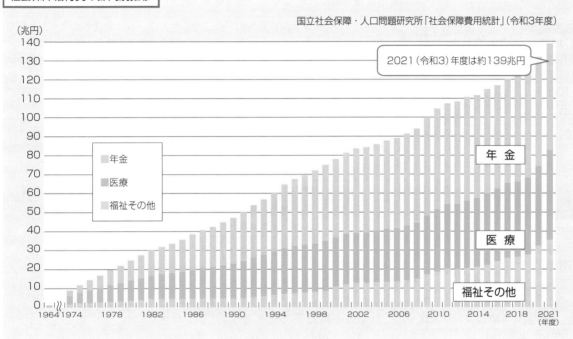

国立社会保障・人口問題研究所「社会保障費用統計」（令和3年度）

（兆円）

2021（令和3）年度は約139兆円

年　金

医　療

福祉その他

凡例：
■ 年金
■ 医療
■ 福祉その他

1964 1974 1978 1982 1986 1990 1994 1998 2002 2006 2010 2014 2018 2021（年度）

諸外国の社会支出を対GDP比でみると、日本は、イギリスより大きいが、フランス、アメリカ、ドイツ、スウェーデンと比較すると小さくなっています。

社会支出の国際比較（対 GDP 比）

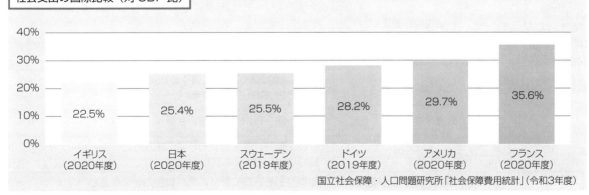

イギリス （2020年度）	日本 （2020年度）	スウェーデン （2019年度）	ドイツ （2019年度）	アメリカ （2020年度）	フランス （2020年度）
22.5%	25.4%	25.5%	28.2%	29.7%	35.6%

国立社会保障・人口問題研究所「社会保障費用統計」（令和3年度）

高齢者福祉の歴史

時代背景	年	法律・制度等	概　　要
戦後の混乱（救貧）	1950年（昭和25）	生活保護法	● 一部の低所得者を対象に、養老施設へ収容保護
高度経済成長（防貧） 高齢化率 5〜7%	1962年（昭和37）	家庭奉仕員制度設置要綱	● ホームヘルプサービスの創設
	1963年（昭和38）	老人福祉法	● 特別養護老人ホーム、養護老人ホーム、軽費老人ホーム、有料老人ホーム、老人家庭奉仕員派遣等を定めた
	1972年（昭和47）「老人ホームのあり方」に関する中間意見	中央社会福祉審議会	● 老人ホームを「収容の場」から「生活の場」へと高めるべきであると提言
	1973年（昭和48）	老人福祉法改正	● 老人医療費の無料化　← 福祉元年
高度経済成長の終焉、行財政改革（普遍化） 高齢化率 9〜12%	1978年（昭和53）	老人福祉法改正	● ショートステイ（特別養護老人ホーム等への短期入所）開始
	1979年（昭和54）	老人福祉法改正	● デイサービス（日帰り通所介護・入浴・食事サービス）開始
	1982年（昭和57）	老人保健法	● 老人医療（原則として70歳以上を対象）、一部負担制度を導入
		老人福祉法改正	● 低所得世帯を対象に無料で派遣されてきたホームヘルプサービスが、所得税課税世帯にも有料で派遣開始
	1986年（昭和61）	老人保健法改正	● 老人保健施設創設
	1989年（平成元）	ゴールドプラン策定	● 高齢者保健福祉推進十か年戦略
	1990年（平成2）	福祉関係八法改正	● 在宅福祉サービスの推進、福祉サービスの市町村への一元化
	1991年（平成3）	老人保健法改正	● 老人訪問看護制度創設
少子高齢化問題・バブル経済崩壊と長期低迷 高齢化率 15〜27%	1994年（平成6）	新ゴールドプラン	● ゴールドプランの目標値上方修正
	1995年（平成7）	高齢社会対策基本法	● 高齢社会対策を総合的に推進
	1997年（平成9）	介護保険法	● 痴呆（認知症）対応型共同生活介護創設 ● 施行は2000（平成12）年
	1999年（平成11）	ゴールドプラン21	● 計画期間は、2000（平成12）年度〜2004（平成16）年度までの5年間
	2005年（平成17）	介護保険法改正	● 介護予防サービス、地域密着型サービス、地域包括支援センターの創設など ● 施行は2006（平成18）年
		高齢者虐待防止法（※）	● 施行は2006（平成18）年
	2006年（平成18）	老人保健法改正	● 「高齢者の医療の確保に関する法律」に名称変更 ● 施行は2008（平成20）年
	2014年（平成26）	介護保険法改正	● 介護予防・日常生活支援総合事業の実施など
	2017年（平成29）	介護保険法改正	● 介護医療院、共生型サービスの創設など ● 施行は2018（平成30）年
	2021年（令和3）	高齢者の医療の確保に関する法律	● 後期高齢者医療における窓口負担割合の見直し ● 施行は2022（令和4）年

（※）高齢者虐待の防止、高齢者の養護者に対する支援等に関する法律

障害者福祉の歴史

計画	年	法律・制度等	概　　要
	1949年 (昭和24)	身体障害者福祉法	● 身体障害者の定義、更生援護、事業及び施設などを定めた法律
	1950年 (昭和25)	精神衛生法	● 1987 (昭和62) 年に「精神保健法」へ改正 ● 1995 (平成7) 年に「精神保健及び精神障害者福祉に関する法律」へ改正
	1960年 (昭和35)	精神薄弱者福祉法	● 1998 (平成10) 年「知的障害者福祉法」へ改正
		身体障害者雇用促進法	● 1987 (昭和62) 年に「障害者の雇用の促進等に関する法律」へ改正
	1964年 (昭和39)	特別児童扶養手当等の支給に関する法律	● 特別児童扶養手当、障害児福祉手当、特別障害者手当
	1970年 (昭和45)	心身障害者対策基本法	● 1993 (平成5) 年に「障害者基本法」へ改正
障害者対策に関する長期計画 (1983〜1992年)	1981年 (昭和56)	国際障害者年	● 完全参加と平等
	1985年 (昭和60)	年金制度改正	● 障害基礎年金制度導入
	1990年 (平成2)	福祉関係八法改正	● 在宅福祉サービスの推進、福祉サービスの市町村への一元化
障害者対策に関する新長期計画 (1993〜2002年) ノーマライゼーション	1993年 (平成5)	障害者基本法	● 障害者の福祉に関する基本的施策等を定めた法律
	1995年 (平成7)	障害者プラン	● ノーマライゼーション7か年計画
	2002年 (平成14)	身体障害者補助犬法	● 身体障害者補助犬を使う身体障害者の自立と社会参加の促進のための法律
障害者基本計画 (2003〜2027年) 共生社会	2003年 (平成15)	支援費制度	● 身体障害者、知的障害者、障害児が市町村から支援費の支給を受け、事業者との契約に基づいてサービスを利用
	2004年 (平成16)	発達障害者支援法	● 発達障害の早期発見・支援、発達障害者支援センターの指定等
	2005年 (平成17)	障害者自立支援法	● 施行は2006 (平成18) 年、障害種別に関わりなく一元的な共通のサービス
	2011年 (平成23)	障害者虐待防止法 (※1)	● 施行は2012 (平成24) 年10月
	2012年 (平成24)	児童福祉法改正	● 障害児通所支援、障害児相談支援の創設、障害児入所支援の再編等
		障害者総合支援法 (※2)	● 施行は2013 (平成25) 年、障害者自立支援法を題名改正し、障害者の定義に難病等の患者を追加
	2013年 (平成25)	障害者差別解消法 (※3)	● 施行は2016 (平成28) 年4月
	2016年 (平成28)	障害者総合支援法改正	● 就労定着支援、自立生活援助の創設
	2022年 (令和4)	障害者総合支援法改正	● 就労選択支援の創設 (2025 (令和7) 年10月施行予定)

(※1) 障害者虐待の防止、障害者の養護者に対する支援等に関する法律
(※2) 障害者の日常生活及び社会生活を総合的に支援するための法律
(※3) 障害を理由とする差別の解消の推進に関する法律

社会保険、その他の福祉関連法の歴史

年	法律等	概　　要
1922年 （大正11）	健康保険法	● ブルーカラーの労働者を対象
1938年 （昭和13）	国民健康保険法	● 任意設立、任意加入、保険者は国民健康保険組合
1947年 （昭和22）	失業保険法	● 被保険者が失業した場合に、失業保険金を支給
	労災保険法	● 労働基準法による災害補償責任を保険で担保する制度を創設
1950年 （昭和25）	社会保障制度審議会による「社会保障制度に関する勧告」	● 社会保障制度を、社会保険、国家扶助、公衆衛生及び医療、社会福祉で構成
1951年 （昭和26）	社会福祉事業法	● 2000（平成12）年「社会福祉法」へ改正
1954年 （昭和29）	厚生年金保険法	● 厚生年金保険法（昭和16年）を全部改正して制定
1958年 （昭和33）	国民健康保険法改正	● 1961（昭和36）年から国民皆保険体制
1959年 （昭和34）	国民年金法	● 1961（昭和36）年から国民皆年金制度
1974年 （昭和49）	雇用保険法	● 失業保険法が廃止され、代わって雇用保険法が公布
1985年 （昭和60）	年金制度改正	● 基礎年金制度導入
1987年 （昭和62）	社会福祉士及び介護福祉士法	● 「介護福祉士」「社会福祉士」誕生
1994年 （平成6）	地域保健法	● 保健所法から題名改正 ● 保健所機能の評価
2000年 （平成12）	社会福祉基礎構造改革	● 「措置制度」から「契約制度」に移行、利用者保護制度の創設（地域福祉権利擁護事業、苦情解決制度の導入など）、地域福祉の推進（地域福祉計画の策定など）
2001年 （平成13）	DV防止法	● 「配偶者からの暴力の防止及び被害者の保護等に関する法律」の略称
2002年 （平成14）	健康増進法	● 国民の健康維持と生活習慣病の予防
2006年 （平成18）	バリアフリー法	● 「高齢者、障害者等の移動等の円滑化の促進に関する法律」の略称 ● ハートビル法と交通バリアフリー法を統合
	自殺対策基本法	● 自殺対策の大綱の作成・推進など
	がん対策基本法	● がんの予防および早期発見の推進など
2006年 （平成18）	健康保険法等改正	● 後期高齢者医療制度の創設
2007年 （平成19）	社会福祉士及び介護福祉士法改正	● 定義規定、義務規定、資格取得方法の見直し
2012年 （平成24）	社会保障・税一体改革大綱	● 2012（平成24）年2月閣議決定。社会保障と税の一体改革に関する関連8法案が成立

⑦ 医療保険

● 医療保険制度は、1961（昭和36）年から国民皆保険制度が整備され、日本に住所がある人は、みんな何らかの医療の給付を受けることができます。

年　齢	制度名			加入者 （令和4年3月末）	被保険者等
75歳 未満	被用者保険 被扶養者（ひふようしゃ）あり	①健康保険	全国健康保険協会（協会けんぽ）	約4027万人	● 中小企業等のサラリーマンとその家族が加入 ● 都道府県ごとに保険料が異なる
			組合健保	約2838万人	● 大企業等の健康保険組合が保険者となる ● 健康保険組合ごとに保険料が異なる
			日雇特例被保険者	約1.6万人	● 日々雇い入れられる人や2か月以内の期間を定めて使用される人などが加入
		②船員保険		約11万人	● 船舶所有者に使用される者とその家族が対象
		③共済組合	国家公務員 地方公務員等 私学教職員	約869万人	● 国家公務員（20共済組合）、地方公務員等（64共済組合）、私学教職員（1事業団）
	国民健康保険	①市町村国民健康保険		約2537万人	● 都道府県および市町村が保険者 ● 被用者保険等に加入していない人が住所を有する都道府県で加入する
		②国民健康保険組合		約268万人	● 医師、弁護士など同種の事業または業務に従事する人で組織される
75歳 以上	後期高齢者医療制度			約1843万人	● 都道府県単位の後期高齢者医療広域連合が運営主体 ● 75歳以上の人、65歳以上75歳未満の一定の障害認定を受けた人が加入
（※参考）　生活保護（医療扶助）				約171万人	● 生活保護受給者は、国民健康保険と後期高齢者医療制度への加入が免除される（医療扶助で医療を受けることができる）
合　　計				約1億2450万人	日本の人口と一致する（国民皆保険制度）

厚生労働省「令和5年版　厚生労働白書」をもとに作成
※生活保護（医療扶助）は2022（令和4）年度の医療扶助人員（1か月平均）

被用者保険は、被扶養者（ひふようしゃ）についても保険給付の対象としています。被扶養者（ひふようしゃ）は一定の要件があります。

被扶養者（ひふようしゃ）になれる人	● 主として被保険者の収入により生計を維持されている、原則日本国内に住所がある人	
	別居でもよい	● 直系尊属、配偶者、子、孫、兄弟姉妹
	同居のみ	● 3親等以内の親族 ● 事実婚の配偶者の父母および子

医療保険の給付内容

> 保険者の種類によって給付内容が異なる

	給付の種類	給付内容	被用者	国保	高齢
1	療養の給付	●病院や診療所で医療を受けた場合の自己負担額 75歳以上（※1）： 1割または2割（現役並み所得者3割） 70歳以上75歳未満： 2割（現役並み所得者3割） 義務教育就学〜70歳未満： 3割 〜義務教育就学前： 2割 （※1）65歳以上75歳未満の一定の障害認定を受けた人を含む	○	○	○
2	入院時食事療養費	●入院時の食事療養費（標準負担額を除いた費用を給付）	○	○	○
3	入院時生活療養費	●療養病床に長期入院する65歳以上の生活療養費（食費と居住費）	○	○	○
4	保険外併用療養費	●保険外診療を受ける場合で、自己の選定する評価療養、患者申出療養または選定療養を受けたときに支給	○	○	○
5	訪問看護療養費	●居宅で療養している人が、かかりつけの医師の指示に基づいて訪問看護ステーションの訪問看護師から療養上の世話や必要な診療の補助を受けた場合に支給	○	○	○
6	療養費	●被保険者証を提示できないとき、やむを得ない理由で保険医療機関以外で受診したときなどの場合に支給………償還払い（※2） （※2）最初に費用の全額を支払い（立て替え）、後から保険給付分を請求する方法	○	○	○
7	特別療養費	●保険料の滞納により、被保険者資格証明書の交付を受けて、保険医療機関等で療養を受けたときに支給………償還払い		○	○
8	出産育児一時金	●被保険者本人または被扶養者が、産科医療補償制度加入分娩機関で出産した場合は、1児につき50万円を支給	○	○	
9	家族療養費等	●被扶養者に対する被保険者と同様の給付（傷病手当金、出産手当金を除く）	○		
10	傷病手当金	●療養のため仕事を休んで給料をもらえないとき、欠勤1日につき標準報酬日額の3分の2が、休業4日目から通算して1年6か月の範囲で支給	○		
11	出産手当金	●出産で仕事を休んで給料をもらえないとき、出産日（出産予定日より遅れた場合は出産予定日）以前42日＋出産後56日までの期間、標準報酬日額の3分の2を支給	○		
12	移送費	●療養の給付を受けるため移送されたときに支給……償還払い	○	○	○
13	埋葬料（葬祭費）	●被保険者が死亡したときに健康保険では埋葬料（5万円）、国民健康保険では葬祭費（自治体により異なる）が支給される	○	○	○

	給付の種類	給付内容		
14	高額療養費	● 1か月あたりの医療費が、下記の金額を超える場合に、その超えた額を支給		

所得区分 ＼ 年齢	70歳未満	70歳以上（2018（平成30）年8月より）	
		入院＋外来（世帯）	外来（個人）
標準報酬月額83万円以上 課税所得690万円以上	252,600円＋（総医療費－842,000円）×1%		
標準報酬月額53万円以上 課税所得380万円以上	167,400円＋（総医療費－558,000円）×1%		
標準報酬月額28万円以上 課税所得145万円以上	80,100円＋（総医療費－267,000円）×1%		
標準報酬月額26万円以下 課税所得145万円未満	57,600円		18,000円 （年144,000円上限）
低所得者（住民税非課税）	35,400円	15,000円または24,600円	8,000円

	給付の種類	給付内容
15	高額介護 合算療養費	● 各医療保険における世帯内で、医療保険、介護保険の両制度の自己負担額の合計額が1年間に一定の上限額を超えた場合に支給（介護保険からは高額医療合算介護サービス費が支給される）

国民医療費

国民医療費は、医療機関等における保険診療の対象となる傷病の治療（正常な妊娠・分娩や健康の維持・増進を目的とした健康診断・予防接種などは除く）に要した費用を推計したものです。
2021（令和3）年度の国民医療費は、約45兆円で、一人当たりの国民医療費は、約36万円に達しています。

厚生労働省「国民医療費の概況」（令和3年度）

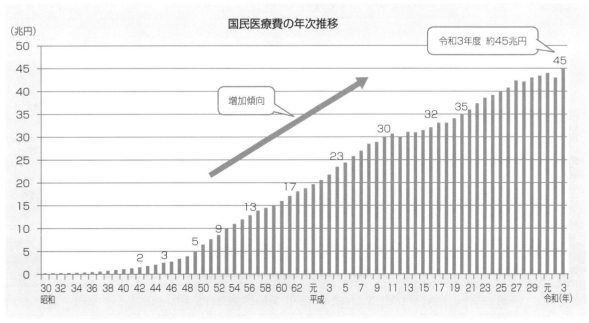

国民医療費の年次推移

医療施設の分類

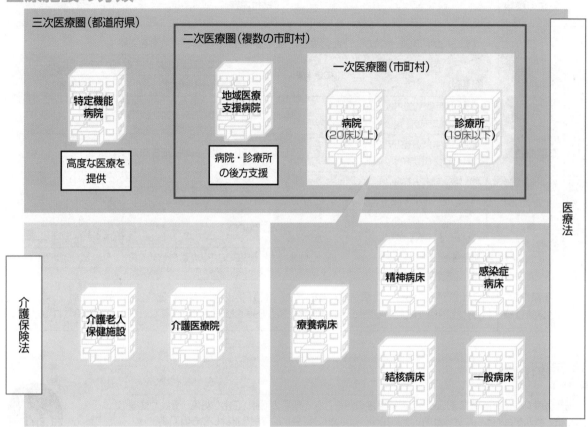

医療提供施設	病院	● 医師または歯科医師が、公衆または特定多数人のため医業または歯科医業を行う場所で、20人以上の入院施設を有するもの。
	病床の種類	①精神病床、②感染症病床、③結核病床、④療養病床、⑤一般病床
	特定機能病院	● 高度先端医療を必要とする患者に対応する病院として厚生労働大臣の承認を受ける。 ● 大学病院本院、国立がんセンター、国立循環器病研究センターなどが承認されている。
	地域医療支援病院	● 地域の病院・診療所を後方支援する役割などを担う病院として都道府県知事の承認を受ける。
	診療所	● 医師または歯科医師が、公衆または特定多数人のため医業または歯科医業を行う場所で、入院施設を有しないものまたは19人以下の入院施設を有するもの。
	在宅療養支援診療所	● 24時間往診や、必要な機関と連携して、24時間訪問看護が可能な体制を確保するなど一定の要件を満たした診療所
	介護老人保健施設	● 介護保険法の規定による介護老人保健施設
	介護医療院	● 介護保険法の規定による介護医療院（2018（平成30）年度より）
	薬局	● 薬剤師が販売または授与の目的で調剤の業務を行う場所

難病対策

2015（平成27）年1月1日、「難病の患者に対する医療等に関する法律」が施行

難 病		難病とは、発病の機構が明らかでなく、治療方法が確立していない、希少な疾病であり、長期にわたり療養を必要とするもの。	
指定難病		● 難病のうち、次の要件を満たすものを指定難病として、医療費助成の対象とする。 ①患者数が日本において、一定の人数に達していない（人口の0.1％程度以下であること）。 ②客観的な診断基準（またはそれに準ずるもの）が確立している。	
		● 2024（令和6）年4月からは、341疾患が対象になっている。	
特定医療費の支給	医療保険	保険適用分の医療費と入院時食事療養費	
	介護保険	訪問看護、訪問リハビリテーション、居宅療養管理指導、介護医療院など	
	● 医療保険制度、介護保険制度の給付を優先（保険優先制度）。 ● 自己負担額が所得に応じて設定される「自己負担上限額」を超える部分を公費負担する。		
難病相談支援センター	● 都道府県は、難病相談支援センターを設置することができる。 ● 難病の患者やその家族などからの電話や面接による相談に応じ、必要な情報の提供や助言を行う。		

● 指定難病一覧（一部抜粋）

告示番号	病　名	告示番号	病　名
1	球脊髄性筋萎縮症	322	β-ケトチオラーゼ欠損症
2	筋萎縮性側索硬化症	323	芳香族L-アミノ酸脱炭酸酵素欠損症
3	脊髄性筋萎縮症	324	メチルグルタコン酸尿症
4	原発性側索硬化症	325	遺伝性自己炎症疾患
5	進行性核上性麻痺	326	大理石骨病
6	パーキンソン病	327	特発性血栓症（遺伝性血栓性素因によるものに限る。）
7	大脳皮質基底核変性症	328	前眼部形成異常
8	ハンチントン病	329	無虹彩症
9	神経有棘赤血球症	330	先天性気管狭窄症／先天性声門下狭窄症
10	シャルコー・マリー・トゥース病	331	特発性多中心性キャッスルマン病
11	重症筋無力症	332	膠様滴状角膜ジストロフィー
12	先天性筋無力症候群	333	ハッチンソン・ギルフォード症候群
13	多発性硬化症／視神経脊髄炎	334	脳クレアチン欠乏症候群
14	慢性炎症性脱髄性多発神経炎／多巣性運動ニューロパチー	335	ネフロン癆
15	封入体筋炎	336	家族性低βリポタンパク血症1（ホモ接合体）
16	クロウ・深瀬症候群	337	ホモシスチン尿症
17	多系統萎縮症	338	進行性家族性肝内胆汁うっ滞症
18	脊髄小脳変性症	339	MECP2重複症候群
19	ライソゾーム病	340	線毛機能不全症候群（カルタゲナー症候群を含む。）
20	副腎白質ジストロフィー	341	TRPV4異常症

341疾患

「21世紀における第三次国民健康づくり運動（健康日本21（第三次））」

● 全ての国民が健やかで心豊かに生活できる持続可能な社会の実現を目指し、健康日本21（第三次）が策定された。計画期間は、令和6（2024）年度から令和17（2035）年度までの12年間。

健康日本21（第三次）の概念図

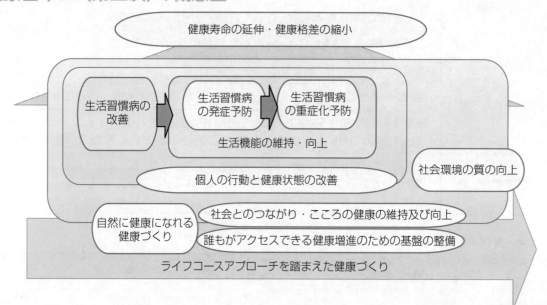

	領域		目標項目
1	健康寿命の延伸と健康格差の縮小	健康寿命、健康格差	● 健康寿命の延伸　● 健康格差の縮小
2	個人の行動と健康状態の改善	生活習慣の改善	● 栄養・食生活　● 身体活動・運動　● 休養・睡眠　● 飲酒　● 喫煙　● 歯・口腔の健康
		生活習慣病（NCDs）の発症予防・重症化予防	● がん　● 循環器病　● 糖尿病　● COPD
		生活機能の維持・向上	● ロコモティブシンドローム　● 骨粗鬆症検診受診率　● 心理的苦痛を感じている者
3	社会環境の質の向上	社会とのつながり・こころの健康の維持及び向上	● 地域の人々とのつながり　● 社会活動　● 共食　● メンタルヘルス対策に取り組む事業場や心のサポーターの数
		自然に健康になれる環境づくり	● 食環境イニシアチブ　● 歩きたくなるまちなかづくり　● 望まない受動喫煙
		誰もがアクセスできる健康増進のための基盤の整備	● スマート・ライフ・プロジェクト　● 健康経営、特定給食施設　● 産業保健サービス
4	ライフコースアプローチを踏まえた健康づくり	こども	● こどもの運動・スポーツ　● 肥満傾向児　● 20歳未満の飲酒・喫煙
		高齢者	● 低栄養傾向の高齢者　● ロコモティブシンドローム　● 高齢者の社会活動
		女性	● 若年女性やせ　● 骨粗鬆症検診受診率　● 女性の飲酒　● 妊婦の喫煙

平均寿命と健康寿命

● 2019（令和元）年時点で、平均寿命と健康寿命の差は、男性8.73年、女性12.06年となっており、この差が大きいほど、日常生活に制限のある「不健康な期間」が長いことになる。

男	平均寿命	81.41歳	
	健康寿命	72.68歳	8.73年
女	平均寿命	87.45歳	
	健康寿命	75.38歳	12.06年

WHOの健康の定義	● 健康とは、病気でないとか、弱っていないということではなく、肉体的にも、精神的にも、そして社会的にも、すべてが満たされた状態にあることをいう。
健康寿命	● 健康で日常的に介護を必要としないで、自立した生活ができる生存期間
ロコモティブシンドローム（運動器症候群）	● 運動器の機能が低下し、要介護や寝たきりになる危険が高い状態
メタボリックシンドローム（内臓脂肪症候群）	● 内臓肥満に高血圧・高血糖・脂質代謝異常が組み合わさり、心臓病や脳卒中などの動脈硬化性疾患をまねきやすい状態
BMI	● 体重と身長の関係から人の肥満度を示す体格指数で、日本肥満学会では、BMI指数22を標準体重として、25以上を肥満、18.5未満を低体重としている。

	計算式	$BMI＝体重kg÷(身長m)^2$

健康増進法

目的	● 国民の健康の増進の総合的な推進に関し基本的な事項を定め、国民の健康の増進を図るための措置を講じ、国民保健の向上を図る。
基本方針	● 厚生労働大臣は、国民の健康の増進の総合的な推進を図るための基本的な方針を定めるものとする。
保健指導等	● 市町村は、栄養改善その他の生活習慣の改善に関する事項について相談・保健指導を実施する。
受動喫煙の防止	● 何人も、正当な理由がなく、喫煙禁止場所で喫煙してはならない。
食事摂取基準	● 厚生労働大臣は、食事による栄養摂取量の基準（食事摂取基準）を定める。

健康診査など

健診など	対象者	実施主体	根拠法	目的
特定健康診査 （義務）	●40歳以上75歳未満（医療保険加入者）	医療保険者	高齢者医療 確保法（※）	メタボリック シンドローム 対策
健康診査 （努力義務）	●75歳以上（後期高齢者医療被保険者）	後期高齢者医療 広域連合		

（※）高齢者の医療の確保に関する法律

メタボリックシンドローム

メタボリックシンドローム （内臓脂肪症候群）	●腹囲が男性85cm以上、女性90cm以上で、次の①～③のうち2つ以上該当する状態。	
	①高血糖	空腹時血糖値が110mg/dL以上 （空腹時血糖値が適切に得られない場合は、HbA1c6.0%以上）
	②高血圧	収縮期血圧130mmHg以上かつ／または拡張期血圧85mmHg以上
	③脂質異常	中性脂肪150mg/dL以上かつ／またはHDLコレステロール40mg/dL未満
令和元年国民健康・栄養調査報告のデータ	●メタボリックシンドロームが強く疑われる者および予備群は約762万人で、割合は20歳以上の31.9%（男性の52.0%、女性の17.5%）	
特定健診・特定保健指導	●特定健康診査の結果、メタボリックシンドロームのリスク数に応じて、動機づけ支援や積極的支援などの特定保健指導が実施される。	
予防・改善・治療	運動	●内臓脂肪を減らすためには、日頃から体を動かす習慣を身につけておくことが大切。 ●運動習慣を身につけるためのガイド（「健康づくりのための身体活動・運動ガイド2023」「健康づくりのための身体活動指針（アクティブガイド）」）が活用されている。
	食事	●食生活を改善し、バランスのとれた適切な量の食事を心がけることが大切。 ●バランスのよい食生活を実践するための目安として、食事バランスガイドが活用されている。
	禁煙	●喫煙は、がんにかかりやすくなるだけでなく、動脈硬化を進行させ、脳卒中や虚血性心疾患のリスクも高める。 ●メタボリックシンドロームの予防には、禁煙が大切。
	薬物	●治療で必要な薬は医師と相談のうえで適切に服用し、生活習慣の改善をあわせて行うことが大切。

母子保健法の概要

母子保健法は、**母性ならびに乳児および幼児の健康の保持および増進を図るため**、**保健指導、健康診査、医療**などの措置を講じ、国民保健の向上に寄与することを目的としています。

妊産婦 （妊娠中または出産後1年以内）		乳児 （1歳未満）	幼児 （満1歳から小学校就学の始期）
	新生児		

0　　　　　　28日　　　　　1歳　　　　　小学校就学の始期

| 母子健康手帳の交付 | 妊婦検診 | 保健師等による訪問指導 | 低体重児の届出 | 新生児訪問事業 | 乳児家庭全戸訪問事業 | 1歳6か月児健診 | 3歳児健診 |

妊娠の届出	●妊娠した者は、市町村長に妊娠の届出をするようにしなければならない。
母子健康手帳の交付	●市町村は、妊娠の届出をした人に、母子健康手帳を交付しなければならない。
低体重児の届出	●体重が2500g未満の乳児が出生したときは、保護者は乳児の現在地の市町村へ届け出なければならない。
保健指導	●市町村は、妊産婦・配偶者・保護者に対し、妊娠、出産、育児に関し必要な保健指導を行う。
妊産婦の訪問指導等	●市町村長は、健康診査の結果に基づき、妊産婦の健康状態に応じ、保健師等に妊産婦を訪問させて必要な指導を行う。
未熟児の訪問指導	●市町村は、未熟児に対し、訪問して必要な保健指導を行う。 ●「未熟児」とは、身体の発育が未熟のまま出生した乳児で、正常児が出生時に有する諸機能を得るに至るまでのものをいう。

健康診査	1歳6か月児健康診査	●市町村は、満1歳6か月を超え満2歳に達しない幼児に健康診査を行う。
	3歳児健康診査	●市町村は、満3歳を超え満4歳に達しない幼児に健康診査を行う。

2021（令和3）年4月施行

産後ケア事業	●市町村は、産後ケアを必要とする出産後1年を経過しない女子および乳児に対し、産後ケア事業を行うよう努めなければならない。
こども家庭センターの母子保健事業	●こども家庭センターは、母性並びに乳児及び幼児の健康の保持及び増進に関する包括的な支援を行うことを目的として、母子保健事業を行う。

●年金制度は、1961（昭和36）年に国民皆年金（こくみんかいねんきん）のしくみが整備されました。

年金制度の体系

日本の年金制度は3階建てとなっています。すべての人に国民年金（基礎年金）が支給され、厚生年金などからは、加入期間に応じて基礎年金に上乗せして支給されます。

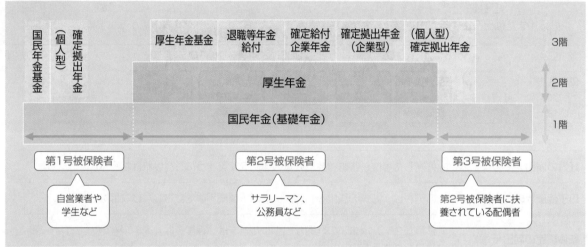

国民年金基金	（個人型）確定拠出年金	厚生年金基金	退職等年金給付	確定給付企業年金	確定拠出年金（企業型）	（個人型）確定拠出年金	3階

厚生年金　2階

国民年金（基礎年金）　1階

第1号被保険者 → 自営業者や学生など

第2号被保険者 → サラリーマン、公務員など

第3号被保険者 → 第2号被保険者に扶養されている配偶者

被保険者、保険料のまとめ

被保険者の区分	被保険者数（令和5年3月末）	保険料納付期間	保険料（令和6年4月現在）	受給開始
第1号被保険者	約1405万人	20歳以上60歳未満（40年間）	16,980円／月　定額	原則65歳 ※繰り上げ、繰り下げもできる
第2号被保険者	約4618万人　第2号がいちばん多い	最大70歳まで（働いた期間）	標準報酬月額（32等級まであり）×約18.300%　定率	
第3号被保険者	約721万人	20歳以上60歳未満（扶養されている間）	負担なし	

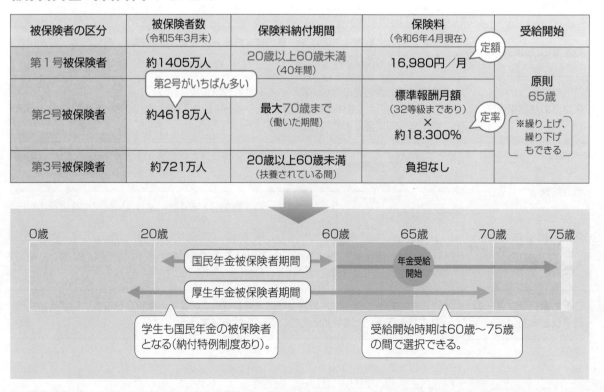

| 0歳 | 20歳 | 60歳 | 65歳 | 70歳 | 75歳 |

国民年金被保険者期間

厚生年金被保険者期間

年金受給開始

学生も国民年金の被保険者となる（納付特例制度あり）。

受給開始時期は60歳〜75歳の間で選択できる。

年金保険の給付内容

現業業務は、**年金事務所**が行います。

[2024（令和6）年4月現在]

種類	区分	老齢年金	障害年金	遺族年金
国民年金（基礎年金）	受給要件	●保険料納付済（免除）期間等が10年以上あること	●国民年金に加入期間中に初診日のある障害であること	●国民年金の被保険者や老齢基礎年金の受給資格期間を満たす人が死亡したとき
			（原則）保険料納付済（免除）期間が3分の2以上あること	
	年金額	年金額…816,000円/年（※1）	①1級…2級の1.25倍/年＋子（※2）の加算 ②2級…816,000円/年（※1）＋子（※2）の加算	年金額…816,000円/年（※1）＋子（※2）の加算
		保険料の納付状況により年金額が異なる	20歳前に初診日のある障害者は、保険料納付要件はない（所得制限はある）	①子のある配偶者または②子に支給（※2）
厚生年金（被用者年金）	受給要件	●原則として、老齢基礎年金の受給期間を満たすこと ●厚生年金の被保険者期間が1か月以上あること	●厚生年金に加入期間中に初診日のある障害であること ●障害基礎年金の受給要件を満たすこと	●厚生年金の被保険者が死亡したとき ●老齢厚生年金の受給資格期間を満たした人が死亡したときなど
	年金額	報酬比例年金額	①1級…報酬比例年金額×1.25＋配偶者加給年金 ②2級…報酬比例年金額＋配偶者加給年金 ③3級…報酬比例年金額 ④障害手当金…報酬比例年金額×2	報酬比例年金額×4分の3
		第2号被保険者期間の【報酬】により年金額が異なる	障害基礎年金は2級まで障害厚生年金は3級まで	①妻 ②子・孫（※2）③55歳以上の夫・父母・祖父母に支給

（※1）2024（令和6）年4月からの67歳以下の人の金額。68歳以上は「813,700円」。
（※2）「子」「孫」とは、「18歳」到達年度の末日を経過していない子、または、20歳未満で障害年金の障害等級1、2級の子。

国民年金基金、企業年金等

国民年金基金		●国民年金に上乗せするための年金制度。第1号被保険者の保険料を納めている人で、20歳以上60歳未満の人が加入することができる。地域型国民年金基金と職能型国民年金基金がある。
企業年金	厚生年金基金	●厚生年金の一部を代行して給付し、さらに各企業独自の上乗せ給付を行う企業年金。
	確定拠出年金	●現役時代の拠出額が確定している年金で、将来受け取る年金は掛金を自己責任で運用した収益に基づく。個人型と企業型がある。
	確定給付年金	●将来の給付額が確定している年金で、将来の受給額から逆算した掛金を現役時代に支払う。

重要度
C
★☆☆

労働者災害補償保険（労災保険）

労災保険は、業務上の事由又は通勤による労働者の負傷・疾病・障害又は死亡に対して労働者やその遺族のために、必要な保険給付を行う制度です。

保険者	●労災保険は、全国を単位として、国が保険者となっている。 ●現業業務は、都道府県労働局、労働基準監督署が行っている。	
適用労働者	●原則として、常用・日雇・パートタイマー・アルバイト等名称および雇用形態にかかわらず、労働の対価として賃金を受けるすべての労働者	
適用事業所	●労働者を（1人でも）使用する事業所（国の直営事業、官公署の事業は適用除外） ●中小事業主、個人タクシー、大工などの一人親方なども特別加入が認められる。	
保険料	●労災保険料は、事業主が全額負担する（労働者は負担しない）。	
労災保険の対象	業務災害	●業務が原因となり被災した労働者の負傷、疾病、障害または死亡が対象 ●業務上の心理的負荷による精神障害も対象
	通勤災害	●就業に関し、住居と就業の場所との往復、就業場所から他の就業場所への移動などを合理的な経路および方法で行う場合が対象
保険給付	●療養補償給付、休業補償給付、障害補償給付、遺族補償給付、葬祭料、傷病補償年金、介護補償給付、二次健康診断等給付などがある。	

社会福祉施設の労働災害発生状況

社会福祉施設の労働災害は、2023年は約1.4万件発生しており、「動作の反動・無理な動作」と「転倒」で約7割を占めています。

社会福祉施設の労働災害発生状況

社会福祉施設の労働災害の事故の型（2023年）

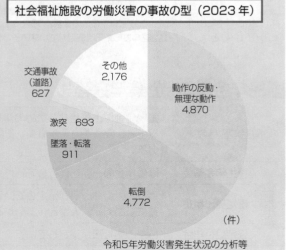

令和5年労働災害発生状況の分析等

雇用保険

雇用保険は、労働者の生活及び雇用の安定と就職の促進のために、失業された人や教育訓練を受けられる人などに対して、失業等給付などを支給します。

保険者	●雇用保険は、全国を単位として、国が保険者となっている。 ●現業業務は、都道府県労働局、公共職業安定所 (ハローワーク) が行っている。	
適用事業所	●原則としてすべての事業所に加入が義務づけられている。 (農林水産業で、労働者が5人未満の個人経営事業所は任意適用)	
被保険者	●適用事業所に雇用される労働者で、次の適用基準を満たす者	
	適用基準	●1週間の所定労働時間が20時間以上であること (2028 (令和10) 年10月からは、「10時間以上」に変更)。 ●31日以上引き続き雇用されることが見込まれること。
保険料	●雇用保険料は、事業主と被保険者が折半して負担 (雇用保険二事業の費用は事業主のみが負担)	
保険給付	●保険給付として、失業等給付 (求職者給付、就職促進給付、教育訓練給付、雇用継続給付)、育児休業給付がある。 ●その他の事業 (雇用保険二事業) として、雇用安定事業、能力開発事業がある。	

雇用形態と完全失業率の推移

近年の雇用の特徴として、非正規雇用の割合が37%と高くなっています。また、完全失業率は2.6%、有効求人倍率は1.31となっています。

雇用形態の推移

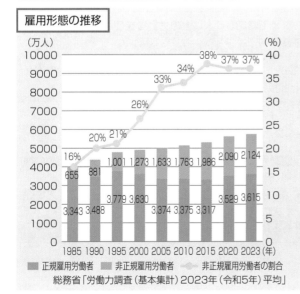

正規雇用労働者　　非正規雇用労働者　　非正規雇用労働者の割合
総務省「労働力調査 (基本集計) 2023年 (令和5年) 平均」

完全失業率と有効求人倍率の推移

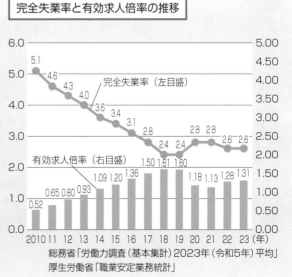

総務省「労働力調査 (基本集計) 2023年 (令和5年) 平均」
厚生労働省「職業安定業務統計」

労働基準法

労働基準法	労働者の賃金・労働時間・休日などの主な労働条件の最低基準を定めた法律
労働条件の原則	労働条件は、労働者が人たるに値する生活を営むための必要を充たすべきものでなければならない。
労働契約	労働基準法で定める基準に達しない労働条件を定める労働契約はその部分について無効とする。無効となった部分は労働基準法で定める基準による。
労働時間	使用者は、原則として、労働者に休憩時間を除き1週間40時間（1日8時間）を超えて、労働させてはならない。
休憩時間	使用者は、労働時間が6時間を超える場合においては少なくとも45分、8時間を超える場合においては少なくとも1時間の休憩時間を労働時間の途中に与えなければならない。
休日	使用者は、労働者に対して、毎週少なくとも1回の休日を与えなければならない。
災害補償	労働者が業務上負傷し、または疾病にかかった場合は、使用者は、その費用で必要な療養を行い、または必要な療養の費用を負担しなければならない。

労働安全衛生法

労働安全衛生法		職場における労働者の安全と健康を確保するとともに、快適な職場環境の形成を促進することを目的とする法律
安全衛生管理体制	安全管理者	建設業等の一定の業種で常時50人以上の労働者を使用する事業場において選任義務（10人以上50人未満の場合は、安全衛生推進者を選任）
	衛生管理者	すべての業種で常時50人以上の労働者を使用する事業場において選任義務（常時10人以上50人未満の場合は、安全衛生推進者もしくは衛生推進者を選任）
	産業医	すべての業種で常時50人以上の労働者を使用する事業場において選任義務
面接指導等		事業者は、時間外・休日労働が一定時間以上で、疲労の蓄積が認められる労働者が申し出た場合は、医師による面接指導を行わなければならない。
心理的な負担の程度を把握するための検査等（ストレスチェック制度）		●労働者のメンタルヘルス不調の未然防止などが目的 ●労働者数50人以上の事業場に実施義務（50人未満の事業場は努力義務）
	実施手順	●医師、保健師等による心理的な負担の程度を把握するための検査（ストレスチェック）を実施 ●検査結果は、検査を実施した医師、保健師等から直接本人に通知され、本人の同意なく事業者に提供することは禁止 ●少なくとも1年に1回実施

育児・介護休業制度

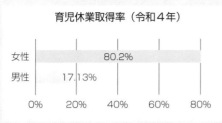

育児休業取得率（令和4年）

女性	80.2%
男性	17.13%

0% 20% 40% 60% 80%

厚生労働省「令和4年度雇用均等基本調査」

介護休業者割合（令和4年）

女性	0.10%
男性	0.04%

0.00% 0.10% 0.20%

厚生労働省「令和4年度雇用均等基本調査」

育児休業		● 労働者は、事業主に申し出ることにより、子が1歳に達するまで（保育所に入所できない場合など、一定の事由があれば、最長2歳に達するまで）の間、育児休業を取得することができる。 ● 父母がともに育児休業を取得する場合、1歳2か月までの間に、1年間、育児休業を取得することができる（パパ・ママ育休プラス）。
	出生時育児休業 （産後パパ育休）	● 男性の育児休業取得促進のため、子の出生後8週間以内に4週間まで取得することができる。
	育児休業給付金	● 一定の条件を満たすと、雇用保険から休業前賃金の50％（休業開始後180日は67％）相当額の給付金が支給される。
	保険料免除	● 厚生年金・健康保険の保険料は、事業主・被保険者とも免除される（最大、子が満3歳になるまで）。
子の看護等休暇		● 小学校就学前（2025（令和7）年4月より小学校3年生まで）の子を養育する労働者は、子1人の場合1年に5日（子2人以上の場合は1年に10日）まで、子の看護等のために、休暇を取得することができる。
介護休業		● 労働者は、事業主に申し出ることにより、（2週間以上）要介護状態にある対象家族1人につき、常時介護を必要とする状態ごとに介護休業を取得することができる。期間は通算して93日まで（3回を上限として分割取得が可能）。
	対象家族	● 配偶者、父母、子、祖父母、兄弟姉妹、孫、配偶者の父母
	介護休業給付金	● 一定の条件を満たすと、雇用保険から休業前賃金の67％相当額の給付金が支給される。
介護のための 短期休暇		● 要介護状態にある家族の世話を行うための短期の休暇制度。対象家族1人の場合1年に5日（2人以上の場合1年に10日）まで休暇を取得することができる。

事業主の義務等	短時間勤務等の措置	● 事業主は、3歳未満の子を養育し、または要介護状態にある対象家族の介護を行う労働者については、勤務時間の短縮等の措置を講じなければならない。
	所定外労働の免除	● 事業主は、3歳未満の子（2025（令和7）年4月より小学校就学前の子）を養育し、または要介護状態にある対象家族の介護を行う労働者が請求した場合は、所定労働時間を超えて労働させてはならない。
	時間外（深夜）労働の制限	● 事業主は、小学校就学前の子を養育し、または要介護状態にある対象家族の介護を行う労働者が請求した場合は、1か月24時間、1年150時間を超える時間外労働、深夜労働（午後10時から午前5時まで）をさせてはならない。

重要度
A
★★★

要支援・要介護者の状況

厚生労働省「介護保険事業状況報告」(暫定)(令和5年11月分)をもとに作成

● 2023(令和5)年11月現在、約3588万人の高齢者の内訳

| 元気な高齢者 約80% | | | | | サービス事業対象者 | 要支援・要介護 約19% |

約707万人

要支援28%

要支援1	要支援2	要介護1	要介護2	要介護3	要介護4	要介護5
14%	14%	21%	17%	13%	13%	9%

第2号被保険者 2%	第1号被保険者			
	65〜74歳 10%	75〜84歳 33%		85歳以上 55%

要支援・要介護者は、後期高齢者が約9割

居宅86%　　　施設14%

| 居宅(サービス利用) 約73% | | 居宅(サービス利用なし) | 施設サービス利用 約14% |

介護医療院 5%

| 介護老人福祉施設 59% | 介護老人保健施設 36% | |

介護療養型医療施設

居宅サービス等受給者数

厚生労働省「介護保険事業状況報告」(暫定)(令和5年11月分)

(単位:千人)

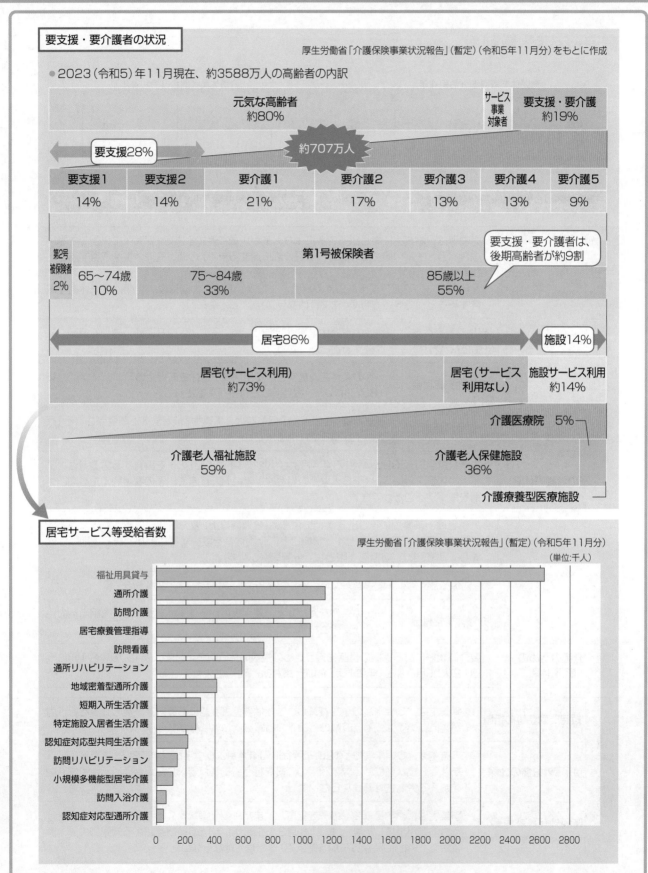

- 福祉用具貸与
- 通所介護
- 訪問介護
- 居宅療養管理指導
- 訪問看護
- 通所リハビリテーション
- 地域密着型通所介護
- 短期入所生活介護
- 特定施設入居者生活介護
- 認知症対応型共同生活介護
- 訪問リハビリテーション
- 小規模多機能型居宅介護
- 訪問入浴介護
- 認知症対応型通所介護

0　200　400　600　800　1000　1200　1400　1600　1800　2000　2200　2400　2600　2800

要介護者等の状況

性別と年齢

女性 65%			男性 35%		
40〜64歳 / 65〜74歳 8%	75〜84歳 31%	85歳以上 60%	40〜64歳 / 65〜74歳 15%	75〜84歳 40%	85歳以上 41%

要介護になった原因

認知症 17%	脳血管疾患 16%	骨折・転倒 14%	高齢による衰弱 13%	関節疾患 10%	心疾患 5%	その他

要支援	関節疾患 19%	高齢による衰弱 17%	骨折・転倒 16%

要支援者は、関節疾患が最も多い

要介護	認知症 24%	脳血管疾患 19%	骨折・転倒 13%

要介護者は、認知症が最も多い

厚生労働省「国民生活基礎調査」（2022年）

介護者の状況

主な介護者

同居 46%				事業者 16%	別居の家族 12%	不詳その他
配偶者 23%	子 16%	子の配偶者 5%	その他			

同居の主な介護者の性別

女 69%	男 31%

同居の主な介護者の年齢

50歳未満 7%	50〜60歳未満 17%	60〜70歳未満 29%	70〜80歳未満 29%	80歳以上 18%

同居の主な介護者の介護時間

総数	ほとんど終日 19%	半日程度 11%	2〜3時間程度 11%	必要なときに手をかす程度 45%	その他

要介護1	ほとんど終日 12%	半日程度 9%			

要介護3	ほとんど終日 32%		半日程度 22%		

要介護度が高まるほど「ほとんど終日」が多くなる

要介護5	ほとんど終日 63%			半日程度 17%	

厚生労働省「国民生活基礎調査」（2022年）

介護保険の全体像

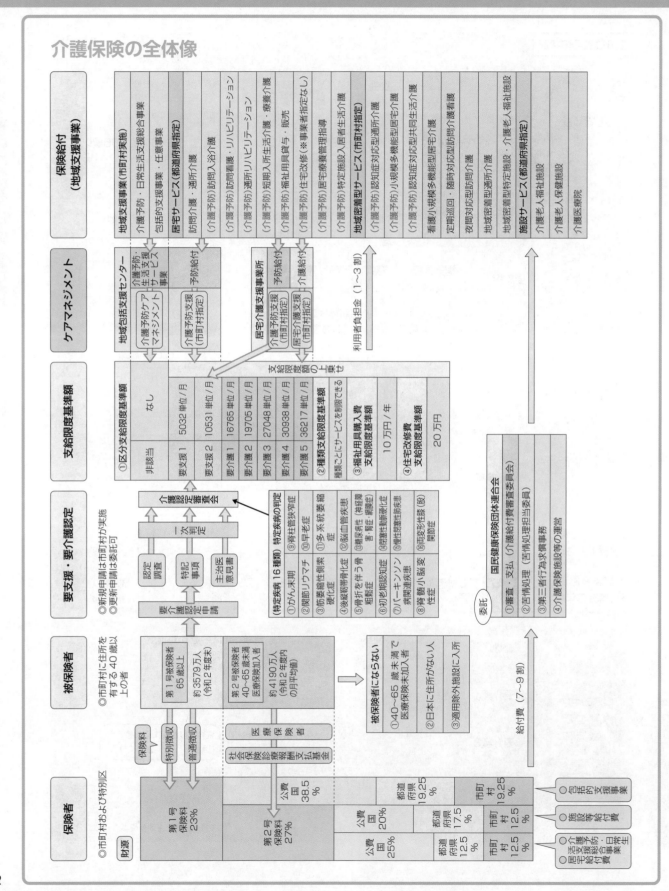

保険者と財源

行政の役割分担

保険者は市町村等

国	都道府県	市町村および特別区（保険者）
● 基本指針の策定 ● 基準等の設定 ● 財政支援 ● 都道府県・市町村に対する情報提供・助言・監督　など	● 介護保険事業支援計画の策定（3年を1期） ● 介護保険審査会の設置 ● 「居宅サービス」「施設サービス」事業者の指定・監督 ● 財政安定化基金の設置　など	● 介護保険事業計画の策定（3年を1期） ● 介護認定審査会の設置 ● 「地域密着型サービス」「居宅介護支援」「介護予防支援」事業者の指定・監督 ● 被保険者の資格管理・要介護認定・保険給付等の事務　など

財　源

介護保険の財源は、保険料と公費負担、事業の種類によって費用負担の割合が異なっています。

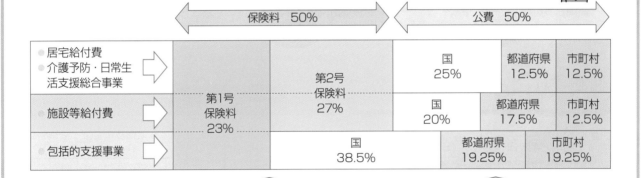

保険料　50% ← → 公費　50%

	第1号保険料 23%	第2号保険料 27%	国 25%	都道府県 12.5%	市町村 12.5%
● 居宅給付費 ● 介護予防・日常生活支援総合事業 ⇒			国 25%	都道府県 12.5%	市町村 12.5%
施設等給付費 ⇒			国 20%	都道府県 17.5%	市町村 12.5%
包括的支援事業 ⇒		国 38.5%		都道府県 19.25%	市町村 19.25%

貸付・交付

財政安定化基金
保険料収納率の低下や介護給付費の増加などで赤字になった場合に貸付・交付

交付

調整交付金
国が負担する費用のうち、5％相当分は財政を調整するために市町村に調整交付金を交付

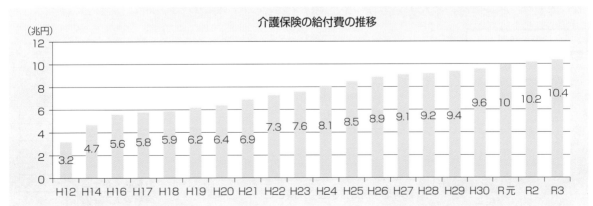

介護保険の給付費の推移

（兆円）

年	給付費
H12	3.2
H14	4.7
H16	5.6
H17	5.8
H18	5.9
H19	6.2
H20	6.4
H21	6.9
H22	7.3
H23	7.6
H24	8.1
H25	8.5
H26	8.9
H27	9.1
H28	9.2
H29	9.4
H30	9.6
R元	10
R2	10.2
R3	10.4

厚生労働省「介護保険事業状況報告（年報）のポイント」

被保険者

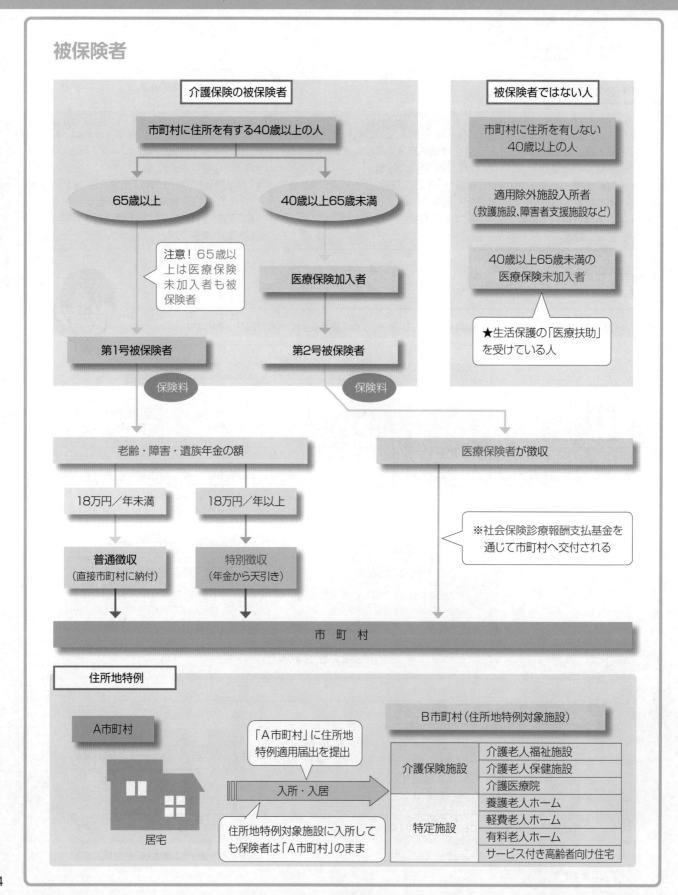

| 介護保険の被保険者 | 被保険者ではない人 |

介護保険の被保険者

市町村に住所を有する40歳以上の人

↓

65歳以上 / 40歳以上65歳未満

注意！65歳以上は医療保険未加入者も被保険者

医療保険加入者

第1号被保険者 / 第2号被保険者

保険料 / 保険料

老齢・障害・遺族年金の額

医療保険者が徴収

18万円／年未満 / 18万円／年以上

普通徴収（直接市町村に納付） / 特別徴収（年金から天引き）

※社会保険診療報酬支払基金を通じて市町村へ交付される

市 町 村

被保険者ではない人

市町村に住所を有しない40歳以上の人

適用除外施設入所者（救護施設、障害者支援施設など）

40歳以上65歳未満の医療保険未加入者

★生活保護の「医療扶助」を受けている人

住所地特例

A市町村

居宅

「A市町村」に住所地特例適用届出を提出

入所・入居

住所地特例対象施設に入所しても保険者は「A市町村」のまま

B市町村（住所地特例対象施設）

介護保険施設	介護老人福祉施設
	介護老人保健施設
	介護医療院
特定施設	養護老人ホーム
	軽費老人ホーム
	有料老人ホーム
	サービス付き高齢者向け住宅

要介護認定

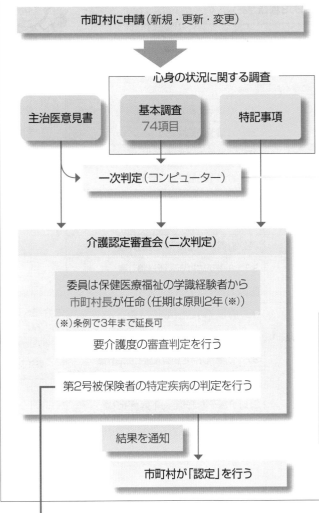

市町村に申請（新規・更新・変更）

≪申請代行できる者≫
①指定居宅介護支援事業者
②地域密着型介護老人福祉施設
③介護保険施設
④地域包括支援センター　など

心身の状況に関する調査

| 主治医意見書 | 基本調査 74項目 | 特記事項 |

一次判定（コンピューター）

介護認定審査会（二次判定）

委員は保健医療福祉の学識経験者から
市町村長が任命（任期は原則2年（※））

（※）条例で3年まで延長可

要介護度の審査判定を行う

第2号被保険者の特定疾病の判定を行う

結果を通知

市町村が「認定」を行う

介護度	要介護認定基準時間
要支援 1	25分以上32分未満
要支援 2	32分以上50分未満
要介護 1	
要介護 2	50分以上70分未満
要介護 3	70分以上90分未満
要介護 4	90分以上110分未満
要介護 5	110分以上

申請区分		原則	認定可能な有効期間
新規申請		6か月	3か月～12か月
区分変更申請			
更新申請	要支援	12か月	3か月～36か月
	要介護		
	要支援 ⇔要介護		

直前の要介護度と同じ要介護度と判定されたときは「48か月」まで延長可

特定疾病	①がん末期	⑨脊柱管狭窄症
	②関節リウマチ	⑩早老症
	③筋萎縮性側索硬化症	⑪多系統萎縮症
	④後縦靭帯骨化症	⑫糖尿病性神経障害・腎症・網膜症
	⑤骨折を伴う骨粗鬆症	⑬脳血管疾患
	⑥初老期における認知症	⑭閉塞性動脈硬化症
	⑦パーキンソン病関連疾患	⑮慢性閉塞性肺疾患
	⑧脊髄小脳変性症	⑯両変形性膝（股）関節症

保険給付

保険給付は、要介護者が利用できる「介護給付」、要支援者が利用できる「予防給付」、市町村が条例で定める「市町村特別給付」の3種類があります。

区分			介護給付		予防給付		介護保険から
都道府県知事が指定	居宅サービス等	1	訪問介護				介護保険から7〜9割給付
		2	訪問入浴介護	27	介護予防訪問入浴介護		
		3	訪問看護	28	介護予防訪問看護		
		4	訪問リハビリテーション	29	介護予防訪問リハビリテーション		
		5	居宅療養管理指導	30	介護予防居宅療養管理指導		
		6	通所介護				
		7	通所リハビリテーション	31	介護予防通所リハビリテーション		
		8	短期入所生活介護	32	介護予防短期入所生活介護		
		9	短期入所療養介護	33	介護予防短期入所療養介護		
		10	福祉用具貸与	34	介護予防福祉用具貸与		
		11	居宅介護福祉用具購入費	35	介護予防福祉用具購入費		
		12	居宅介護住宅改修費(事業者指定制度はない)	36	介護予防住宅改修費(事業者指定制度はない)		
		13	特定施設入居者生活介護	37	介護予防特定施設入居者生活介護		
市町村長が指定	地域密着型サービス	14	小規模多機能型居宅介護	38	介護予防小規模多機能型居宅介護		
		15	認知症対応型通所介護	39	介護予防認知症対応型通所介護		
		16	認知症対応型共同生活介護	40	介護予防認知症対応型共同生活介護		
		17	看護小規模多機能型居宅介護				
		18	定期巡回・随時対応型訪問介護看護				
		19	夜間対応型訪問介護				
		20	地域密着型特定施設入居者生活介護		要支援者は利用できない!		
		21	地域密着型介護老人福祉施設入所者生活介護				
		22	地域密着型通所介護				
都道府県知事が指定・許可	施設サービス	23	介護老人福祉施設				
		24	介護老人保健施設				
		25	介護医療院				
	プラン	26	居宅介護支援	41	介護予防支援		介護保険から10割給付

市町村長が指定　　　市町村長が指定

指定事業者は**6年**ごとに更新を受けなければ、介護保険事業者としての効力を失います。

区分		サービス	サービス内容
訪問系	1	訪問介護	●訪問介護員（ホームヘルパー）による食事・入浴・排泄などの介護
	2	訪問入浴介護	●浴槽を自宅に持ち込んで行う入浴の介護
	3	訪問看護	●看護師などによる健康チェックや療養上の世話など
	4	訪問リハビリテーション	●理学療法士、作業療法士などによる自宅でのリハビリテーション
	5	居宅療養管理指導	●医師、歯科医師、薬剤師などが自宅を訪問しての、療養上の管理、指導など
	6	定期巡回・随時対応型訪問介護看護	●日中・夜間を通じて定期訪問と随時の対応を介護・看護が一体的に連携しながら提供するサービス
	7	夜間対応型訪問介護	●夜間の定期的な巡回訪問や、利用者などからの連絡に応じた随時訪問など
通所系	8	通所介護	●デイサービスセンターでの入浴や食事などの介護、レクリエーションなど
	9	通所リハビリテーション	●介護老人保健施設などでのリハビリテーションなど
	10	地域密着型通所介護	●「定員18人以下」の通所介護
	11	認知症対応型通所介護	●認知症の利用者に対する通所介護
多機能	12	小規模多機能型居宅介護	●「通い」を中心に「訪問」や「泊まり」を組み合わせた多機能なサービス（定員29人以下）
	13	看護小規模多機能型居宅介護	●小規模多機能型居宅介護と訪問看護を組み合わせて提供するサービス
短期入所	14	短期入所生活介護	●介護老人福祉施設などに短期間入所しての、入浴、排泄、食事等の介護など
	15	短期入所療養介護	●介護老人保健施設などに短期間入所しての、看護、医学的管理下における介護など
福祉用具等	16	福祉用具貸与	●つえや歩行器などの福祉用具を貸与
	17	福祉用具購入	●排泄や入浴などに使われる特定福祉用具の購入に対し支給（支給限度基準額10万円）
	18	住宅改修	●手すりの取付けなどの一定の住宅改修に対し支給（支給限度基準額20万円）
居住系	19	特定施設入居者生活介護	●有料老人ホームやケアハウスなどでの日常生活の介護や機能訓練など
	20	地域密着型特定施設入居者生活介護	●「定員29人以下」の特定施設
	21	認知症対応型共同生活介護	●認知症のため介護を必要とする人に、家庭的な環境での共同生活の支援
入所系	22	介護老人福祉施設	●常時介護が必要（原則として要介護3以上）な人に、入浴、排泄、食事等の介護その他の日常生活上の世話などを行う施設（定員30人以上）
	23	地域密着型介護老人福祉施設入所者生活介護	●「定員29人以下」の介護老人福祉施設
	24	介護老人保健施設	●居宅における生活を営むことができるようにするための支援が必要である者に対して、看護、医学的管理の下における介護および機能訓練などを行う施設
	25	介護医療院	●長期療養が必要な人に、療養上の管理、看護、医学的管理下での介護、その他必要な医療ならびに日常生活上の世話を行う施設
プラン	26	居宅介護支援	●要介護者のケアプランを作成。介護支援専門員の免許は5年ごとに更新

地域密着型サービス

地域密着型サービスは、住み慣れた自宅や地域での生活を継続することを目的としているため、原則として、事業所を指定した市町村の区域内に住所がある人が利用できます。

小規模多機能型居宅介護

● 通いによるサービスを中心にして、利用者の希望などに応じて、訪問や宿泊を組み合わせて、入浴、排泄、食事などの介護、その他の日常生活上の世話、機能訓練(リハビリテーション)を行います。

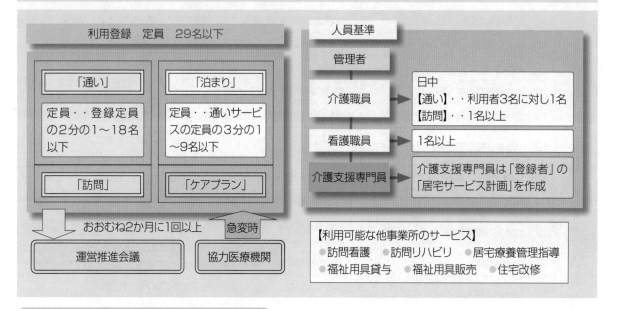

利用登録 定員 29名以下

「通い」	「泊まり」
定員・・登録定員の2分の1～18名以下	定員・・通いサービスの定員の3分の1～9名以下
「訪問」	「ケアプラン」

おおむね2か月に1回以上 → 運営推進会議
急変時 → 協力医療機関

人員基準

管理者	
介護職員	日中 【通い】・・利用者3名に対し1名 【訪問】・・1名以上
看護職員	1名以上
介護支援専門員	介護支援専門員は「登録者」の「居宅サービス計画」を作成

【利用可能な他事業所のサービス】
● 訪問看護　● 訪問リハビリ　● 居宅療養管理指導
● 福祉用具貸与　● 福祉用具販売　● 住宅改修

認知症対応型通所介護

● 認知症の人が可能な限り居宅において、自立した日常生活を営むことができるように、必要な日常生活上の世話および機能訓練を行うことにより、社会的孤立感の解消、心身機能の維持、家族の負担軽減を図ります。

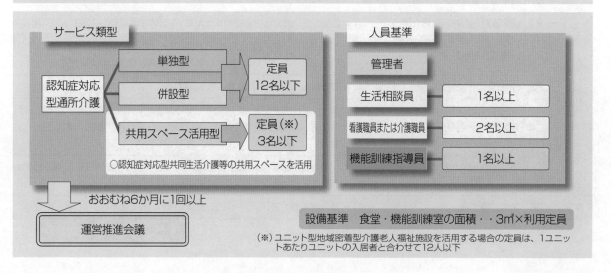

サービス類型

認知症対応型通所介護
- 単独型 → 定員 12名以下
- 併設型 → 定員 12名以下
- 共用スペース活用型 → 定員(※) 3名以下
○認知症対応型共同生活介護等の共用スペースを活用

おおむね6か月に1回以上 → 運営推進会議

人員基準

管理者	
生活相談員	1名以上
看護職員または介護職員	2名以上
機能訓練指導員	1名以上

設備基準　食堂・機能訓練室の面積・・3㎡×利用定員

(※)ユニット型地域密着型介護老人福祉施設を活用する場合の定員は、1ユニットあたりユニットの入居者と合わせて12人以下

認知症対応型共同生活介護

● 認知症の利用者について、共同生活住居（5〜9名）において、家庭的な環境と地域住民との交流の下で、入浴、排泄、食事などの介護、その他の日常生活上の世話および機能訓練を行います（要支援2、要介護者が利用できます）。

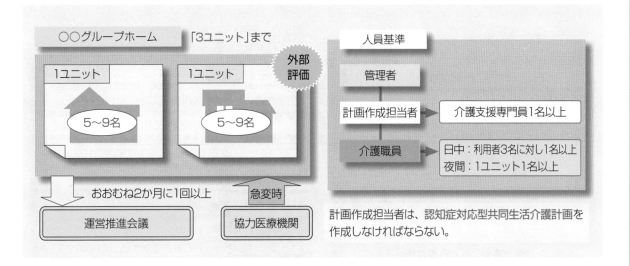

定期巡回・随時対応型訪問介護看護

● 定期的な巡回または随時通報により利用者の居宅を訪問し、入浴、排泄、食事などの介護、日常生活上の緊急時の対応などを行います。

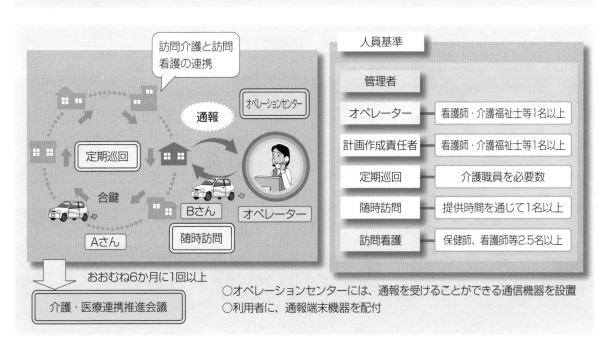

施設サービス

介護老人福祉施設

● 原則として要介護3以上の要介護者に対し、施設サービス計画に基づいて、入浴、排泄、食事等の介護その他の日常生活上の世話、機能訓練、健康管理および療養上の世話を行うことを目的とする施設

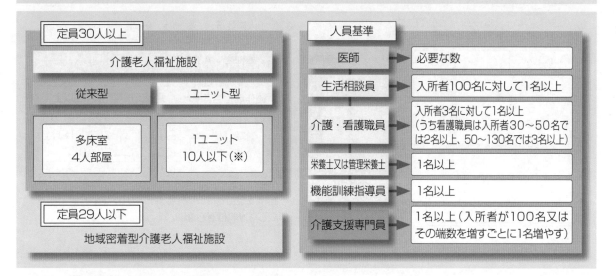

定員30人以上
介護老人福祉施設
従来型 / ユニット型
多床室 4人部屋 / 1ユニット 10人以下（※）

定員29人以下
地域密着型介護老人福祉施設

人員基準

人員	基準
医師	必要な数
生活相談員	入所者100名に対して1名以上
介護・看護職員	入所者3名に対して1名以上（うち看護職員は入所者30～50名では2名以上、50～130名では3名以上）
栄養士又は管理栄養士	1名以上
機能訓練指導員	1名以上
介護支援専門員	1名以上（入所者が100名又はその端数を増すごとに1名増やす）

介護老人保健施設

● 要介護者に対し、施設サービス計画に基づいて、看護、医学的管理の下における介護および機能訓練その他必要な医療ならびに日常生活上の世話を行うことを目的とする施設

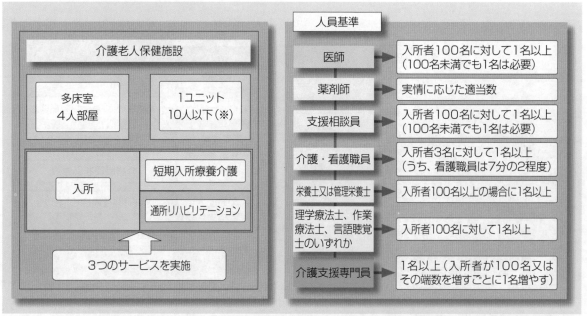

介護老人保健施設
多床室 4人部屋 / 1ユニット 10人以下（※）
入所 / 短期入所療養介護 / 通所リハビリテーション
3つのサービスを実施

人員基準

人員	基準
医師	入所者100名に対して1名以上（100名未満でも1名は必要）
薬剤師	実情に応じた適当数
支援相談員	入所者100名に対して1名以上（100名未満でも1名は必要）
介護・看護職員	入所者3名に対して1名以上（うち、看護職員は7分の2程度）
栄養士又は管理栄養士	入所者100名以上の場合に1名以上
理学療法士、作業療法士、言語聴覚士のいずれか	入所者100名に対して1名以上
介護支援専門員	1名以上（入所者が100名又はその端数を増すごとに1名増やす）

（※）2021（令和3）年度より、ユニットの定員は「原則としておおむね10人以下とし、15人を超えないものとする」に改正された。

介護医療院

● 要介護者であって、主として長期にわたり療養が必要である者に対して、施設サービス計画に基づいて、療養上の管理、看護、医学的管理の下における介護および機能訓練その他必要な医療ならびに日常生活上の世話を行うことを目的とする施設

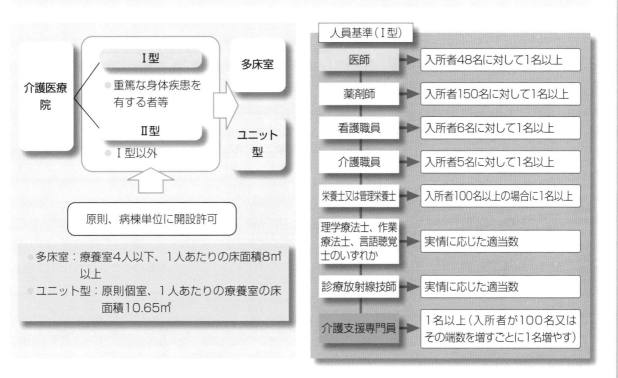

人員基準（Ⅰ型）

医師	入所者48名に対して1名以上
薬剤師	入所者150名に対して1名以上
看護職員	入所者6名に対して1名以上
介護職員	入所者5名に対して1名以上
栄養士又は管理栄養士	入所者100名以上の場合に1名以上
理学療法士、作業療法士、言語聴覚士のいずれか	実情に応じた適当数
診療放射線技師	実情に応じた適当数
介護支援専門員	1名以上（入所者が100名又はその端数を増すごとに1名増やす）

介護医療院
　Ⅰ型 → 多床室
　● 重篤な身体疾患を有する者等
　Ⅱ型 → ユニット型
　● Ⅰ型以外

原則、病棟単位に開設許可

● 多床室：療養室4人以下、1人あたりの床面積8㎡以上
● ユニット型：原則個室、1人あたりの療養室の床面積10.65㎡

共生型サービス

障害者が65歳以上になっても、使い慣れた事業所においてサービスを利用しやすくする、地域の実情に合わせて、限られた福祉人材を有効活用する、という観点から、ホームヘルプサービス、デイサービス、ショートステイについて、高齢者や障害児・者がともに利用できる「共生型サービス」が、介護保険、障害福祉それぞれに位置づけられました。

共生型サービスの主な対象サービス

	介護保険サービス		障害福祉サービス等
ホームヘルプサービス	● 訪問介護	⟺	● 居宅介護 ● 重度訪問介護
デイサービス	● 通所介護	⟺	● 生活介護 ● 自立訓練（機能訓練・生活訓練） ● 児童発達支援 ● 放課後等デイサービス
ショートステイ	● 短期入所生活介護	⟺	● 短期入所

訪問介護

● 利用者が可能な限りその居宅において、その有する能力に応じて自立した日常生活を営むことができるよう、入浴、排泄、食事などの介護、その他の生活全般にわたる援助を行います。

人員基準

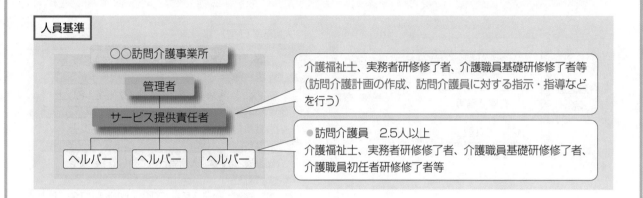

○○訪問介護事業所

管理者

サービス提供責任者

介護福祉士、実務者研修修了者、介護職員基礎研修修了者等
（訪問介護計画の作成、訪問介護員に対する指示・指導などを行う）

ヘルパー　ヘルパー　ヘルパー

● 訪問介護員　2.5人以上
介護福祉士、実務者研修修了者、介護職員基礎研修修了者、介護職員初任者研修修了者等

訪問介護の内容	● 訪問介護は、身体介護と生活援助がある。
身体介護	● 利用者の身体に直接接触して行う介助サービス。 ● 利用者のADL・IADL・QOLや意欲の向上のために利用者とともに行う自立支援・重度化防止のためのサービス。
生活援助	● 掃除、洗濯、調理、処方薬の受け取りなどの日常生活の援助。 （直接、本人の日常生活の援助に属しないと判断される行為は含まれない）
通院等の乗降介助	● 利用者に対して、通院等のため、訪問介護員が自らの運転する車両への乗車または降車の介助を行い、併せて、乗車前や降車後の屋内外の移動等の介助、通院先・外出先での受診等の手続き・移動等の介助を行う。
医行為	● 医師、歯科医師、看護師等の免許を有さない者による医業は、禁止されている。
医行為ではないものの例	● 体温測定、自動血圧測定器による血圧測定、パルスオキシメータ装着（新生児以外で入院治療の必要がない人）。 ● 軽微な切り傷、擦り傷、やけど等について、専門的な判断や技術を必要としない処置をすること。 ● 皮膚への軟膏の塗布（褥瘡の処置を除く）、皮膚への湿布の貼付、点眼薬の点眼、一包化された内用薬の内服、肛門からの座薬挿入または鼻腔粘膜への薬剤噴霧を介助することなど。 ● 爪の手入れ、歯・口腔粘膜・舌に付着している汚れを取り除くこと、耳垢の除去（耳垢塞栓の除去を除く）。 ● ストーマ装具のパウチにたまった排泄物を捨てること（肌に接着したパウチの取り替えを除く（※））。 ● 自己導尿を補助するため、カテーテルの準備、体位の保持などを行うこと。 ● 喀痰吸引の吸引器に溜まった汚水の廃棄や吸引器に入れる水の補充、吸引チューブ内を洗浄する目的で使用する水の補充を行うこと。 ● 皮膚に発赤等がなく、専門的な管理を必要としない患者について、経鼻胃管栄養チューブを留めているテープが外れた場合、あらかじめ明示された貼付位置に再度貼付を行うこと。 ※医療職の指導を受け、ストーマおよびその周辺の状態が安定している場合は医行為には該当しない。

利用者負担その他

利用者負担	●介護保険の利用者負担は、1割負担(第1号被保険者で一定所得以上は2割または3割負担)。 ●居宅介護支援、介護予防支援には、利用者負担はない。
高額介護サービス費	●介護サービスを利用して支払った1割(2割または3割)の自己負担額が、1か月あたり下表の上限額を超えた分を、高額介護サービス費として支給される(ただし、福祉用具購入費、住宅改修費の自己負担、食費、居住費その他の費用は対象とならない)。
	高額医療合算介護サービス費 同一世帯内の被保険者が、1年間に支払われた医療保険と介護保険の自己負担額を合計し、基準額を超えた分が医療保険と介護保険の自己負担額比率により支給される。

下表（高額介護サービス費）：

利用者負担段階区分		負担上限額(月額)
●市町村民税課税世帯	○年収1160万円以上	140,100円(世帯)
	○年収約770万円以上約1160万円未満	93,000円(世帯)
	○年収約770万円未満	44,400円(世帯)
●市町村民税世帯非課税世帯		24,600円(世帯)
○合計所得金額および課税年金収入の合計が80万円以下		24,600円(世帯) 15,000円(個人)
●生活保護受給者		15,000円(世帯)

高額医療合算介護サービス費	●同一世帯内の被保険者が、1年間に支払われた医療保険と介護保険の自己負担額を合計し、基準額を超えた分が医療保険と介護保険の自己負担額比率により支給される。 ●医療保険から支給されるのが「高額介護合算療養費」、介護保険から支給されるのが「高額医療合算介護(介護予防)サービス費」。
特定入所者介護サービス費	●市町村は、低所得の要介護被保険者が、介護保険施設等における「食事の提供に要した費用」および「居住または滞在に要した費用」について、特定入所者介護サービス費を支給する。
介護サービス情報の報告および公表	●介護サービス事業者は、指定を受け介護サービスの提供を開始しようとするとき等は、介護サービス情報を都道府県知事に報告しなければならない。 ●市町村は、地域包括支援センターの事業の内容および運営状況に関する情報を公表するように努めなければならない。
地域ケア会議	●市町村は、介護支援専門員、保健・医療・福祉に関する専門的知識を有する者、民生委員その他の関係者、関係機関および関係団体により構成される地域ケア会議を置くように努めなければならない。 ●地域ケア会議は、要介護被保険者等への適切な支援を行うために検討を行うことや、地域課題の発見・把握や地域づくり・資源開発などの機能がある。
国民健康保険団体連合会	●都道府県ごとに置かれ、国民健康保険の審査支払業務のほか、介護保険関連業務として次の業務をしている。 ①市町村の委託を受けて行う、介護サービス費の審査や支払の業務。 ②サービス利用者からの苦情に対応して行う、サービス事業者への助言と指導など。
介護保険審査会	●介護保険審査会は、都道府県に設置され、被保険者を代表する委員、市町村を代表する委員、公益を代表する委員で構成される。 ●市町村の行った、要介護認定、保険給付、保険料に関する処分などに対する不服申立ての審理裁決を行う。

地域支援事業

地域支援事業は、高齢者が**要介護（要支援）状態となることを予防**するとともに、要介護状態となった場合でも、可能な限り地域において**自立した日常生活を営む**ことができるよう支援することを目的として、**市町村**が実施する事業です。

```
                          地域支援事業
```

| 介護予防・日常生活支援総合事業 | 包括的支援事業 | 任意事業 |

介護予防・日常生活支援総合事業

介護予防・生活支援サービス事業
①訪問型サービス
②通所型サービス
③生活支援サービス
④介護予防ケアマネジメント（要支援者）

一般介護予防事業
①介護予防把握事業
②介護予防普及啓発事業
③地域介護予防活動支援事業
④一般介護予防事業評価事業
⑤地域リハビリテーション活動支援事業

包括的支援事業

地域包括支援センター事業
①介護予防ケアマネジメント（要支援者以外）
②包括的・継続的ケアマネジメント支援業務
③総合相談支援業務
④権利擁護業務

⑤在宅医療・介護連携推進事業
⑥生活支援体制整備事業
⑦認知症総合支援事業
⑧地域ケア会議推進事業

任意事業

● 介護給付等費用適正化事業
● 家族介護支援事業
● 成年後見制度利用支援事業
● その他の事業

※実施するかどうかは市町村の判断

介護予防・生活支援サービス事業 要支援者、事業対象者が対象（※）	①訪問型サービス （第1号訪問事業）	● 要支援者等に対し、掃除、洗濯等の日常生活上の支援を提供。
	②通所型サービス （第1号通所事業）	● 要支援者等に対し、機能訓練や集いの場など日常生活上の支援を提供。
	③生活支援サービス （第1号生活支援事業）	● 要支援者等に対し、栄養改善を目的とした配食や一人暮らし高齢者等への見守りを提供。
	④介護予防ケアマネジメント （第1号介護予防支援事業）	● 要支援者等に対し、総合事業によるサービス等が適切に提供できるようにケアマネジメントを提供。
一般介護予防事業 第1号被保険者が対象	①介護予防把握事業	● 収集した情報等の活用により、閉じこもり等の何らかの支援を要する者を把握し、介護予防活動へつなげる。
	②介護予防普及啓発事業	● 介護予防活動の普及・啓発を行う。
	③地域介護予防活動支援事業	● 住民主体の介護予防活動の育成・支援を行う。
	④一般介護予防事業評価事業	● 介護保険事業計画に定める目標値の達成状況等を検証し、一般介護予防事業の評価を行う。
	⑤地域リハビリテーション活動支援事業	● 介護予防の取組みを機能強化するため、通所系サービス、訪問系サービス、地域ケア会議、住民主体の通いの場等へのリハビリ専門職等による助言等を実施。

（※）2021（令和3）年4月より、要介護認定によるサービスを受ける前から第1号事業のサービスを継続的に利用する居宅要介護被保険者（市町村が必要と認める者に限る）も対象

地域包括支援センター

地域包括支援センターは、**包括的支援事業**や**介護予防支援**など実施する施設として、原則、市町村単位で設置します。

市町村が設置　⟶　地域包括支援センター運営協議会

公正・中立性の確保や、適正な運営が実施できているか見守る。

地域包括支援センター

介護予防・生活支援サービス事業対象者

①介護予防ケアマネジメント

介護予防ケアマネジメント

介護予防支援事業所
介護予防サービス計画

居宅介護支援事業所に委託可

要支援者

②包括的・継続的ケアマネジメント支援

- 地域の介護支援専門員のネットワーク化
- 介護支援専門員への日常的個別相談
- 支援困難事例等への指導・助言
- ケア体制の構築

③総合相談支援
④権利擁護（けんりようご）

- 総合相談
- 実態把握
- 権利擁護
- 虐待防止・早期発見

保健師　主任介護支援専門員　社会福祉士

3種の専門職が連携して実施

「3人の専門職」が「4つの業務」を行う。

設置主体		● 市町村
	委託	● 市町村は、一部事務組合もしくは広域連合を組織する市町村、社会福祉法人、医療法人、NPO法人、在宅介護支援センターの設置者などに委託することができる。
人員基準		● 1つの地域包括支援センターが担当する区域における第1号被保険者の数がおおむね3000人以上6000人未満の区分を基本として、配置すべき常勤の職員数が設定されている。

担当区域の第1号被保険者数 ＼ 配置すべき人員	保健師	主任介護支援専門員	社会福祉士
おおむね3000人以上6000人未満	1	1	1

※2024（令和6）年度より、市町村の判断で、複数の地域包括支援センターが担当する区域の第1号被保険者数を合算し、3職種を地域の実情に応じて配置することもできる。

地域包括支援センター運営協議会	● 運営協議会は、原則として、市町村ごとに設置される。 ● 運営協議会は、事業者、被保険者等、地域住民の権利擁護等を行う関係団体、学識経験者等のうち地域の実情を勘案して市町村が適当と認める者により構成される。

「**社会福祉法**」は、社会福祉を目的とする事業の全分野に共通する基本事項を定めた法律です。どのような内容が含まれるか、その概要を確認しましょう。

目的	● 社会福祉を目的とする事業の全分野における共通的基本事項を定め、福祉サービスの利用者の利益の保護および地域福祉の推進を図ることなどにより、社会福祉の増進に資することを目的としている。
社会福祉事業の定義	● 社会福祉法において、社会福祉事業として、第一種社会福祉事業と第二種社会福祉事業を定めている。
福祉サービスの基本的理念	● 福祉サービスは、利用者が心身ともに健やかに育成され、またはその有する能力に応じ自立した日常生活を営むことができるように支援するものとして、良質かつ適切なものでなければならない。
福祉サービスの提供の原則	● 社会福祉事業経営者は、利用者の意向を十分に尊重し、地域福祉の推進にかかる取り組みを行う他の地域住民、社会福祉事業経営者、社会福祉に関する活動を行う者（以下、地域住民等）との連携、かつ、保健医療サービス等との連携を図り、福祉サービスを総合的に提供することができるように努めなければならない。
地方社会福祉審議会	● 地方社会福祉審議会は、都道府県知事または指定都市もしくは中核市の長の監督に属し、その諮問に答え、または関係行政庁に意見を具申する機関である。
福祉事務所	● 都道府県および市は、条例で、福祉に関する事務所を設置しなければならない。
社会福祉法人	● 社会福祉法人は、社会福祉事業を行うことを目的として、社会福祉法の定めるところにより設立された法人。
地域福祉の推進	● 地域福祉の推進は、地域住民が相互に人格と個性を尊重し合いながら、参加し、共生する地域社会の実現を目指して行われなければならない。 ● 地域住民等は、相互に協力し、地域住民が社会、経済、文化その他あらゆる分野の活動に参加する機会が確保されるように、地域福祉の推進に努めなければならない。 ● 地域住民等は、地域生活課題を把握し、その解決に資する支援を行う関係機関との連携等によりその解決を図る。
地域福祉計画	● 市町村は、市町村地域福祉計画を策定するよう努める。 ● 都道府県は、都道府県地域福祉支援計画を策定するよう努める。
社会福祉協議会	● 社会福祉協議会は、地域福祉の推進を図ることを目的とする団体で、都道府県、市町村に設置される。
共同募金	● 共同募金は、地域福祉の推進を図るため、都道府県単位で実施される寄附金の募集のことをいう。 ● 寄附金は社会福祉を目的とする事業を経営する者に配分される。
福祉サービスの適切な利用	● 国および地方公共団体は、福祉サービスを利用しようとする者が必要な情報を容易に得られるように、必要な措置を講ずるよう努めなければならない。
福祉サービスの利用の援助等	● 都道府県社会福祉協議会は、福祉サービス利用援助事業を実施する。 ● 都道府県社会福祉協議会に、運営適正化委員会を置く。
社会福祉事業等に従事する者の確保の促進	● 厚生労働大臣は、社会福祉事業等従事者の確保を図るための措置等に関する基本指針を定めなければならない。

社会福祉事業

● 社会福祉法では、社会福祉事業を「第一種」と「第二種」に分類しています。どの事業が第何種なのか、誰が実施できるのか把握しましょう。

法区分	第一種社会福祉事業	第二種社会福祉事業
概　　要	● 利用者への影響が大きいため、経営安定を通じた利用者の保護の必要性が高い事業 ● 原則として国、地方公共団体、社会福祉法人が実施できる。	● 比較的利用者への影響が小さいため、公的規制の必要性が低い事業 ● 都道府県知事へ届出が必要
社会福祉法	● 共同募金　など	● 福祉サービス利用援助事業　など
生活保護法	● 救護施設　● 更生施設　など	
老人福祉法	● 特別養護老人ホーム ● 養護老人ホーム ● 軽費老人ホーム	● 老人デイサービス事業 ● 老人短期入所事業　● 老人福祉センター ● 小規模多機能型居宅介護事業 ● 認知症対応型老人共同生活援助事業　など
障害者総合支援法	● 障害者支援施設　など	● 障害福祉サービス事業　● 一般相談支援事業 ● 地域活動支援センター　など
身体障害者福祉法		● 身体障害者生活訓練等事業 ● 手話通訳事業　● 介助犬・聴導犬訓練事業 ● 盲導犬訓練施設 ● 身体障害者福祉センター　など
知的障害者福祉法		● 知的障害者更生相談事業
児童福祉法	● 乳児院　● 母子生活支援施設 ● 児童自立支援施設　● 児童養護施設 ● 障害児入所施設　など	● 放課後児童健全育成事業 ● 子育て短期支援事業　● 助産施設 ● 保育所　● 児童厚生施設 ● 児童家庭支援センター　など
母子及び父子並びに寡婦福祉法		● 母子・父子福祉センター ● 母子・父子休養ホーム　など
売春防止法	● 女性自立支援施設	
生活困窮者自立支援法		● 認定生活困窮者就労訓練事業

共同募金

目　　的	● 都道府県の区域を単位として行う寄付金を募集し、地域福祉の推進を図るため、その区域内において社会福祉を目的とする事業を行っている者に配分する。
実施主体	● 社会福祉法人都道府県共同募金会
実施期間	● 厚生労働大臣が定める期間内（例年10月～翌年3月）
募金の性格	● 共同募金は、寄付者の自発的な協力を基礎とするものでなければならない。
配分方法	● 社会福祉事業、更生保護事業、その他社会福祉を目的とする事業を経営する者に配分する。 ● 配分にあたっては、配分委員会の承認を得なければならない。 ● 災害の発生などがあった場合には他の都道府県共同募金会へ拠出できる。

社会福祉法人

社会福祉法人	●社会福祉事業を行うことを目的として、社会福祉法の定めるところにより設立された法人 ●社会福祉法人以外の者は、その名称中に、「社会福祉法人」またはこれに紛らわしい文字を用いてはならない。	
設　立	●定款に資産等について定め、市長、指定都市の長、都道府県知事または厚生労働大臣の認可を受けなければならない。	
組　織	評議員	●理事の数を超える数（7人以上） ●評議員は、社会福祉法人の適正な運営に必要な識見を有する者のうちから選任 ●評議員会は、法人運営の基本ルールや体制の決定と事後的な監督を行う。
	理事	●6人以上 ●理事会は、業務執行の決定機関で、社会福祉法人の業務執行の決定、理事の職務の執行の監督などを行う。 ●理事長は、理事会の決定に基づき、法人の内部的・対外的な業務執行権限を有する。
	監事	●2人以上 ●理事の職務執行の監査、監査報告の作成・計算書類等の監査等を行う。
	会計監査人	●一定規模以上の特定社会福祉法人は、会計監査人を置かなければならない。
経営の原則など	●福祉サービスの質の向上、事業経営の透明性の確保を図らなければならない。 ●事業運営の透明性を高めるために、財務諸表（計算書類）を公表することとされている。 ●社会福祉事業および公益事業を行うにあたり、無料または低額な料金で福祉サービスを提供するよう努めなければならない。 ●基本財産は、みだりに売却、廃棄などの処分が行えない。 ●事業報告書、財産目録、貸借対照表など、請求があれば閲覧に供しなければならない。 ●社会福祉法人は、他の社会福祉法人と合併することができる。	
事業内容	社会福祉法人ができる事業 ── 社会福祉事業 ── 第一種・第二種社会福祉事業 　　　　　　　　　　 ── 公益事業 ── 居宅介護支援事業、有料老人ホーム経営など 　　　　　　　　　　 ── 収益事業 ── 駐車場の賃貸など、上記以外 ※収益事業の収益を社会福祉事業、公益事業に充当することができる。	
優遇措置	●税金面での優遇措置がある。 　●利子配当利息への法人税、事業税、不動産取得税が課税されない。 　●消費税、登録免許税、固定資産税など、減免措置がある。 ※収益事業の収益は、原則課税される。	

社会福祉協議会

※1951（昭和26）年に誕生。全国、都道府県、市町村のすべてに設置されている。

目　的	● 社会福祉に関する各種事業の実施により、地域福祉の推進を図ることを目的とする団体	
構　成	● 市町村社会福祉協議会は、その区域内の社会福祉事業または更生保護事業を経営する者の過半数が参加する。 ● 関係行政庁の職員は役員となることができるが、役員総数の5分の1を超えてはならない。	
専門スタッフ	● 地域福祉の推進を図るため、コミュニティワーカーが配置されている。	
	全　国	● 企画指導員
	都道府県	● 福祉活動指導員
	市町村	● 福祉活動専門員
事業内容	ボランティアセンターの設置	● ボランティア活動に関する相談や活動先の紹介などを実施
	日常生活自立支援事業	● 都道府県・指定都市社会福祉協議会が実施主体
	運営適正化委員会	● 福祉サービスに関する利用者などからの苦情を解決するために、都道府県社会福祉協議会に設置
	生活福祉資金貸付	● 低所得者世帯などに対して、低利または無利子での資金の貸し付けと必要な援助指導を行う。
	その他	● 社会福祉を目的とする事業の企画および実施 ● 社会福祉に関する活動への住民の参加のための援助 ● 社会福祉を目的とする事業の調査、普及、宣伝、連絡、調整など

NPO法人（特定非営利活動法人）

目　的	● ボランティア活動をはじめとする市民が行う自由な社会貢献活動を促進することを目的としている。	
設　立	● 都道府県知事または政令指定都市市長の認証を得たうえで、登記する。 ● NPO法人数は、49,949法人（認定NPO法人1,257法人）（2024（令和6）年3月31日現在）	
	認定NPO法人	● NPO法人への寄附を促すために、税制上の優遇措置として設けられた制度。例えば個人が認定NPO法人に寄附をすると、所得税の控除が受けられる。
活動の範囲	● 「保健、医療又は福祉の増進を図る活動」「災害救援活動」「社会教育の推進を図る活動」「まちづくりの推進を図る活動」など20分野に限定されている。 ● 最も多い活動の種類は、「保健、医療又は福祉の増進を図る活動」で、約6割の法人が実施している。	

生活保護法は、日本国憲法第25条（生存権）の理念に基づき、国が生活に困窮するすべての国民に対し、その困窮の程度に応じ、必要な保護を行い、その最低限度の生活を保障するとともに、その自立を助長することを目的としています。

生活保護の原理・原則

4原理	国家責任の原理	●憲法第25条の理念に基づき、国が、必要最低限の生活を保障する。
	無差別平等の原理	●すべての国民は、保護を無差別平等に受けることができる。
	最低生活保障の原理	●保護の水準や内容は、健康で文化的な生活水準を維持するものである。
	保護の補足性の原理	●生活困窮者の資産・能力を活用しなければならない。 ●民法に定める扶養義務者の扶養が、生活保護に優先して行われる。
4原則	申請保護の原則	●本人、親族からの申請が原則。急迫した状況のあるときは職権で保護する。
	基準および程度の原則	●年齢、世帯、地域などに応じ、最低限の生活を超えない基準を定める。
	必要即応の原則	●保護の給付は個々の実際の必要性に応じ、有効かつ適切に行う。
	世帯単位の原則	●保護は世帯単位を原則とする。例外的に個人を単位とすることもできる。

保護の種類

［暗記方法］
生まれてから独立そして死までのライフイベントの流れで覚えるとイメージしやすい。

1	出産扶助	●子どもを出産する費用（原則、金銭給付）	出産
2	教育扶助	●義務教育にかかる費用（原則、金銭給付）	学校
3	生業扶助	●職業訓練など仕事にかかる費用（原則、金銭給付）、授産施設等（現物給付）	就職
4	住宅扶助	●家賃にかかる費用（原則、金銭給付）、宿所提供施設（現物給付）	独立
5	生活扶助	●衣食その他の日常生活費を支給（原則、金銭給付）	生活
6	医療扶助	●医療券を発行し、指定医療機関で医療を提供（原則、現物給付）	病気
7	介護扶助	●介護保険被保険者は1割分、被保険者以外の方は10割分を支給 ●介護券を発行し、指定介護機関で介護サービスを提供（原則、現物給付）	介護
8	葬祭扶助	●葬儀にかかる費用（原則、金銭給付）	死亡

◎（金銭給付）⇒金銭の給付または貸与によって保護を行う。
◎（現物給付）⇒物品や医療の給付、介護サービスなど金銭以外で保護を行う。

生活困窮者自立支援法

生活保護に至る前の自立支援策の強化を図るために、生活困窮者自立支援法が、2015（平成27）年4月に施行されました。

目的		●生活困窮者に対する自立の支援に関する措置を講ずることにより、その自立促進を図ることを目的としている。
利用対象者		●現在、生活保護を受給していないが、生活保護に至る可能性のある者で、自立が見込まれる者
実施主体		●福祉事務所を設置する自治体（都道府県、市、福祉事務所を設置する町村）
必須事業	自立相談支援事業	●就労や居住、その他の自立に関する相談支援、事業利用のためのプラン作成等を実施 ●主任相談支援員、相談支援員、就労支援員を配置
	住居確保給付金	●離職や収入の減少などにより、住宅を失ったり家賃を支払えなくなった生活困窮者に対し、家賃相当の住居確保給付金を支給
その他の事業		●就労準備支援事業、家計改善支援事業、一時生活支援事業（2025（令和7）年4月より、居住支援事業に改称）など

社会手当

	支給対象	支給額 （令和6年4月現在、抜粋）
児童手当	●15歳（2024（令和6）年10月より18歳）（※）までの間にある児童の養育者	3歳未満15,000円 3歳以上10,000円
児童扶養手当	●父または母と生計を同じくしていない18歳（※）未満の児童（障害児は20歳）を監護、養育している者など	1人45,500円 第2子以降加算あり
特別児童扶養手当	●在宅で20歳未満の障害児を監護、養育している者	1級55,350円 2級36,860円
障害児福祉手当	●在宅の20歳未満の重度障害児	15,690円
特別障害者手当	●在宅の20歳以上の重度の障害のため常時特別の介護が必要な者	28,840円

（※）○○歳に達する日以後の最初の3月31日

老人福祉法

目的	●老人の福祉に関する原理を明らかにするとともに、老人に対し、その心身の健康の保持および生活の安定のために必要な措置を講じ、もって老人の福祉を図ることを目的とする。
基本的理念	●老人は、多年にわたり社会の進展に寄与してきた者として、かつ、豊富な知識と経験を有する者として敬愛されるとともに、生きがいを持てる健全で安らかな生活を保障されるものとする。
市町村が行う措置	●市町村は、65歳以上の者で環境上および経済的理由で居宅において養護を受けることが困難なものを養護老人ホームに入所させる措置をとる。 ●市町村は、65歳以上の者で「やむを得ない理由」で、介護保険法に規定するサービスの利用が著しく困難な場合は、老人居宅介護等事業等の利用や特別養護老人ホームに入所させる措置をとることができる。
老人福祉の増進のための事業	●地方公共団体は、老人の心身の健康の保持に資するための教養講座、レクリエーションその他広く老人が自主的かつ積極的に参加することができる事業を実施するように努めなければならない。
老人福祉計画	●市町村は、市町村老人福祉計画を定める。 ●都道府県は、市町村老人福祉計画の達成に資するため、都道府県老人福祉計画を定める。
老人の日	●老人の日：9月15日、老人週間：9月15日～9月21日
老人クラブ	●おおむね60歳以上の地域の高齢者が自主的に組織した団体（会員数が30人以上など要件を満たせば運営費の公的助成が受けられる）。 ●健康づくりを進める活動やボランティア活動を通じて地域を豊かにする各種活動を行っている。

高年齢者等の雇用の安定等に関する法律

高年齢者等の雇用の安定等に関する法律		●定年の引上げ、継続雇用制度の導入等による高年齢者の安定した雇用の確保の促進、高年齢者等の再就職の促進、定年退職者等に対する就業の機会の確保を図る。	
高年齢者の安定した雇用の確保の促進		●労働者の定年の定めをする場合には、60歳を下回ることができない。	
	65歳までの雇用確保（義務）	●65歳未満の定年を定めた場合は、65歳までの安定した雇用を確保するために、定年の引上げ、継続雇用制度の導入、定年の廃止のいずれかを講じなければならない。	
	70歳までの就業確保（努力義務）	●65歳から70歳までの就業機会を確保するため、定年の引上げ、継続雇用制度の導入、業務委託契約の締結制度の導入などの措置を講じるように努めなければならない。	
シルバー人材センター		●都道府県知事が市町村ごとに指定する一般社団法人または一般財団法人。 ●定年退職者（おおむね60歳以上）等の高齢者に対し、臨時的・短期的、または は軽易な業務にかかる就業の機会を提供する。	

	施設名	内　容	
老人福祉施設 [7種類]	①特別養護老人ホーム	● 65歳以上で、身体上または精神上著しい障害があるために常時の介護を必要とし、かつ居宅において介護を受けることが困難な人を入所させて、必要な援助を行う施設	第一種社会福祉事業
		介護保険　（地域密着型）介護老人福祉施設	
	②養護老人ホーム	● 65歳以上で、環境上の理由および経済的理由により居宅において養護を受けることが困難な人を入所させ、必要な援助を行う施設	
	③軽費老人ホーム	● 60歳以上の人に、無料または低額な料金で、食事の提供その他日常生活上必要な便宜を提供する施設 ● A型（食事を提供）、B型（自炊が原則）、ケアハウス（食事と生活支援サービスなどを提供、バリアフリー）がある。	
	④老人福祉センター	● 無料または低額な料金で、高齢者に対して各種の相談に応じるとともに、健康の増進、教養の向上およびレクリエーションのための便宜を総合的に提供する施設	
	⑤老人介護支援センター	● 高齢者・家族介護者・地域住民などからの相談に応じ、助言を行うとともに、関係機関との連絡調整その他の援助を総合的に行う施設	
	⑥老人デイサービスセンター（事業）	● 通所介護施設などに通所して、入浴、排泄、食事などの介護、機能訓練、介護方法の指導その他の厚生労働省令で定める便宜を供与する施設（事業）	
		介護保険　通所介護、（介護予防）認知症対応型通所介護	
	⑦老人短期入所施設（事業）	● 特別養護老人ホームその他の厚生労働省令で定める施設に短期間入所させ、養護する施設（事業）	
		介護保険　（介護予防）短期入所生活介護	
老人居宅生活支援事業	老人居宅介護等事業	● 居宅において入浴、排泄、食事などの介護その他の日常生活を営むのに必要な便宜を提供する事業	第二種社会福祉事業
		介護保険　訪問介護、夜間対応型訪問介護、定期巡回・随時対応型訪問介護看護	
	小規模多機能型居宅介護事業	● 心身の状況、置かれている環境などに応じて、居宅において、またはサービスの拠点に通わせ、もしくは短期間宿泊させ、入浴、排泄、食事などの介護、機能訓練などを供与する事業	
		介護保険　（介護予防）小規模多機能型居宅介護	
	認知症対応型老人共同生活援助事業	● グループホーム等、共同生活を営むべき住居において入浴、排泄、食事などの介護その他の日常生活上の援助を行う事業	
		介護保険　（介護予防）認知症対応型共同生活介護	
	複合型サービス福祉事業	● 「小規模多機能型居宅介護事業」と「訪問看護」等の複数のサービスを組み合わせて提供する事業	
		介護保険　看護小規模多機能型居宅介護	

高齢者向け住まいの概要

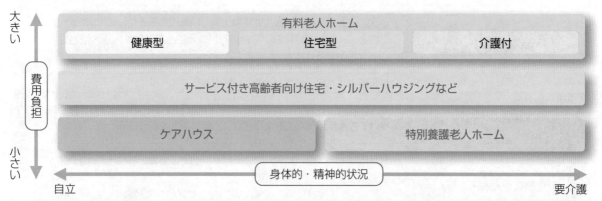

施設名	内 容		
有料老人ホーム	●高齢者を入居させ、入浴、排泄もしくは食事の介護、食事の提供または洗濯、掃除等の家事または健康管理の供与をする事業を行う施設。 （老人福祉施設、認知症対応型老人共同生活援助事業を行う住居等でないもの） ●有料老人ホームの設置者は、施設を設置しようとする地の都道府県知事にあらかじめ届け出なければならない。		
	介護付有料老人ホーム	●介護保険の特定施設入居者生活介護の指定を受けたもの	
	住宅型有料老人ホーム	●訪問介護など外部の介護サービスを利用するもの	
	健康型有料老人ホーム	●介護が必要になった場合は退去するもの	
サービス付き高齢者向け住宅 （高齢者の居住の安定確保に関する法律）	●一定の基準を満たす住宅は、都道府県知事の登録を受けることができる。 ●登録を受けた場合には、老人福祉法に規定する有料老人ホームに係る届出義務は適用されない。 ●入居者は必要に応じて、介護保険サービスの利用ができる。		
	登録基準	住宅	●床面積（原則25m²以上）、バリアフリー ●各居住部分には、水洗便所、洗面設備、台所、収納、浴室の設置（台所、収納、浴室は共用部分の設置も可）
		サービス	●少なくとも安否確認・生活相談サービスを提供すること
		契約	●高齢者の居住の安定が図られた契約であること
生活支援ハウス （高齢者生活福祉センター）	●高齢者に対して、介護支援機能、居住機能および交流機能を総合的に提供する施設。 ●老人デイサービスセンターなどに居住部門を合わせて設置される。		
シルバーハウジング	●バリアフリー化された「公営住宅」等と生活援助員（ライフサポートアドバイザー）による日常生活支援サービスの提供を併せて行う、高齢者世帯向けの公的賃貸住宅。 ●生活援助員は、居住している高齢者に対し、必要に応じ生活指導・相談、安否の確認、一時的な家事援助・緊急時対応等のサービスを行う。		
住宅セーフティネット制度	●住宅セーフティネット法（※）は、既存の賃貸住宅や空き家等の有効活用を通じて、「住宅確保要配慮者（高齢者、子育て世帯、低所得者、障がい者、被災者など）」が入居しやすい賃貸住宅の供給促進を図る。 ●賃貸人が、住宅確保要配慮者の入居を拒まない賃貸住宅として、都道府県に登録をすることができる。		

※住宅確保要配慮者に対する賃貸住宅の供給の促進に関する法律

高齢者関連施設の整理

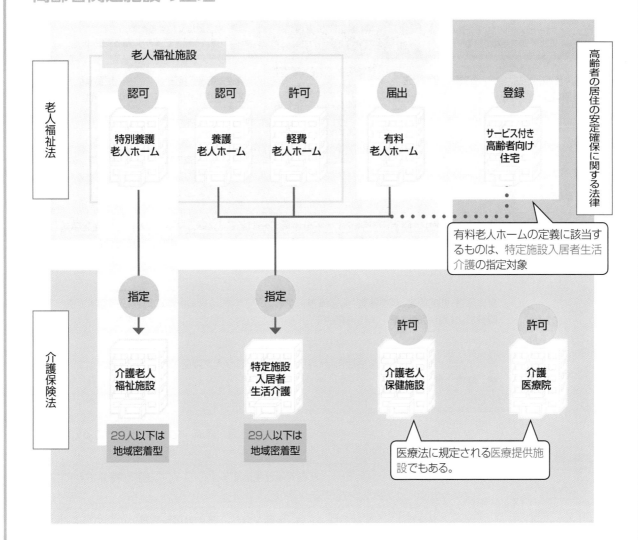

介護老人福祉施設 （特別養護老人ホーム）	●老人福祉法において認可を受けた特別養護老人ホームが、介護保険法の指定を受けた施設。 ●老人福祉法に基づく措置施設でもあり、介護保険法に基づく契約施設でもある。
介護老人保健施設	●介護老人保健施設の開設根拠は、介護保険法に規定されている。介護保険法で許可を受ければ、改めて指定を受ける必要はない。
介護医療院	●介護医療院の開設根拠は、介護保険法に規定されている。介護保険法で許可を受ければ、改めて指定を受ける必要はない。
特定施設入居者生活介護	●特定施設とは、「有料老人ホーム」「養護老人ホーム」「軽費老人ホーム」をいう。 ●特定施設のうち、指定基準を満たすと、介護保険法の特定施設入居者生活介護の指定を受けることができる。

14 障害者福祉

重要度 A ★★★

障害者制度のイメージ

障害者総合支援法
(2005(平成17)年公布)

サービスを利用するための共通のしくみを定めている

2013(平成25)年4月より「障害者の日常生活及び社会生活を総合的に支援するための法律」(障害者総合支援法)に題名変更

身体障害者福祉法	知的障害者福祉法	精神保健及び精神障害者福祉に関する法律	発達障害者支援法	児童福祉法
(1949(昭和24)年公布)	(1960(昭和35)年公布)	(1950(昭和25)年公布)	(2004(平成16)年公布)	(1947(昭和22)年公布)

障害者基本法
(1970(昭和45)年公布)

施策の「基本事項」を定めている

障害者基本法

目的		●すべての国民が、障害の有無によって分け隔てられることなく、相互に人格と個性を尊重し合いながら共生する社会を実現するため、障害者の自立および社会参加の支援等のための施策に関し、基本原則を定め、施策の基本となる事項を定めること等により、総合的かつ計画的に推進することを目的とする。
定義	障害者	●身体障害、知的障害、精神障害(発達障害を含む。)その他の心身の機能の障害がある者であって、障害および社会的障壁により継続的に日常生活または社会生活に相当な制限を受ける状態にあるものをいう。
定義	社会的障壁	●障害がある者にとって日常生活または社会生活を営むうえで障壁となるような社会における事物、制度、慣行、観念その他一切のものをいう。
地域社会における共生等		●共生する社会の実現は、次に掲げる事項を旨として図られなければならない。
地域社会における共生等	1	●すべて障害者は、社会を構成する一員として社会、経済、文化その他あらゆる分野の活動に参加する機会が確保されること。
地域社会における共生等	2	●すべて障害者は、可能な限り、どこで誰と生活するかについての選択の機会が確保され、地域社会において他の人々と共生することを妨げられないこと。
地域社会における共生等	3	●すべて障害者は、可能な限り、言語(手話を含む。)その他の意思疎通のための手段についての選択の機会が確保されるとともに、情報の取得または利用のための手段についての選択の機会の拡大が図られること。
差別の禁止		●何人も、障害者に対して、障害を理由として、差別することその他の権利利益を侵害する行為をしてはならない。
障害者週間		●毎年12月3日～12月9日
障害者基本計画		●政府は、障害者の自立および社会参加の支援等のための施策の総合的かつ計画的な推進を図るため、「障害者基本計画」を策定しなければならない。 ●障害者基本計画は、リハビリテーションおよびノーマライゼーションの理念を継承するとともに、共生社会の実現を目指している。
障害者政策委員会		●内閣府に、障害者政策委員会を置く。 ●障害者基本計画の策定または変更に当たって調査審議や意見具申を行うとともに、計画の実施状況について監視や勧告を行う。

障害者の定義

区分	法律上の定義	内　容	手帳制度	手帳発行の等級	有効期間	写真の貼付
身体障害者	あり（身体障害者福祉法）	● 身体障害者障害程度等級表に掲げる身体上の障害がある18歳以上の者であって、都道府県知事から手帳の交付を受けた者	身体障害者手帳（15歳未満の障害児は保護者が申請（※1））	1〜6級（等級表は7級まで）	原則なし（※2）	あり
知的障害者	なし	● 知的機能の障害が発達期（おおむね18歳まで）に現れ、日常生活に支障が生じているため何らかの援助を必要とする者（※3）	療育手帳	A、B（自治体によって異なる）	あり	あり
精神障害者	あり（精神保健福祉法（※4））	● 統合失調症、精神作用物質による急性中毒またはその依存症、知的障害その他の精神疾患を有する者	精神障害者保健福祉手帳（知的障害は除く）	1〜3級	2年	あり

（※1）乳幼児の障害認定は、障害の種類に応じて、障害の程度を判定することが可能となる年齢（概ね満3歳）以降に行う。
（※2）乳幼児や指定医が再認定の必要ありとした人は、再認定の期日を指定される。
（※3）厚生労働省「知的障害児（者）基礎調査」の定義
（※4）「精神保健及び精神障害者福祉に関する法律」の略称

身体障害者障害程度等級表

		1級	2級	3級	4級	5級	6級	7級
視覚障害		○	○	○	○	○	○	
聴覚障害			○	○			○	
平衡機能障害				○		○		
音声・言語・そしゃく機能障害				○	○			
肢体不自由	上肢	○	○	○	○	○	○	○
	下肢	○	○	○	○	○	○	○
	体幹	○	○	○		○		
内部障害	心臓	○		○	○			
	じん臓	○		○	○			
	呼吸器	○		○	○			
	膀胱または直腸	○		○	○			
	小腸	○		○	○			
	ヒト免疫不全ウイルスによる免疫機能障害	○	○	○	○			
	肝臓	○	○	○	○			

等級表は1〜7級まである

● 同一の等級について2つの重複する障害がある場合は、1級上の級とする。

● 異なる等級について2つ以上の重複する障害がある場合は、障害の程度を勘案して、当該等級より上の級とすることができる。

障害等級の指数	1級（18）、2級（11）、3級（7）、4級（4）、5級（2）、6級（1）、7級（0.5）					
合計指数による認定等級	1級	2級	3級	4級	5級	6級
	18以上	11〜17	7〜10	4〜6	2〜3	1

障害者（児）関連データ

『障害者白書』（令和5年版）

障害区分	総数	年齢区分	人数	入所（入院）者の割合
身体障害児・者	約436万人	18歳以上	420万人	約2%
		18歳未満	7万人	
知的障害児・者	約109万人	18歳以上	85万人	約12%
		18歳未満	23万人	
精神障害者	約615万人	20歳以上	555万人	約5%
		20歳未満	60万人	

身体障害者

厚生労働省「生活のしづらさなどに関する調査」（令和4年）

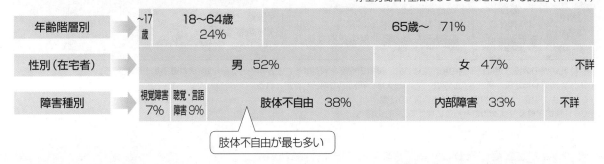

年齢階層別 → ~17歳 / 18~64歳 24% / 65歳～ 71%

性別（在宅者） → 男 52% / 女 47% / 不詳

障害種別 → 視覚障害 7% / 聴覚・言語障害 9% / 肢体不自由 38% / 内部障害 33% / 不詳

肢体不自由が最も多い

知的障害者

厚生労働省「生活のしづらさなどに関する調査」（令和4年）

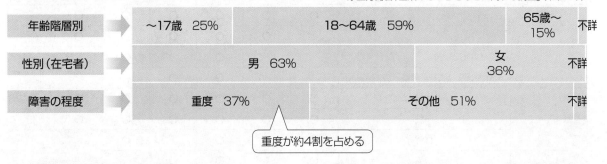

年齢階層別 → ~17歳 25% / 18~64歳 59% / 65歳～ 15% / 不詳

性別（在宅者） → 男 63% / 女 36% / 不詳

障害の程度 → 重度 37% / その他 51% / 不詳

重度が約4割を占める

精神障害者

厚生労働省「患者調査」（2020（令和2）年）より厚生労働省社会・援護局障害保健福祉部で作成

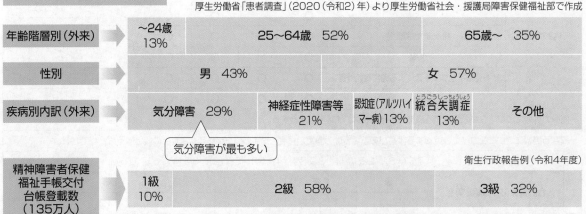

年齢階層別（外来） → ~24歳 13% / 25~64歳 52% / 65歳～ 35%

性別 → 男 43% / 女 57%

疾病別内訳（外来） → 気分障害 29% / 神経症性障害等 21% / 認知症（アルツハイマー病）13% / 統合失調症 13% / その他

気分障害が最も多い

衛生行政報告例（令和4年度）

精神障害者保健福祉手帳交付台帳登載数（135万人） → 1級 10% / 2級 58% / 3級 32%

障害者差別解消法 ← 障害を理由とする差別の解消の推進に関する法律 ┊ 2016（平成28）年4月施行

目的	●障害を理由とする差別の解消を推進し、すべての国民が、障害の有無によって分け隔てられることなく、相互に人格と個性を尊重し合いながら共生する社会の実現に資することを目的とする。	
障害を理由とする差別の禁止	●行政機関等および事業者は、その事務または事業を行うにあたり、障害を理由として障害者でない者と不当な差別的取扱いをすることにより、障害者の権利利益を侵害してはならない。	
	●行政機関等および事業者は、その事務または事業を行うにあたり、障害者から現に社会的障壁の除去を必要としている旨の意思の表明があった場合において、その実施に伴う負担が過重でないときは、障害者の権利利益を侵害することとならないよう、当該障害者の性別、年齢および障害の状態に応じて、社会的障壁の除去の実施について必要かつ合理的な配慮をしなければならない。	
	合理的な配慮の例	●大学において試験を実施するとき、聴覚障害の学生に対し、試験監督者が口頭で説明する内容を書面で渡す。 ●知的障害のある人が市役所の会議に出席したときに、本人の申し出に応じて、わかりやすい言葉で書いた資料を、主催者が用意した。 ●目的の場所までの案内の際に、障害者の歩行速度に合わせた速度で歩いたり、前後・左右・距離の位置取りについて、障害者の希望を聞いたりする。 ●障害の特性により、頻繁に離席の必要がある場合に、会場の座席位置を扉付近にする。

> 事業者に対しては2024（令和6）年4月に義務づけられた。

発達障害者支援法

基本理念	●発達障害者の支援は、すべての発達障害者が社会参加の機会が確保されることおよびどこで誰と生活するかについての選択の機会が確保され、地域社会において他の人々と共生することを妨げられないことを旨として、行われなければならない。	
発達障害者の定義	●発達障害者とは、発達障害がある者であって、発達障害および社会的障壁により日常生活または社会生活に制限を受けるもの。	
	発達障害	●自閉症、アスペルガー症候群その他の広汎性発達障害、学習障害、注意欠陥多動性障害などの脳機能の障害で、通常低年齢で発現する障害。
	社会的障壁	●発達障害がある者にとって日常生活または社会生活を営む上で障壁となるような社会における事物、制度、慣行、観念その他一切のもの。
発達障害者支援センター	●各都道府県・指定都市に設置する。 ●発達障害者やその家族等に対して、専門的な相談支援、発達支援、就労支援および情報提供等を行う。	
早期の発達支援	●市町村は、発達障害児（発達障害者のうち18歳未満のもの）が早期の発達支援を受けることができるよう、発達障害児の保護者に対し適切な措置を講じる。	

性同一性障害（性別違和）

性同一性障害者の性別の取扱いの特例に関する法律		● 性同一性障害者のうち特定の要件を満たす者につき、家庭裁判所の審判により、法令上の性別の取扱いと、戸籍上の性別記載を変更できる。	
	性同一性障害者	● 生物学的には性別が明らかであるにもかかわらず、心理的にはそれとは別の性別であるとの持続的な確信を持ち、かつ、自己を身体的および社会的に他の性別に適合させようとする意思を有する者であって、そのことについてその診断を的確に行うために必要な知識および経験を有する2人以上の医師の一般に認められている医学的知見に基づき行う診断が一致しているものをいう。	
性的指向・性自認		● 性的指向は、人の恋愛・性愛がどういう対象に向かうのかを示す概念。 ● 性自認は、どのような性のアイデンティティ（性同一性）を自分の感覚としてもっているかを示す概念。	
	性的指向	L	● 女性の同性愛者（Lesbian：レズビアン）
		G	● 男性の同性愛者（Gay：ゲイ）
		B	● 両性愛者（Bisexual：バイセクシャル）
	性自認	T	● こころの性とからだの性との不一致（Transgender：トランスジェンダー）

就労に関する支援

障害者の雇用の促進等に関する法律		● 国や事業主に対して、その雇用する労働者に占める身体障害者、知的障害者、精神障害者の割合が法定雇用率以上になるよう義務づけている。		
	法定雇用率		2024（令和6）年4月～	2026（令和8）年7月～
		● 一般の民間企業	2.5%	2.7%
		● 国、地方公共団体、特殊法人等	2.8%	3.0%
		● 都道府県等の教育委員会	2.7%	2.9%
職場適応援助者（ジョブコーチ）		● 障害者が職場に適応できるよう、障害者職業カウンセラーが策定した支援計画に基づき、ジョブコーチが職場に出向いて直接支援を行う。		
	ジョブコーチの行う支援	● 仕事に適応するための支援、職場でのコミュニケーションを改善するための支援など障害者への支援。 ● 障害を適切に理解し配慮するための助言など事業主への支援。		
リワークプログラム		● うつ病などの精神疾患を原因として休職している労働者に対し、職場復帰に向けたリハビリテーション（リワーク）を実施する機関で行われているプログラム。		

社会参加の促進

高齢者、障害者等の移動等の円滑化の促進に関する法律（バリアフリー法）	公共交通機関の旅客施設および車両等、道路、路外駐車場、公園施設並びに建築物の構造および設備を改善するための措置などを講ずることにより、高齢者、障害者等の「移動上」および「施設の利用上」の利便性および安全性の向上を図る。	
	基本構想	市町村は、国が定める基本方針に基づき、重点整備地区のバリアフリー化のための「基本構想」を作成するよう努める。
	移動等円滑化基準	一定の「建築物」「公共交通機関」「道路」「路外駐車場」「都市公園」を新設などする場合は、バリアフリー化基準（移動等円滑化基準）に適合させることが義務づけられる。
身体障害者補助犬法	「身体障害者補助犬」とは、盲導犬、介助犬、聴導犬をいう。 不特定多数の者が利用する施設などを身体障害者が利用する場合、補助犬を同伴することを拒んではならない。	

身体障害者社会参加支援施設

身体障害者福祉センター	無料または低額な料金で、身体障害者に関する各種の相談に応じ、身体障害者に対し、機能訓練、教養の向上、社会との交流の促進およびレクリエーションのための便宜を総合的に供与する施設
補装具製作施設	無料または低額な料金で、補装具の製作または修理を行う施設
盲導犬訓練施設	無料または低額な料金で、盲導犬の訓練を行うとともに、視覚障害のある身体障害者に対し、盲導犬の利用に必要な訓練を行う施設
視聴覚障害者情報提供施設	無料または低額な料金で、点字刊行物・聴覚障害者用の録画物などの製作、点訳・手話通訳等を行う者の養成などを行う施設

障害者の減免・割引制度

税金	所得税、住民税、相続税	障害者控除、特別障害者控除などの所得控除がある。
	自動車税	一定の要件を満たすと、自動車税の減免（種別割・環境性能割）が受けられる。
交通機関	JR	第1種（本人と介護者が50％割引） 第2種（本人のみ50％割引）
	有料道路	通常料金の50％割引
	その他	国内航空運賃、バス運賃、タクシー運賃などの割引
郵便		点字のみを掲げたものを内容とする郵便物は、無料で送ることができる。

障害者に関するシンボルマーク

障害者のための国際シンボルマーク 27回試験	福祉用具JISマーク制度 28回試験
 ●障害者が利用できる建物、施設であることを明確に表すための世界共通のマーク ●マークの使用は、国際リハビリテーション協会の使用指針により定められている	●国に登録された第三者認証機関によって、品質が保証された福祉用具 (JIS：Japanese Industrial Standards)
オストメイト／オストメイト用設備マーク 31回試験	ハート・プラスマーク
 ●オストメイト（人工肛門・人工膀胱を造設している人）対応のトイレの入口・案内誘導プレートに表示されるマーク	 ●身体内部（心臓、呼吸機能、じん臓、膀胱・直腸、小腸、肝臓、免疫機能）に障害がある人を表しているマーク
ほじょ犬マーク	ヘルプマーク
 ●身体障害者補助犬（盲導犬、介助犬、聴導犬）同伴の啓発のためのマーク	 ●内部障害や難病、妊娠初期の人など、外見からわからなくても援助や配慮を必要としている人が、周囲の人に配慮を必要としていることを知らせることができるマーク
盲人のための国際シンボルマーク	「白杖SOSシグナル」普及啓発シンボルマーク
 ●視覚障害者の安全やバリアフリーに考慮された建物、設備、機器などに付けられる世界共通のマーク	 ●「白杖SOSシグナル」運動の普及啓発シンボルマーク（社会福祉法人日本視覚障害者団体連合推奨マーク）
障害者雇用支援マーク	バリアフリー法シンボルマーク
 ●公益財団法人ソーシャルサービス協会が在宅障害者就労支援ならびに障害者就労支援を認めた企業、団体に対して付与する認証マーク	 ●バリアフリー法に基づく認定を受けた特定建築物

耳マーク		ヒアリングループマーク	
	● 聞こえが不自由なことを表す、国内で使用されているマーク	Hearing Loop	● 補聴器や人工内耳（ないじ）に内蔵されている磁気誘導コイルを使って利用できる施設・機器であることを表示するマーク
手話マーク	筆談マーク	聴覚障害者標識 〔35回試験〕	
			● 聴覚障害であることを理由に免許に条件を付されている人が運転する車に表示するマーク（表示義務がある）
身体障害者標識		高齢運転者標識	
	● 肢体不自由であることを理由に免許に条件を付されている人が運転する車に表示するマーク（表示は努力義務）		● 70歳以上の運転者が運転する普通自動車に表示するマーク（表示は努力義務）
避難場所 〔31回試験〕		津波避難場所	
	● 災害の発生、または発生のおそれがある場合に、建物の倒壊や、火災などの危険を避けるための場所		● 津波に対しての安全な避難場所（高台）の情報を表示
〔36回試験〕 災害種別記号			

洪水・内水氾濫	大規模な火事	津波・高潮	土石流	崖崩れ・地滑り

障害者支援と障害児支援

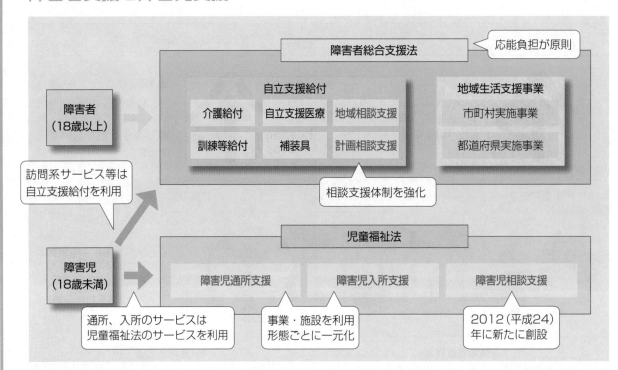

障害者総合支援法 — 応能負担が原則

障害者（18歳以上）→

自立支援給付

| 介護給付 | 自立支援医療 | 地域相談支援 |
| 訓練等給付 | 補装具 | 計画相談支援 |

地域生活支援事業

市町村実施事業

都道府県実施事業

訪問系サービス等は自立支援給付を利用

相談支援体制を強化

障害児（18歳未満）→

児童福祉法

| 障害児通所支援 | 障害児入所支援 | 障害児相談支援 |

通所、入所のサービスは児童福祉法のサービスを利用

事業・施設を利用形態ごとに一元化

2012（平成24）年に新たに創設

障害者総合支援法 — 障害者の日常生活及び社会生活を総合的に支援するための法律

目的	●障害者および障害児が基本的人権を享有する個人としての尊厳にふさわしい日常生活または社会生活を営むことができるよう、必要な障害福祉サービスにかかる給付、地域生活支援事業その他の支援を総合的に行い、障害の有無にかかわらず国民が相互に人格と個性を尊重し安心して暮らすことのできる地域社会の実現に寄与することを目的とする。		
基本理念	●すべての国民が共生する社会を実現するため、可能な限りその身近な場所において生活の機会が確保されることおよびどこで誰と生活するかについての選択の機会が確保され、地域社会において他の人々と共生することを妨げられないことならびに生活を営むうえで障壁となるような社会における事物、制度、慣行、観念等の除去に資することを旨として、総合的かつ計画的に行わなければならない。		
国民の責務	●すべての国民は、その障害の有無にかかわらず、障害者等が自立した日常生活または社会生活を営めるような地域社会の実現に協力するよう努めなければならない。		
障害者の定義	●身体障害者、知的障害者、精神障害者（発達障害者を含む）、難病等の患者（※）		
	障害者	18歳以上	
	障害児	18歳未満	

（※）治療方法が確立していない疾病その他の特殊の疾病であって、政令で定めるものによる障害の程度が主務大臣が定める程度である者

利用者負担

利用者負担 （障害者の場合）	● 障害福祉サービスの自己負担は、所得に応じて次の4区分の負担上限月額が設定されている（これに満たない場合は1割負担）。

区分	世帯の収入状況	負担上限月額
生活保護	生活保護世帯	0円
低所得	市町村民税非課税世帯	0円
一般1	市町村民税課税世帯（所得割16万円未満）（※）	9,300円
一般2	上記以外	37,200円

（※）入所施設利用者（20歳以上）、グループホーム利用者は、市町村民税課税世帯の場合、「一般2」となる

高額障害福祉 サービス等給付費	● 同一世帯で同一の月に受けた障害福祉サービス、介護保険サービス、補装具費などの利用者負担の合算額が基準額（市町村民税課税世帯の場合、37,200円）を超える場合は、高額障害福祉サービス等給付費が支給される（償還払い）。

自立支援医療

目的		● 心身の障害を除去、軽減するための医療について、医療費の自己負担額を軽減する公費負担医療制度（医療保険優先）
対象者	更生医療	● 身体障害者手帳の交付を受けた者で、その障害を除去・軽減する手術等の治療により確実に効果が期待できる者（18歳以上）
	育成医療	● 身体に障害を有する児童で、その障害を除去・軽減する手術等の治療により確実に効果が期待できる者（18歳未満）
	精神通院医療	● 統合失調症など精神疾患を有するもので、通院による精神医療を継続的に要する者
利用者負担		● 利用者負担は所得に応じ、1か月あたりの負担額を設定（応能負担）
治療例		● 更生医療・育成医療　⇒　①肢体不自由（関節拘縮→人工関節置換術） 　　　　　　　　　　　　　　②視覚障害（白内障→水晶体摘出術） 　　　　　　　　　　　　　　③内部障害（腎臓機能障害→腎移植、人工透析）など ● 精神通院医療　⇒　外来、外来での投薬、精神科デイケア等

その他

指定障害福祉 サービス事業者	● 事業者の指定は、都道府県知事が行う（有効期間は6年）。 ● 指定基準は、都道府県（指定都市、中核市を含む）の条例で定められる。 ● 指定障害福祉サービス事業者は、サービスの質の評価を行い、サービスの質の向上に努めなければならない。
障害福祉計画	● 市町村は、3年を1期とする市町村障害福祉計画を策定しなければならない。 ● 各年度における指定障害福祉サービスなどの種類ごとの必要な量の見込みなどを定める。
審査請求	● 市町村の介護給付費等に係る処分に不服がある障害者または障害児の保護者は、都道府県知事に対して審査請求をすることができる。 ● 都道府県知事は、審査請求の事件を取り扱わせるため、障害者介護給付費等不服審査会を置くことができる。

サービスの利用を希望する人が、市町村に申請してからサービス利用が開始されるまでの流れを確認しましょう。

支給申請からサービス利用までの流れ

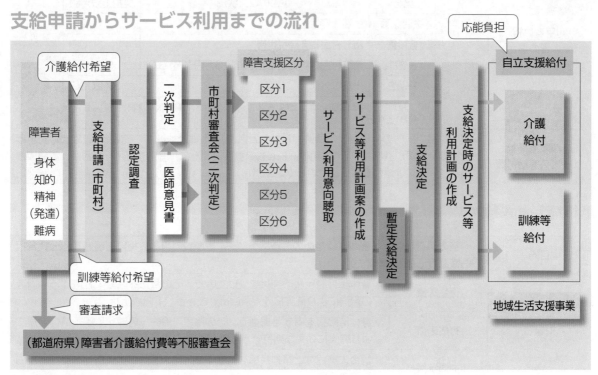

支給決定のプロセス

介護給付希望の場合	支給申請		●市町村に支給申請を行う（指定相談支援事業者等による申請代行もできる）。
	認定調査		●市町村が実施する（指定一般相談支援事業者等に委託することもできる）。 ●調査項目は、5つの領域、「80項目」ある。
	一次判定		●全国統一のコンピューターによって判定を行う。
	二次判定・認定		●市町村審査会において審査し、非該当、区分1〜区分6のどれかに判定する。 ●市町村は、二次判定の結果にもとづき認定する（有効期間は原則3年）。
	サービス等利用計画案		●市町村は、指定特定相談支援事業者が作成するサービス等利用計画案の提出を求める（本人、家族、支援者等が作成するセルフプランも可）。
	支給決定		●市町村は、サービス等利用計画案を勘案して支給決定を行う。 ●支給決定を行った場合、支給量等を記載した「障害福祉サービス受給者証」を交付する。
訓練等給付を希望の場合			●訓練等給付を希望の場合は、障害支援区分の認定は行われない（共同生活援助のうち身体介護を伴う場合を除く）。 ●正式の支給決定の前に、暫定支給決定が行われる（共同生活援助、就労継続支援B型、就労定着支援、自立生活援助を除く）。

介護給付

サービス名			サービス内容
訪問系	居宅介護	対象者	障害支援区分1以上（身体介護を伴う通院等介助は区分2以上）の者
		サービス内容	居宅において、入浴、排せつおよび食事等の介護、調理、洗濯および掃除等の家事、生活等に関する相談および助言その他の生活全般にわたる援助
	行動援護	対象者	障害支援区分が区分3以上の知的障害または精神障害により行動上著しい困難を有する者等
		サービス内容	障害者等が行動する際に生じ得る危険を回避するために必要な援護、外出時における移動中の介護、排せつおよび食事等の介護など
	同行援護	対象者	視覚障害により、移動に著しい困難を有する者
		サービス内容	視覚障害者の外出時に同行し、移動に必要な情報を提供するとともに、移動の援護など外出する際の必要な援助
	重度訪問介護	対象者	障害支援区分4以上の重度の肢体不自由者または重度の知的障害もしくは精神障害により行動上著しい困難を有する者
		サービス内容	居宅において入浴、排せつおよび食事等の介護、家事、生活等に関する相談、外出時における移動中の介護を総合的に行う。 入院・入所中の意思疎通の支援（障害支援区分6の利用者）
	重度障害者等包括支援	対象者	障害支援区分6で、意思疎通を図ることに著しい支障があるもののうち、四肢の麻痺および寝たきりの状態にあるもの、知的障害または精神障害により行動上著しい困難を有する者など
		サービス内容	居宅介護、重度訪問介護、同行援護、行動援護、生活介護、短期入所、自立訓練、就労移行支援、共同生活援助などを包括的に提供
日中活動系	生活介護	対象者	障害支援区分3以上（障害者支援施設等に入所する場合は区分4以上）である者 （50歳以上の場合は区分2以上（入所する場合は区分3以上））
		サービス内容	主として昼間、介護、家事などの日常生活上の支援、創作的活動または生産活動の機会の提供、その他の身体機能または生活能力の向上のために必要な支援
	療養介護	対象者	病院等への長期の入院による医療的ケアに加え、常時の介護を必要とする者（障害支援区分6に該当し、気管切開に伴う人工呼吸器による呼吸管理を行っている者など）
		サービス内容	主として昼間、病院において行われる機能訓練、療養上の管理、看護、医学的管理の下における介護および日常生活上の世話
	短期入所	対象者	障害支援区分1以上の者
		サービス内容	自宅で介護する人が病気の場合などに、短期間、夜間も含めた施設で、入浴、排せつおよび食事の介護を行う。
施設系	施設入所支援	対象者	障害支援区分4以上（50歳以上の者にあっては区分3以上）である者
		サービス内容	主として夜間において、入浴、排せつおよび食事等の介護、生活等に関する相談および助言その他の必要な日常生活上の支援を行う。

訓練等給付

サービス名			サービス内容
訓練系・就労系	自立訓練	機能訓練	●障害者につき、障害者支援施設や障害福祉サービス事業所において、または居宅を訪問して、理学療法、作業療法その他必要なリハビリテーションなどを行う。
		生活訓練	●障害者につき、障害者支援施設や障害福祉サービス事業所において、または居宅を訪問して、入浴、排せつおよび食事等に関する自立した日常生活を営むために必要な訓練などを行う。
	就労移行支援		●就労を希望する障害者等で、通常の事業所に雇用されることが可能と見込まれる者等に対し、生産活動、職場体験、就労に必要な訓練、求職活動に関する支援、職場の開拓などを行う。
	就労継続支援	A型（雇用型）	●通常の事業所に雇用されることが困難な者等に対し、雇用契約に基づき、生産活動その他の活動の機会の提供その他の就労に必要な知識および能力の向上のために必要な訓練を行う。
		B型（非雇用型）	●通常の事業所に雇用されることが困難な者等に対し、生産活動その他の活動の機会の提供その他の就労に必要な知識および能力の向上のために必要な訓練その他の必要な支援を行う。
	就労定着支援		●通常の事業所に新たに雇用された障害者の就労の継続を図るため、企業、障害福祉サービス事業者、医療機関等との連絡調整を行うとともに、雇用に伴い生じる日常生活または社会生活を営む上での各般の問題に関する相談、指導および助言等の必要な支援を行う。
	就労選択支援		●就労アセスメントの手法を活用し、本人の希望、就労能力や適性等に合った選択を支援する（※2025（令和7）年10月施行予定）。
居住支援系	自立生活援助		●障害者支援施設やグループホーム、病院等から退所・退院した障害者等を対象に、定期および随時訪問、随時対応その他自立した日常生活の実現に必要な支援を行う。
	共同生活援助		●障害者につき、主として夜間において、共同生活を営むべき住居において相談、入浴、排せつまたは食事の介護その他の日常生活上の援助を行う。 ●居宅における自立した日常生活への移行を希望する入居者に、居宅への移行および移行後の定着に関する相談を行う。

日中活動と住まいの場の組み合わせ

●施設入所のサービスを、昼のサービスと夜のサービスの組み合わせで利用します。

障害者支援施設

昼のサービス（日中活動の場）
- ●生活介護
- ●療養介護
- ●自立訓練（機能訓練・生活訓練）
- ●就労移行支援
- ●就労継続支援（A型・B型）
- ●地域活動支援センター

夜のサービス（住まいの場）
- ●障害者支援施設の施設入所支援
- ●居住支援（共同生活援助、福祉ホーム）

地域生活支援事業

市町村事業	必須事業	理解促進研修・啓発事業	●障害者等の自立した日常生活および社会生活に関する理解を深めるための研修および啓発を行う事業
		自発的活動支援事業	●障害者等やその家族、地域住民等が自発的に行う活動に対する支援事業
		相談支援事業	●一般的な相談支援事業のほか、基幹相談支援センター機能強化事業、住宅入居等支援事業（居住サポート事業）
		成年後見制度利用支援事業	●成年後見制度の利用に要する費用のうち、成年後見制度の申立てに要する経費および後見人等の報酬の全部または一部を補助する事業
		成年後見制度法人後見支援事業	●成年後見制度における後見等の業務を適正に行うことができる法人を確保できる体制を整備し、市民後見人の活用も含めた法人後見の活動を支援する事業
		意思疎通支援事業	●手話通訳者、要約筆記者を派遣する事業、点訳、代筆、代読、音声訳等による支援事業など意思疎通を図ることに支障がある障害者等の意思疎通を支援する事業
		日常生活用具給付等事業	●障害者等に対し、日常生活上の便宜を図るための日常生活用具を給付または貸与する事業
		手話奉仕員養成研修事業	●聴覚障害者等との日常会話程度の手話表現技術を習得した手話奉仕員を養成研修する事業
		移動支援事業	●外出時に移動の支援が必要な障害者等に対し、社会生活上必要不可欠な外出および余暇活動等の社会参加のための外出の際の移動の支援を行う事業
		地域活動支援センター機能強化事業	●障害者等を通わせ、創作的活動または生産活動の機会の提供、社会との交流の促進等を供与する地域活動支援センターの機能を強化し、障害者等の地域生活支援の促進を図る事業
	任意事業		●福祉ホームの運営、訪問入浴サービス、生活訓練等、日中一時支援、社会参加支援など
都道府県事業	必須事業	専門性の高い相談支援事業	●障害児等療育支援事業、発達障害者支援センター運営事業、高次脳機能障害及びその関連障害に対する支援普及事業など、特に専門性の高い相談支援事業
		専門性の高い意思疎通支援を行う者の養成研修事業	●手話通訳者・要約筆記者養成研修事業、盲ろう者向け通訳・介助員養成研修事業、失語症者向け意思疎通支援者養成研修事業
		専門性の高い意思疎通支援を行う者の派遣事業	●手話通訳者・要約筆記者派遣事業、盲ろう者向け通訳・介助員派遣事業、失語症者向け意思疎通支援者派遣事業
		意思疎通支援を行う者の派遣に係る市町村相互間の連絡調整事業	●市区町村域または都道府県域を越えた広域的な派遣を円滑に実施するため、市区町村間では派遣調整ができない場合には、都道府県が市区町村間の派遣調整を行う事業
		広域的な支援事業	●都道府県相談支援体制整備事業など、市町村域を越えて広域的な支援が必要な事業
	任意事業		●サービス・相談支援者、指導者育成事業や、日常生活支援に関する事業として、福祉ホームの運営、オストメイト（人工肛門、人工膀胱造設者）社会適応訓練、音声機能障害者発声訓練など

※利用者負担は、実施主体が決定する。

障害児支援

〈障害児通所支援〉

障害児通所支援は、18歳未満の障害児の通所サービスで、児童発達支援、医療型児童発達支援、放課後等デイサービス、保育所等訪問支援などがあります。

2024（令和6）年4月より
医療型児童発達支援と一元化された

	サービス内容	対象児童
児童発達支援	●児童発達支援センター等に通わせ、日常生活における基本的な動作の指導、知識技能の付与、集団生活への適応訓練、肢体不自由のある児童に対する治療などを行う。	●療育の観点から集団療育および個別療育を行う必要があると認められる未就学の障害児
放課後等デイサービス	●児童発達支援センター等に通わせ、生活能力の向上のために必要な訓練、社会との交流の促進などを行う。	●学校等に就学しており、授業の終了後または休業日に支援が必要な障害児
保育所等訪問支援	●保育所等を訪問し、障害児以外の児童との集団生活への適応のための専門的な支援などを行う。	●保育所等に通う障害児で、当該施設を訪問し、専門的な支援が必要な障害児
居宅訪問型児童発達支援	●障害児の居宅を訪問し、日常生活における基本的な動作の指導、知識技能の付与、生活能力の向上のために必要な訓練などを行う。	●重度の障害等により、児童発達支援等を受けるために外出することが著しく困難な障害児

〈障害児入所支援〉

障害児入所支援は、18歳未満の障害児の入所サービスで、福祉型障害児入所施設と医療型障害児入所施設があります。

	サービス内容	対象児童（※）
福祉型障害児入所施設	●保護、日常生活の指導、独立自活に必要な知識技能の付与などを障害の特性に応じて提供する。	●身体に障害のある児童、知的障害のある児童、精神に障害のある児童（発達障害児を含む） ●手帳の有無は問わない
医療型障害児入所施設	●保護、日常生活の指導、独立自活に必要な知識技能の付与、治療などを障害の特性に応じて提供する。	●上記のうち、知的障害児、肢体不自由児、重症心身障害児など

（※）引き続き、入所支援を受けなければその福祉を損なうおそれがあると認めるときは、満23歳（2024（令和6）年4月から、それまでの満20歳から満23歳に延長）に達するまで利用することができる。

相談支援機関

障害者(児)の相談支援機関

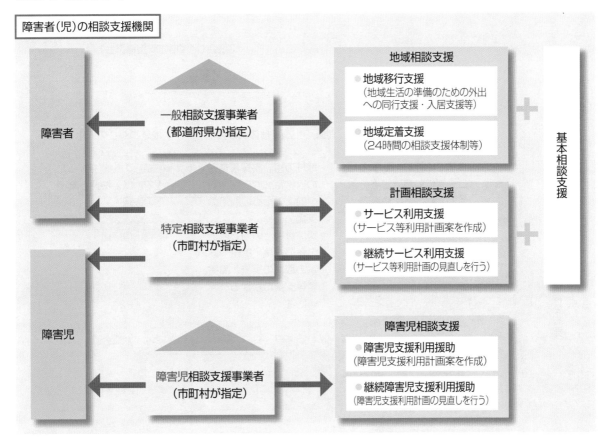

障害者総合支援法	地域相談支援	地域移行支援	●入所、入院している障害者等に対して、住居の確保、地域移行のための障害福祉サービス事業者等への同行支援等を行う。
		地域定着支援	●単身の障害者等に対し、常時の連絡体制を確保し、緊急事態等に相談、緊急対応等を行う。
	計画相談支援		●障害福祉サービスを利用する障害者（児）について、支給決定時のサービス等利用計画の作成、支給決定後の計画の見直しを行う。
	基本相談支援		●障害者、障害児の保護者等からの相談に応じ、必要な情報の提供、障害福祉サービス事業者等との連絡調整（計画相談支援に関するものを除く）等を行う。
児童福祉法	障害児相談支援		●障害児通所支援等を利用する障害児について、支給決定時の障害児支援利用計画を作成、支給決定後の計画の見直しを行う。

基幹相談支援センター

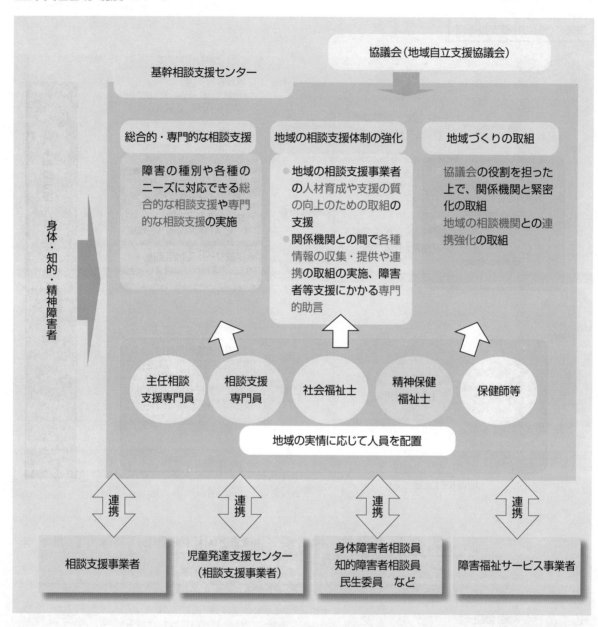

基幹相談支援センター	● 市町村は、基幹相談支援センターを設置するよう努めなければならない（一般相談支援事業者等に委託することができる）。 ● 地域における相談支援の中核的な役割を担う機関として、総合的な相談業務（身体障害・知的障害・精神障害）を行う。
協議会 （地域自立支援協議会）	● 地方公共団体は、障害者等への支援の体制の整備を図るため、関係機関等により構成される協議会を置くように努めなければならない。 ● 協議会は、関係機関等が相互の連絡を図ることにより、地域における障害者等への支援体制に関する課題について情報を共有し、関係機関等の連携の緊密化を図り、地域の実情に応じた体制の整備について協議を行う。

障害者総合支援法と介護保険法の比較

		障害者総合支援法	介護保険法
保険者 （実施主体）		● 市町村	● 市町村
被保険者 （対象者）		● 障害者　18歳以上　● 障害児　18歳未満 （対象：身体障害、知的障害、精神障害（発達障害を含む）、難病等の患者）	● 第1号被保険者　65歳以上 ● 第2号被保険者　40歳以上65歳未満の 　　医療保険加入者
障害支援区分 （要介護認定）	申請先	● 市町村	● 市町村
	調査項目	● 80項目	● 74項目
	審査会	● 市町村審査会	● 介護認定審査会
	認定	● 区分1～区分6の6区分	● 要支援1～要介護5の7区分
ケアマネジメント		● 特定相談支援事業者によるケアマネジメント	● 居宅介護支援事業所、地域包括支援センターによるケアマネジメント
サービス		● 介護給付　9種類 ● 訓練等給付　6種類	● 介護給付　26種類 ● 予防給付　15種類
地域生活支援事業 （地域支援事業）		● 市町村　（必須事業と任意事業） ● 都道府県　（必須事業と任意事業）	● 市町村　（必須事業と任意事業）
福祉用具		● 補装具　（応能負担） ● 日常生活用具　（市町村が決定）	● 福祉用具貸与　（1割～3割負担） ● 福祉用具購入　（1割～3割負担）
費用負担		● 公費　100% （国1/2、都道府県1/4、市町村1/4が原則）	● 保険料　50%　公費　50% （国1/2、都道府県1/4、市町村1/4が原則）
計画		● 都道府県障害福祉計画　（3年を1期） ● 市町村障害福祉計画　（3年を1期）	● 都道府県介護保険事業支援計画　（3年を1期） ● 市町村介護保険事業計画　（3年を1期）
審査請求		● 都道府県（障害者介護給付費等不服審査会）	● 介護保険審査会
利用者負担		● 応能負担 （ケアマネジメントは無料）	● 応益負担（1割～3割） （ケアマネジメントは無料）
共生型サービス		● 居宅介護、重度訪問介護 ⟺ 訪問介護 ● 生活介護、自立訓練、児童発達支援、放課後等デイサービス ⟺ 通所介護 ● 短期入所 ⟺ 短期入所生活介護	
優先関係		● サービス内容が重複するときは介護保険が優先	

1節　社会のしくみ

単　元		問　　題	解　答
1 個人・家族	1	高齢化率は、約（＿＿＿）％である。	29.1
	2	平均寿命は、男性（＿＿＿）歳、女性（＿＿＿）歳である。	81.05、87.09
	3	2022（令和4）年の合計特殊出生率は、（＿＿＿）である。	1.26
	4	人口全体の死因で最も多いのは、（＿＿＿）である。	悪性新生物
	5	日本の人口は、（＿＿＿）傾向にある。	減少
	6	（＿＿＿）は、乳幼児期から老年期の各段階に固有の発達課題を達成していく過程を指す。	ライフサイクル
	7	保有する複数の役割間の矛盾や対立から心理的緊張を感じることを（＿＿＿）という。	役割葛藤
	8	特定の立場に期待される役割からずれた行為をすることを（＿＿＿）という。	役割距離
	9	（＿＿＿）とは、仕事と個人の生活のバランスを維持しながら、仕事と生活の調和を目指すものである。	ワーク・ライフ・バランス
	10	（＿＿＿）とは、生物学的な性別に対して、社会的・文化的な役割としての男女の性差のことである。	ジェンダー
	11	民法上の親族は、（＿＿＿）親等内の血族、配偶者、（＿＿＿）親等内の姻族をいう。	6、3
	12	住居と生計を共にする人々の集団を（＿＿＿）という。	世帯
	13	夫婦と未婚の子のみ、夫婦のみ、ひとり親と未婚の子のみの世帯を（＿＿＿）世帯という。	核家族
	14	2022（令和4）年の平均世帯人員は、（＿＿＿）人である。	2.25
	15	65歳以上の者のいる世帯では、（＿＿＿）の世帯が最も多い。	夫婦のみ
2 地域社会・行政組織	16	貧困地域に住み込んで実態調査を行いながら住民への教育や生活上の援助を行う運動を（＿＿＿）運動という。	セツルメント
	17	限界集落とは、高齢化率が（＿＿＿）％以上の集落をいう。	50
	18	介護保険事業計画は、（＿＿＿）年を1期とする計画である。	3
	19	保健所の設置は、（＿＿＿）法によって定められている。	地域保健
	20	社会福祉法に基づいて設置される行政機関で、生活保護、児童福祉などに関する相談や援護などを行う機関は（＿＿＿）である。	福祉事務所
	21	民生委員は、都道府県知事の推薦によって（＿＿＿）が委嘱する。	厚生労働大臣
	22	民生委員は、（＿＿＿）を兼ねる。	児童委員
	23	民生委員の任期は、（＿＿＿）年である。	3

2節　人権と権利擁護

単　元			問　　題	解　　答
❸ 人間の尊厳と 人権	1		ノーマライゼーションの原理を盛り込んだ法律を最初に制定した国は（＿＿＿）である。	デンマーク
	2		（＿＿＿）は、ノーマライゼーションの理念を8つの原理にまとめた。	ニィリエ
	3		ソーシャルロール・バロリゼーションは、（＿＿＿）が提唱した。	ヴォルフェンスベルガー
	4		（＿＿＿）とは、国家が国民に保障する最低限度の生活水準のことである。	ナショナルミニマム
	5		（＿＿＿）とは、すべての人を社会の一員として包み込み、共に支え合うことである。	ソーシャル・インクルージョン
	6		（＿＿＿）とは、利用者の主張を代弁し、権利を擁護していく活動である。	アドボカシー
	7		（＿＿＿）は、どこでも、だれでも、自由に、使いやすくデザインされたものを表す用語である。	ユニバーサルデザイン
	8		1960年代後半からアメリカで展開した（＿＿＿）運動では、障害者自身の選択による自己決定の尊重を主張している。	自立生活(IL)
❹ 権利擁護	9		法定後見制度において、成年後見人等を選任する機関は（＿＿＿）である。	家庭裁判所
	10		成年後見人の職務は、財産管理と（＿＿＿）が含まれている。	身上監護（身上保護）
	11		（＿＿＿）制度は、将来、自己の判断能力が不十分になったときの後見事務の内容と後見する人を、事前の契約によって決めておく制度である。	任意後見
	12		後見、保佐、補助のうち、最も多い申立ては（＿＿＿）である。	後見
	13		成年後見人等として選任された人のうち最も多い職種は（＿＿＿）である。	司法書士
	14		日常生活自立支援事業の実施主体は、（＿＿＿）である。	都道府県・指定都市社会福祉協議会
	15		日常生活自立支援事業には、支援計画の作成、利用援助契約などを行う（＿＿＿）が配置される。	専門員
	16		日常生活自立支援事業の援助内容に、家賃の支払や預金の払戻などの（＿＿＿）が含まれる。	日常的金銭管理
❺ 虐待	17		高齢者虐待防止法では、高齢者を（＿＿＿）歳以上と定義している。	65
	18		高齢者虐待防止法における虐待の類型は、身体的虐待、心理的虐待、経済的虐待、（＿＿＿）、（＿＿＿）である。	性的虐待、介護等放棄
	19		著しい暴言、または著しく拒絶的な対応を行うことは、（＿＿＿）虐待に含まれる。	心理的
	20		被虐待高齢者からみた虐待を行った養護者（虐待者）の続柄は、（＿＿＿）が最も多い。	息子
	21		虐待を発見した者は、（＿＿＿）に通報義務がある。	市町村

3節　社会保障制度

単　　元		問　　　題	解　　答
6 社会保障制度の概要	1	家族や友人、近隣の人たちによる自発的な相互扶助を（　　　　）という。	互助
	2	日本の社会保険は、医療保険、年金保険、雇用保険、労災保険、（　　　　）の5つである。	介護保険
	3	昭和20年代に制定された福祉三法に含まれるのは、生活保護法、身体障害者福祉法、（　　　　）法である。	児童福祉
	4	社会保障給付費の財源では、（　　　　）の占める割合が最も大きい。	社会保険料
	5	社会保障給付費の年金関係の給付額は、全体の（　　　　）％を占める。	40
	6	国際障害者年は、（　　　　）年である。	1981（昭和56）
7 医療保険	7	定年退職後4年を経過した64歳男性で、被扶養者ではない者は（　　　　）保険が適用される。	国民健康
	8	生活保護世帯は、（　　　　）や（　　　　）への加入が免除される。	国民健康保険、後期高齢者医療制度
	9	被用者保険の被保険者の女性が出産する場合、産前6週間、産後8週間に（　　　　）が支給される。	出産手当金
	10	病院は、（　　　　）床以上の入院施設を有する。	20
	11	（　　　　）診療所は、24時間往診が可能な体制を確保しなければならない。	在宅療養支援
	12	調剤を実施する薬局は、医療法上の（　　　　）施設に含まれる。	医療提供
	13	健康上の問題で日常生活が制限されることなく生活できる期間を（　　　　）という。	健康寿命
	14	特定健康診査の対象は、（　　　　）歳以上75歳未満である。	40
	15	いわゆる3歳児健康診査の実施主体は、（　　　　）である。	市町村
8 年金保険	16	国民年金の被保険者は、被用者でない場合、（　　　　）歳以上60歳未満の者である。	20
	17	障害基礎年金の障害等級は、（　　　　）である。	1級と2級
	18	18歳未満の子がいる障害基礎年金受給者には、（　　　　）の人数に応じた加算がある。	子
9 労働関連	19	労働者災害補償保険制度は、パートやアルバイトは、保険給付の（　　　　）。	対象である
	20	労働基準法は、労働者の（　　　　）基準を定めている。	労働条件の最低
	21	労働安全衛生法は、労働者の安全と衛生についての基準を定め、（　　　　）の形成と促進を目的とする法律である。	快適な職場環境
	22	育児休業期間は、子が（　　　　）歳になるまでである。	原則1（最大2）
	23	子が病気等をしたときは、小学校就学前まで、年に（　　　　）日間の看護休暇を取得できる。	5（子2人以上の場合は10）
	24	介護休業の対象家族は、配偶者、父母、子、（　　　　）、兄弟姉妹、孫、配偶者の父母である。	祖父母
10 介護保険	25	介護が必要となった主な原因は（　　　　）が最も多い。	認知症
	26	同居している主な介護者としては、（　　　　）の構成割合が最も高い。	配偶者
	27	介護保険の保険者は、（　　　　）である。	市町村および特別区

単　元		問　　題	解　答
⑩ 介護保険	28	市町村介護保険事業計画は、（＿＿＿）年に一度見直す。	3
	29	介護保険制度の保険給付の財源構成は、保険料（＿＿＿）％、公費（＿＿＿）％である。	50、50
	30	第2号被保険者は、（＿＿＿）歳以上65歳未満の（＿＿＿）保険加入者である。	40、医療
	31	要介護状態区分の変更申請は、（＿＿＿）に行う。	市町村
	32	要介護認定の審査・判定は、市町村の委託を受けた（＿＿＿）が行う。	介護認定審査会
	33	保険給付は、介護給付、予防給付、（＿＿＿）の3種類である。	市町村特別給付
	34	地域密着型サービスや居宅介護支援は、（＿＿＿）が指定を行う。	市町村長
	35	指定認知症対応型通所介護の利用者は、原則として（＿＿＿）の住民である。	事業所のある市町村
	36	小規模多機能型居宅介護の1事業所の登録定員は、（＿＿＿）名以下である。	29
	37	認知症対応型共同生活介護の1ユニットの定員は、（＿＿＿）名である。	5～9
	38	介護老人福祉施設に入所できるのは、原則として要介護（＿＿＿）以上の者である。	3
	39	居宅における生活を営むことができるようにするための支援が必要である者に対して、看護・医学的管理の下における介護及び機能訓練などを行う施設は、（＿＿＿）施設である。	介護老人保健
	40	介護保険の利用者負担は、原則（＿＿＿）割である。	1（一定所得以上は2割または3割）
	41	介護保険審査会の設置主体は、（＿＿＿）である。	都道府県
	42	地域包括支援センターには、保健師、社会福祉士、（＿＿＿）が配置されることになっている。	主任介護支援専門員
⑪ 社会福祉法関連	43	社会福祉協議会は、社会福祉法において、（＿＿＿）を図ることを目的とする団体として規定されている。	地域福祉の推進
	44	共同募金は、都道府県の区域を単位として行う寄附金の募集であって、（＿＿＿）を図るためのものである。	地域福祉の推進
	45	社会福祉法人の設立認可は、（＿＿＿）が行う。	市長、指定都市の長、都道府県知事または厚生労働大臣
	46	社会福祉法人は、社会福祉事業、公益事業、（＿＿＿）事業を実施することができる。	収益
	47	特定非営利活動法人の活動範囲は、（＿＿＿）活動を行うものが最も多い。	保健、医療又は福祉の推進を図る
⑫ 生活保護、社会手当	48	生活保護で保障される最低限度の生活は、（＿＿＿）を維持することができるものでなくてはならない。	健康で文化的な生活水準
	49	（＿＿＿）の原理とは、資産・能力等を活用した上で保護を行うことである。	補足性
	50	生活扶助は、（＿＿＿）給付が原則である。	金銭
	51	生活困窮者自立支援法の必須事業は、（＿＿＿）事業と住居確保給付金の支給である。	自立相談支援
	52	特別児童扶養手当は、在宅の（＿＿＿）歳未満の障害児の監護・養育している者に対して支給される。	20

単　元		問　　　題	解　　答
⑬ **高齢者福祉**	53	（＿＿＿＿）は、65歳以上で、環境上の理由および経済的理由により居宅において養護を受けることが困難な人を入所させる施設である。	養護老人ホーム
	54	（＿＿＿＿）は、無料または低額な料金で、食事の提供その他日常生活上必要な便宜を供与する施設である。	軽費老人ホーム
	55	有料老人ホームは、介護付、住宅型、（＿＿＿＿）型の類型がある。	健康
	56	サービス付き高齢者向け住宅の居室の面積基準は、（＿＿＿＿）以上である。	25㎡
⑭ **障害者福祉**	57	障害者基本法では、政府は、（＿＿＿＿）を策定しなければならないとしている。	障害者基本計画
	58	精神保健福祉法における精神障害者は、統合失調症、精神作用物質による急性中毒またはその依存症、（＿＿＿＿）その他の精神疾患を有する者としている。	知的障害
	59	身体障害の内部障害は、心臓、腎臓、（＿＿＿＿）、膀胱または直腸、小腸、肝臓、ヒト免疫不全ウイルスによる免疫機能障害が含まれる。	呼吸器
	60	知的障害は、その障害がおおむね（＿＿＿＿）歳までにあらわれたものをいう。	18
	61	身体障害者福祉法における身体障害者は、（＿＿＿＿）の交付を受けた18歳以上の者をいう。	身体障害者手帳
	62	障害者差別解消法では、行政機関等と事業者に対して、障害を理由とした（＿＿＿＿）を禁止している。	不当な差別的取扱い
	63	（＿＿＿＿）は、障害者が職場に適応できるよう、障害者職業カウンセラーが策定した支援計画に基づき、職場に出向いて直接支援を行う。	職場適応援助者（ジョブコーチ）
⑮ **障害者総合支援法**	64	障害者総合支援法の定義では、障害者を（＿＿＿＿）歳以上と規定している。	18
	65	指定障害福祉サービス事業者の指定は、（＿＿＿＿）が行う。	都道府県知事
	66	居宅介護などの介護給付を利用する場合、（＿＿＿＿）を受ける必要がある。	障害支援区分の認定
	67	障害支援区分の審査・判定は、（＿＿＿＿）が行う。	市町村審査会
	68	サービスを利用した際の利用者負担は、（＿＿＿＿）負担である。	応能
	69	行動援護は、（＿＿＿＿）がある人が利用対象である。	知的・精神障害により行動上著しい困難
	70	重度訪問介護は、重度の肢体不自由者または重度の（＿＿＿＿）障害者が対象である。	知的・精神
	71	（＿＿＿＿）は、主に昼間、介護や創作的活動、生産的活動の機会を提供する。	生活介護
	72	（＿＿＿＿）は、一般企業などへの就労を希望する人に一定期間必要な訓練を行う。	就労移行支援
	73	地域生活支援事業における（＿＿＿＿）事業は、社会生活上必要不可欠な外出および社会参加のための外出支援を行う。	移動支援
	74	放課後等デイサービスは、通常（＿＿＿＿）まで利用できる。	高等学校卒業
	75	障害児入所支援の根拠となる法律は、（＿＿＿＿）である。	児童福祉法
	76	サービス等利用計画は、（＿＿＿＿）が作成する。	相談支援専門員
	77	地域相談支援は、地域移行支援と（＿＿＿＿）がある。	地域定着支援
	78	障害者総合支援法で定める（＿＿＿＿）は、地域の実情に応じた支援体制について協議を行う。	（自立支援）協議会

こころとからだのしくみ

1節　こころのしくみ

「こころのしくみ」では、「こころの発達・人格」「記憶・知能・学習」「障害受容・適応機制」「欲求・動機」について整理していきます。

	単　　元	重要度	出題実績					最近の出題内容
			32回	33回	34回	35回	36回	
16	こころの発達・人格	C			1	2	1	発達段階説、社会的参照、ストレンジ・シチュエーション法、ライチャードによる性格類型、エイジズム
17	記憶・知能・学習	C	1		1	2		記憶の過程、意味記憶、手続き記憶、エピソード記憶、短期記憶、流動性知能、学習性無力感
18	障害受容・適応機制	B	1	1	1	3	1	障害受容の過程、ショック期、受容期、適応機制、喪失体験
19	欲求・動機	C		1	1		1	マズローの欲求階層説、動機づけ

重要度 C
★☆☆

エリクソン，E. は、発達の概念を生涯発達（ライフサイクル）へと拡張し、社会的・対人関係の視点から心理・社会的発達を 8 つの段階にまとめました。

エリクソンの発達段階説

	年齢の目安	課題	内容
①乳児期	～1歳	信頼感の獲得	●母親との関係を通じて、自分をとりまく社会が信頼できることを感じる段階。
②幼児前期	1～3歳	自律感の獲得	●基本的な「しつけ」を通じて、自分自身の身体をコントロールすることを学習する段階。
③幼児後期	3～6歳	積極性の獲得	●自発的に行動することを通じて、それに伴う快の感覚を学習する段階。
④児童期(学童期)	7～11歳	勤勉性の獲得	●学校や家庭で活動の課題を達成する努力を通じて、勤勉性を獲得する段階。
⑤青年期	12～20歳	同一性の獲得	●自己を統合し、「自分とはこういう人間だ」というアイデンティティを確立する段階。
⑥前成人期	20～30歳	親密性の獲得	●結婚や家族形成など親密な人間関係を築き、連帯感を獲得する段階。
⑦成人期	30～65歳	生殖性の獲得	●子育てや仕事を通じて、社会に意味や価値のあるものを生み出し、育てる段階。
⑧老年期	65歳～	統合性の獲得（自我の統合）	●今までの積極的な評価を受け入れ、人生の意味や価値を見いだす段階。解決すると英知という徳が身につく。

ピアジェの発達段階説

ピアジェ，J. は、子どもの感覚運動から、思考・認知の発達を 4 つの段階にまとめました。

①感覚運動期	～2歳頃	●直接何らかの動作をすることによって、刺激と感覚器官との結びつきを通じて外界とかかわる。
②前操作期	～7歳頃	●自己中心的な思考で、相手の立場になることができない。「ごっこ」遊びのようなシンボル機能が生じる時期。 ●コップのジュースを形の違うコップに移し替えた際に、移し替える前後の量は同じであることが理解できない。
③具体的操作期	～11歳頃	●自己中心性も脱し、思考が体系的に組織化される。見かけの変化に惑わされない思考ができる。
④形式的操作期	11歳頃～	●「愛」や「正義」など、抽象的な概念の理解や論理的思考もできるようになる。

ハヴィガースト，R. は、各発達段階で達成しておくことが望ましい課題を発達課題とし、次の発達課題にスムーズに移行するために、各発達段階で習得しておくべき課題があるとしました。

ハヴィガーストの発達課題

発達段階	発達課題
①乳幼児期	●歩行の学習、固形食を食べる学習、話すことの学習、排泄のコントロールの習得、性差と性的つつしみの習得、両親兄弟の人間関係の学習、善悪の区別の習得　など。
②児童期	●日常の遊びに必要な身体的技能の学習、遊び友達とうまく付き合うことの学習 ●男子・女子の区別の学習とその社会的役割の適切な認識 ●読み・書き・計算の基礎的技能の習得、個人的独立の段階的な達成・母子分離　など。
③青年期	●両性の友人との交流と新しい成熟した人間関係を持つこと ●男子・女子としての社会的役割の達成、両親や他の大人からの情緒的自立の達成 ●経済的独立の目安を立てる、職業選択とそれへの準備、結婚と家庭生活への準備　など。
④壮年期	●配偶者の選択、配偶者との生活の学習、子どもを育てること、職業に就くこと ●家庭の心理的・経済的・社会的な管理、市民的・社会的責任を負うこと ●適した社会集団の選択　など。
⑤中年期	●市民的・社会的責任の達成、一定の経済力を確保し、維持すること ●配偶者と人間として信頼関係で結びつくこと、中年の生理的変化を受け入れ、適応すること ●年老いた両親に適応すること、世話をすること　など。
⑥老年期	●肉体的な力と健康の衰退に適応すること、引退と収入の減少に適応すること ●市民的・社会的義務を引き受けること、配偶者の死に適応すること　など。

発達における遺伝と環境の影響

1	成熟優位説	●発達を決定する要因として、遺伝的要因を重視するという考え。 ●学習を成立させるために必要な成熟した状態（レディネス）を重視する。
2	学習（環境）優位説	●遺伝の影響は最小限ととらえ、環境から得られる経験によって、かなりの部分が決定されるという考え。
3	輻輳説	●独立した「遺伝的要因」と「環境的要因」が、それぞれ寄り集まって、1つの発達として現れるという考え。
4	環境閾値説	●一定水準以上の「環境的要因」が存在しないと「遺伝的要因」が現れてこないという考え。

社会性の発達

新生児微笑	● 生後間もない新生児に見られる反射的なほほえみ。生理的微笑とも呼ばれる。
社会的微笑	● 生後3か月頃、他者との関係をもちほほえむようになる。
母子分離不安	● 生後8か月頃から養育者が離れると不安になり泣いたり、養育者以外の人に対し、人見知りをするようになる。
共同注意	● 生後9か月頃から、他者が注意を向けている対象に自分も注意を向けるようになる。
社会的参照	● 1歳頃になると、経験のない人や出来事に出会ったときに、周囲の信頼できる大人の表情や反応をみて、それに応じて自分の行動を決める場面がみられるようになる。

愛着（アタッチメント）

愛着(アタッチメント)理論		● ボウルビィ,J. は、発達の初期（生後2～3年）における養育者へのアタッチメント（愛着）が、後の人格の発達に大きな役割を果たすとした。 ● 養育者の子どもに対する敏感性や応答性がアタッチメントの関係の善し悪しを決めるうえで重要。
ストレンジ・シチュエーション法		● 愛着行動の有無や質を測定するために、操作的に子どもにストレスを与えて愛着行動を引き出す方法。 ● 子どもの反応に基づき、4つの愛着タイプに分類される。
	A　回避型	● 養育者がいなくても関係なく遊んでいる。再会すると避けようとする。
	B　安定型	● 養育者がいないと不安な様子になり、再会すると安心して再び遊び始める。
	C　抵抗型	● 養育者がいないと不安な様子になり、再会しても機嫌が直らず、養育者を叩くなどの行為が見られることもある。
	D　無秩序型	● 養育者に対する愛着行動の一貫性がなく、急に怒ったり、泣いたり、寂しさを伝えることもある。

コールバーグ, L. は、人間の道徳的判断に注目し、その判断が下記のような3つのレベルと6つの段階をもつとしました。

コールバーグによる道徳性発達理論

慣習以前のレベル	1	罰と服従への志向	● 罰を回避し、権威に服従する。
	2	道具主義的な相対主義志向	● 損得で判断する。
慣習的レベル	3	対人的同調・よい子志向	● 多数意見を重視して判断する。
	4	「法と秩序」志向	● 規則や社会的秩序を守ることを重視する。
脱慣習的レベル	5	社会契約的な法律志向	● 個人の権利や社会全体の価値に従って合意することを重視する。
	6	普遍的な倫理的原理の志向	● 人間の権利や平等性などの倫理に従って判断する。

ライチャードの高齢者の人格の分類

適応	円熟型（統合型）	● 年を取ることをありのままに受け入れる。定年退職後も積極的に社会参加を行い、毎日を建設的に暮らそうと努力している。
	依存型（安楽いす型）	● 自分の現状を受け入れているが、他人に依存しており受身的。定年退職を歓迎しており、責任から解放され、楽に暮らそうとする。
	防衛型（装甲型）	● 老化への不安を活動し続けることで抑圧して自己防衛している。仕事への責任感が強く、仕事をやり遂げる努力をする。
不適応	憤慨型（外罰型）	● 自分の過去や老化を受け入れることができない。人生で目標を達成できなかったことを他人のせいにして非難する。
	自責型（内罰型）	● 自分の人生を失敗とみなし、その原因は自分にあると考える。自分を解放してくれるものとして、死を恐れていない。

プロダクティブ・エイジングなど

プロダクティブ・エイジング	● 高齢者もさまざまなプロダクティブな活動に従事し、社会に貢献していくことを提唱する考え方。 ● プロダクティブな活動には、労働などの生産活動などのほか、セルフケアや趣味の活動も含まれる。
サクセスフル・エイジング	● 年齢とともに、老いていくことを認識しつつ、これを受け入れながら社会生活にうまく適応して豊かな老後を迎えているという考え方。
アクティブ・エイジング	● 生活の質を低下させることなく、社会参加を続けながら、年を重ねていくという考え方。
社会情動的選択理論	● 年を取るにつれて交際する範囲を選択的に狭めて、ポジティブな情動的経験を最大にして、情動的なリスクを最少にするという考え方。
エイジズム	● 「頑固な性格になる」など、高齢者に対して抱くステレオタイプや差別のこと。

性格検査

ロールシャッハテスト	● インクの染みをテスト図版とした検査。検査の対象者の年齢を限定していない。 ● ロールシャッハなどの投影法は、被験者の解釈から知覚の特徴や感情などを把握する。
バウムテスト	● テストを受ける人が描く「一本の実のなる木」の絵からパーソナリティの発達的な側面などを検討する。

記憶の過程

記 銘 (符号化)	保 持 (貯蔵)	想 起 (再生) (検索)
●外部から入った情報を正しく入れること。 ●記憶に適した形に変えることを符号化という。	●一定の期間、情報を保存すること。 ●情報を保持する段階を貯蔵という。	●覚えた情報を正しく取り出すこと。 ●情報を取り出す段階を検索という。

記憶の分類

感 覚 記 憶	短 期 記 憶	長 期 記 憶
●感覚器官から送られてきた情報が瞬間的に保持される。 ●そのうち注意を向けられた情報だけが短期記憶として保持される。	●長期記憶に移行しないと数秒で消えてしまう。 ●一度に保持される情報の容量の大きさにも限界がある。 ●反復やまとまりを与えると長期記憶に移りやすい。	●何十年という長期保存が可能。 ●無限の貯蔵ができる。 ●組織化されたり、有意味のとき増強される。

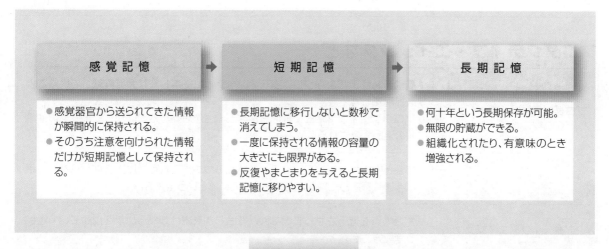

作動(作業)記憶(ワーキングメモリー)			●短い時間、あることを記憶にとどめておくのと同時に、認知的作業を頭の中で行う記憶。
長期記憶	陳述記憶	意味記憶	●県の名前、人口、日付といった一般的な知識などについての記憶。
		エピソード記憶	●「旅行に行ったこと」など、ある特定の時間と場所での個人にまつわる出来事の記憶。 ●エピソード記憶は加齢の影響を受けやすい。
	非陳述記憶	プライミング記憶	●日常の何気ない動作や行動などのように無意識に繰り返される記憶。
		手続き記憶	●「自転車の乗り方」など、動作に関する身体的反応の記憶。
展望的記憶			●友人と会う約束の時間や場所など、将来や未来に関する記憶。

知能

加齢に伴って、「流動性知能」は低下しやすく、「結晶性知能」は個人差はありますが、高齢になっても発達するといわれています。

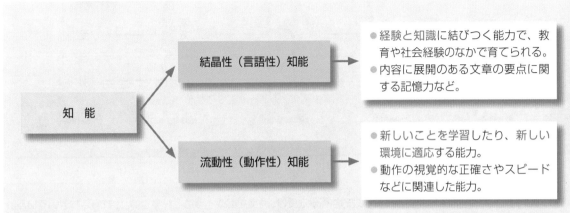

| | 結晶性（言語性）知能 | → | ● 経験と知識に結びつく能力で、教育や社会経験のなかで育てられる。
● 内容に展開のある文章の要点に関する記憶力など。 |
| 知　能 | 流動性（動作性）知能 | → | ● 新しいことを学習したり、新しい環境に適応する能力。
● 動作の視覚的な正確さやスピードなどに関連した能力。 |

知能検査

ビネー式知能検査	● 一般知能の測定を大きな目的としている。 ● 年齢別の検査項目が配列されており、どの程度まで正解できたかで精神年齢が求められる。これを生活年齢で割って100倍し、知能指数を算出する。 $$IQ（知能指数）= \frac{精神年齢（MA）}{生活年齢（CA）} \times 100$$
ウェクスラー式知能検査	● ウェクスラー式知能検査には、年齢に応じて低年齢児用のWPPSI、児童用のWISC、成人用のWAISの3種類がある。 ● 全検査IQ、言語理解指標、知覚推理指標、ワーキングメモリ指標、処理速度指標などが算出できる。

学習

古典的条件づけ （レスポンデント条件づけ）	● 経験によって形成された刺激と反応の結びつき ● 例：パブロフの犬（犬にエサを与える直前にメトロノームの音を提示する操作を繰り返した結果、メトロノームの音だけで唾液分泌させる）
道具的条件づけ （オペラント条件づけ）	● 生活体の自発的な反応に基づく条件づけ ● 例：スキナー箱（マウスがエサが出るレバーを押すように、自発的に行動するようになることを観察する実験装置）
観察学習（モデリング）	● モデルの行動を観察するだけで、直接強化を受けることがなくても成立する学習
学習性無力感	● 失敗や嫌な経験をしたことが続いた結果、何をしても無意味だと思うようになり、やる気が起きない無気力な状態に陥ること

障害受容

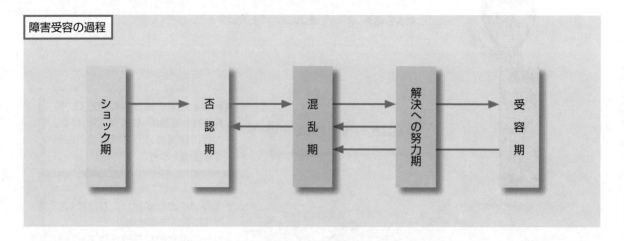

障害受容の過程

ショック期	●発生直後に心理的な衝撃を受け、現実を実感することが難しい。比較的落ち着いている。
否認期	●回復のみを期待することで、防衛的に障害を否認する。
混乱期	●回復への期待が難しいという現実に直面し、心理的混乱が生じる。周囲に当たったり、抑うつや自殺を考えたりする。
解決への努力期	●障害を受け入れ始め、前向きな姿勢が生まれる。
受容期	●障害に対する価値観を転換し、できることに目を向けて行動する。

喪失体験

喪失体験	●家族・友人の死、大切な物の喪失などで、事実を受け入れられない、罪悪感、怒り、見捨てられ感など、悲嘆（グリーフ）が生じる。 ●死別後の悲嘆からの回復には、喪失に対する心理的対処だけでなく生活の立て直しへの対処も必要である。		
二重過程モデルコーピング	●ストローブ，M. S. とシュト，H. による悲嘆モデルでは、死別へのコーピングは喪失志向と回復志向の2種類があるとされる。		
	喪失志向コーピング	●「悲しい気持ちを語る」など喪失それ自体への対処	
	回復志向コーピング	●「ボランティア活動に励む」など喪失にともなう日常生活や人生の変化への対処	

適応機制

適応機制（防衛機制）とは、欲求不満や不快な緊張感・不安から自分を守り、心理的満足を得ようとする無意識な解決方法のことです。

1	逃避 （とうひ）	● 不快な場面、緊張する場面から逃げ出してしまうことで消極的に自己の安定を求める。 （例　身体機能を使う場面を避けて、ひきこもることで心理的安定を図ろうとする。）
2	退行 （たいこう）	● 発達の未熟な段階に後戻りして、自分を守ろうとする。 （例　受け身的で、子どものように振る舞うことで心理的安定を図ろうとする。）
3	抑圧 （よくあつ）	● 認めたくない欲求や苦痛を意識下にとじこめる。 （例　身体機能の低下に対する不安や悲しみを、無意識的に抑えることで心理的に安定を図ろうとする。）
4	代償 （だいしょう）	● 欲しいものが得られない場合、代わりのもので我慢する。 （例　気に入ったものが高くて買えないときに、他の安いもので我慢する。）
5	補償 （ほしょう）	● ある事柄に劣等感をもっている際、他の事柄で優位に立ってその劣等感を補おうとする。 （例　身体機能の低下の代わりに、認知的な活動での優越感をもつことで心理的安定を図ろうとする。）
6	合理化 （ごうりか）	● 自分の行動や失敗を自分以外のところに原因があり、都合のよい理由をつけて自分の立場を正当化する。 （例　介護福祉士国家試験に合格しなかった人が、「自分は、なまじ資格をもつと現場で生意気になるだろう」と自分に言い聞かせる。）
7	昇華 （しょうか）	● 直ちに実現できない欲求を、価値ある行為に置き換えようとする。 （例　失恋の悲しみを仕事に向ける。）
8	同一化 （どういつか） （同一視）	● 他者のある一面やいくつかの特性を、自分のなかに当てはめて、それと似た存在になること。 （例　学生が尊敬している教師の口まねや手振り、服装のまねをしたがる。）
9	投影・投射 （とうえい・とうしゃ）	● 自分のなかの認めがたい抑圧した感情が、他人のなかにあるようにみなすこと。 （例　身体機能の低下に対する不安や悲しみを、自分が経験しているのではなく、友人のことだと考えることで心理的安定を図ろうとする。）
10	置き換え （おきかえ）	● ある対象に向けられた欲求・感情（愛情・憎しみ）を、他の対象に向けて表現する。 （例　子どもに無視されている高齢者が、犬を溺愛する。）
11	反動形成 （はんどうけいせい）	● 知られたくない欲求や感情と反対の行動をとることによって、本当の自分に目を覆ったり隠そうとすること。 （例　何でもできるからと他人の援助を拒否する。）

欲　求	●何らかの欠乏を感じている状態で、何かを必要としている状態。基本的欲求と、より人間らしい欲求の社会的欲求がある。		
動機づけ	●行動を起こし、目標に向かって維持・調整する一連の心理過程。 ●生命を維持し、種を保存させるための生得的な動機を生理的動機づけという。		
社会的動機づけ	●生理的動機づけに基づいて、社会生活のなかで獲得されていく行動様式。		
	外発的動機づけ	●「外部」から賞や罰を与え、競争心を刺激し、向上や発達を促進する。 　例：周囲から賞賛されるために勉強する　など	
	内発的動機づけ	●「内部」（心の中）の満足感を得るために、自発的、積極的に働きかける。 　例：自分の知的好奇心を満足させるために勉強する　など	
	達成動機づけ	●ある優れた基準や目標を立てて、その基準や目標に到達しようとする動機。 ●「〜してはいけない」という制限的な養育態度で低くなり、行為に対する承認・支持・励ましで高くなる傾向がある。 ●本人が具体的に何をすべきかがわかると動機づけが強まる。	

マズローの欲求（動機）の階層

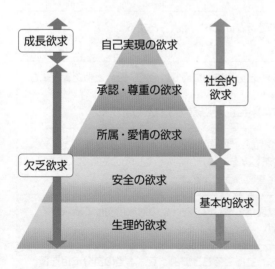

自己実現の欲求	●自己成長・潜在能力の実現 　例：平和な社会をつくりたい
承認・尊重の欲求	●他者からの尊敬、責任ある地位 　例：会社で上司から認められたい
所属・愛情の欲求	●集団への所属、友情、愛情 　例：心の中を打ち明けられる親友がほしい
安全の欲求	●安全な状況、安定した状況 　例：雨風をしのげる家がほしい
生理的欲求	●食物、水、空気、休養など ●ホメオスタシスの働きによって制御される 　例：おなかがすいたので何か食べたい

（第2章）

こころとからだのしくみ

2節 からだのしくみ

「からだのしくみ」では、「人体の構造と機能」「身体の成長と発達」「加齢による身体機能の変化」について整理していきます。

	単　元	重要度	出題実績					最近の出題内容
			32回	33回	34回	35回	36回	
20	人体の構造と機能	A	4	2	4	5	5	骨、筋肉、脳、自律神経、循環器、血液、呼吸器、唾液、口臭、摂食・嚥下のプロセス、消化器、すい臓、便の形状、尿、皮膚
21	身体の成長と発達	B	1		1	2	1	スキャモンの発達曲線、乳幼児の標準的な心身の発達、言葉の発達
22	加齢による身体機能の変化	A	3	3	2	4	1	生理的老化、高齢期の身体的変化、認知機能の変化、脱水、便秘、低栄養

骨格

●ヒトの体は約200個の骨が互いに結合しています。

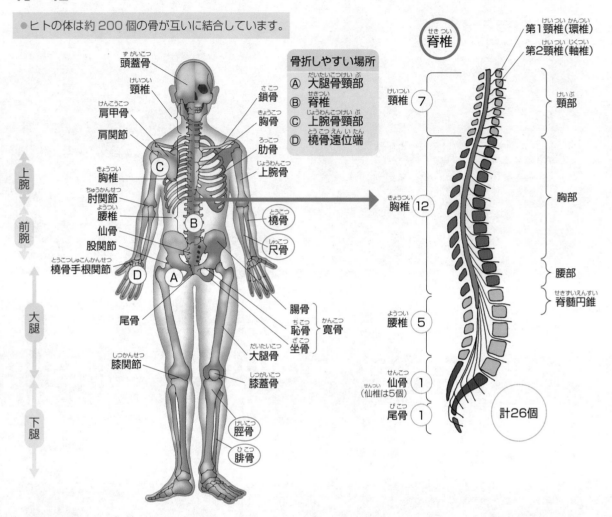

頭蓋骨（ずがいこつ）
頸椎（けいつい）
肩甲骨（けんこうこつ）
肩関節
胸椎（きょうつい）
肘関節（ちゅうかんせつ）
腰椎（ようつい）
仙骨
股関節
橈骨手根関節（とうこつしゅこんかんせつ）
尾骨
膝関節（しつかんせつ）

鎖骨（さこつ）
胸骨（きょうこつ）
肋骨（ろっこつ）
上腕骨（じょうわんこつ）
橈骨（とうこつ）
尺骨（しゃっこつ）
腸骨
恥骨（ちこつ）｝寛骨（かんこつ）
坐骨（ざこつ）
大腿骨（だいたいこつ）
膝蓋骨（しつがいこつ）
脛骨（けいこつ）
腓骨（ひこつ）

上腕
前腕
大腿
下腿

骨折しやすい場所
Ⓐ 大腿骨頸部（だいたいこつけいぶ）
Ⓑ 脊椎（せきつい）
Ⓒ 上腕骨頸部（じょうわんこつけいぶ）
Ⓓ 橈骨遠位端（とうこつえんいたん）

脊椎（せきつい）

第1頸椎（環椎）（けいつい かんつい）
第2頸椎（軸椎）（けいつい じくつい）

頸椎（けいつい） ⑦
胸椎（きょうつい） ⑫
腰椎（ようつい） ⑤
仙骨（せんこつ）（仙椎は5個）（せんつい） ①
尾骨（びこつ） ①

頸部（けいぶ）
胸部
腰部
脊髄円錐（せきずいえんすい）

計26個

骨の成分		●骨は骨膜におおわれ、骨質と骨髄腔内にある骨髄（こつずい）からなる。骨膜には多くの神経や血管が走行しており、骨質はカルシウムやリンなどのミネラルとたんぱく質が主成分。 ●骨には新しい骨をつくるはたらきをもつ骨芽細胞（こつが）と、骨を破壊して吸収する破骨細胞があり、骨の新生と破壊を行い、骨構造を維持している。
骨の役割	支持作用	●頭や内臓を支え、身体の支柱となる作用。
	保護作用	●いくつかの骨が集まり骨格を形成し、脳や内臓などの重要な器官をおさめ保護する作用。
	運動作用	●付着している筋の収縮により、関節を支点として運動が行われる作用。
	造血作用	●造血機能のある赤色骨髄（せきしょくこつずい）において、赤血球、白血球、血小板が新生される作用。
	貯蔵作用	●カルシウム、リン、ナトリウム、カリウムなどの電解質が蓄えられ、必要に応じて引き出される作用。

筋肉

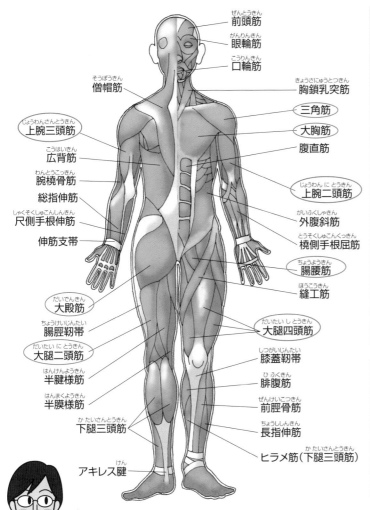

前頭筋（ぜんとうきん）
眼輪筋（がんりんきん）
口輪筋（こうりんきん）
僧帽筋（そうぼうきん）
胸鎖乳突筋（きょうさにゅうとつきん）
三角筋
大胸筋
腹直筋
上腕三頭筋（じょうわんさんとうきん）
広背筋（こうはいきん）
腕橈骨筋（わんとうこつきん）
総指伸筋
尺側手根伸筋（しゃくそくしゅこんしんきん）
伸筋支帯
上腕二頭筋（じょうわんにとうきん）
外腹斜筋（がいふくしゃきん）
橈側手根屈筋（とうそくしゅこんくっきん）
腸腰筋（ちょうようきん）
縫工筋（ほうこうきん）
大殿筋（だいでんきん）
腸脛靭帯（ちょうけいじんたい）
大腿二頭筋（だいたいにとうきん）
半腱様筋（はんけんようきん）
半膜様筋（はんまくようきん）
下腿三頭筋（かたいさんとうきん）
大腿四頭筋（だいたいしとうきん）
膝蓋靭帯（しつがいじんたい）
腓腹筋（ひふくきん）
前脛骨筋（ぜんけいこつきん）
長指伸筋（ちょうししんきん）
ヒラメ筋（下腿三頭筋）（かたいさんとうきん）
アキレス腱（けん）

抗重力筋（こうじゅうりょくきん）は、地球の重力に対して姿勢を保持するために働く筋肉で、脊柱起立筋（せきちゅうきりつきん）、大殿筋（だいでんきん）、大腿四頭筋（だいたいしとうきん）、下腿三頭筋（かたいさんとうきん）などが含まれます。

● 筋肉の種類

骨格筋（こっかくきん）	● 自分の意思で自由に動かせる随意筋（ずいいきん）。腕や足の筋肉、腹筋、背筋などがある。
平滑筋（へいかつきん）	● 内臓筋ともいわれ、自分の意思で自由に動かしたり、止めたりすることのできない不随意筋。
心筋（しんきん）	● 心臓だけにある筋肉で、一生の間、縮んだり膨らんだり、状況に合わせて規則正しく働かなければならない不随意筋。

伸展・屈曲

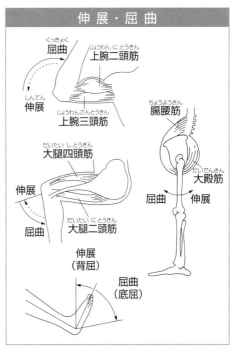

屈曲（くっきょく）
伸展（しんてん）
上腕二頭筋（じょうわんにとうきん）
上腕三頭筋（じょうわんさんとうきん）
腸腰筋（ちょうようきん）
大腿四頭筋（だいたいしとうきん）
大殿筋（だいでんきん）
伸展
屈曲
伸展
大腿二頭筋（だいたいにとうきん）
屈曲
伸展（背屈）
屈曲（底屈）

外転・内転

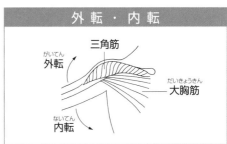

三角筋
外転（がいてん）
大胸筋（だいきょうきん）
内転（ないてん）

外旋・内旋

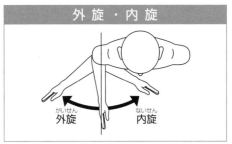

外旋（がいせん）
内旋（ないせん）

回外・回内

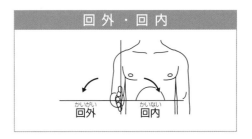

回外（かいがい）
回内（かいない）

内 臓

前

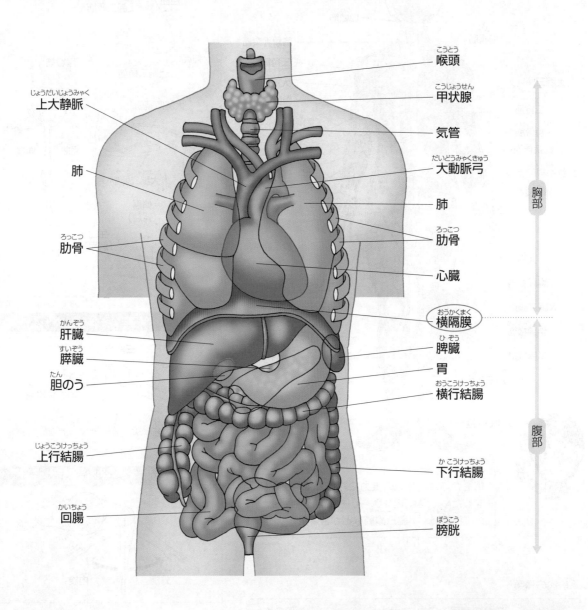

こうとう
喉頭

こうじょうせん
甲状腺

気管

だいどうみゃくきゅう
大動脈弓

肺

ろっこつ
肋骨

心臓

おうかくまく
横隔膜

ひ ぞう
脾臓

胃

おうこうけっちょう
横行結腸

か こうけっちょう
下行結腸

ぼうこう
膀胱

じょうだいじょうみゃく
上大静脈

肺

ろっこつ
肋骨

かんぞう
肝臓

すいぞう
膵臓

たん
胆のう

じょうこうけっちょう
上行結腸

かいちょう
回腸

胸部

腹部

きょうくう　ふくくう　おうかくまく
胸腔と腹腔は横隔膜で区切られています。胸腔には肺や心臓がおさまっており、その
きょうくう
上部は食道や気管が通っています。

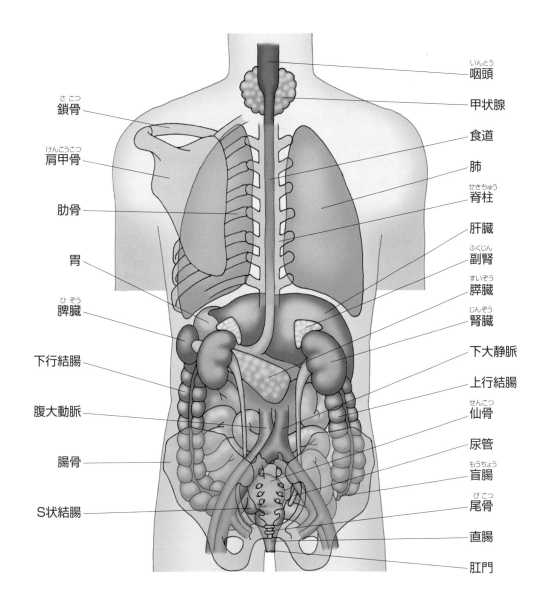

後ろ

咽頭（いんとう）

甲状腺

食道

肺

脊柱（せきちゅう）

肝臓

副腎（ふくじん）

膵臓（すいぞう）

腎臓（じんぞう）

下大静脈

上行結腸

仙骨（せんこつ）

尿管

盲腸（もうちょう）

尾骨（びこつ）

直腸

肛門

鎖骨（さこつ）

肩甲骨（けんこうこつ）

肋骨

胃

脾臓（ひぞう）

下行結腸

腹大動脈

腸骨

S状結腸

腹腔（ふくくう）の上部には胃、肝臓（かんぞう）・胆（たん）のう、膵臓（すいぞう）・脾臓（ひぞう）がおさめられています。腎臓（じんぞう）は腹腔（ふくくう）の後面にあり、肺と同様左右に2個ある臓器です。

脳の部位と機能

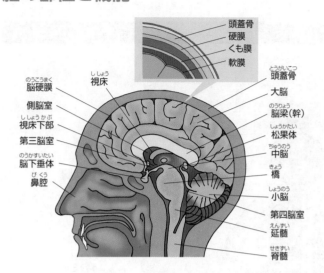

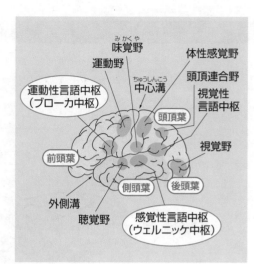

大 脳	大脳皮質		●運動野、体性感覚野、視覚野、聴覚野、嗅覚野、味覚野、言語野など、機能の諸中枢が特定の部分に分布している。
		前頭葉	●中心溝から前の部分に運動野があり、対側の随意運動に関与する。 ●運動性言語中枢 (ブローカ中枢) がある。 ●意欲や意志に関与している。
		頭頂葉	●中心溝から後ろの部分に体性感覚野があり、対側の身体からの体性感覚 (触覚、痛覚、温覚など) を受ける。 ●頭頂連合野では、空間認知、視覚認知などにかかわる。
		側頭葉	●情動、記憶、視覚認知に関係する結合が行われている。 ●感覚性言語中枢 (ウェルニッケ中枢) がある。
		後頭葉	●視覚野があり、対側の視覚からの情報処理にかかわる。
	大脳辺縁系		●生命維持や本能、情動行動に関与する。 ●海馬は記憶の形成、扁桃体は情動の発現に大きな役割を果たしている。
	大脳基底核		●学習、動機づけ、認知機能、運動調節などさまざまな機能を司る。
間 脳	視 床		●嗅覚以外のあらゆる感覚を大脳に伝える。
	視床下部		●自律神経の中枢。体温、睡眠、性機能などの調節をする。
脳 幹	中 脳		●身体の平衡、姿勢の保持、視覚感覚などの中枢
	橋		●大脳や小脳などの中枢と末梢との神経線維の中継点
	延 髄		●心拍数の調節、血管の収縮と拡張、呼吸の調節、唾液分泌、嚥下や嘔吐などの反射などの中枢
小 脳			●平衡機能、姿勢反射、随意運動の調整など身体の運動を調節する。

神経

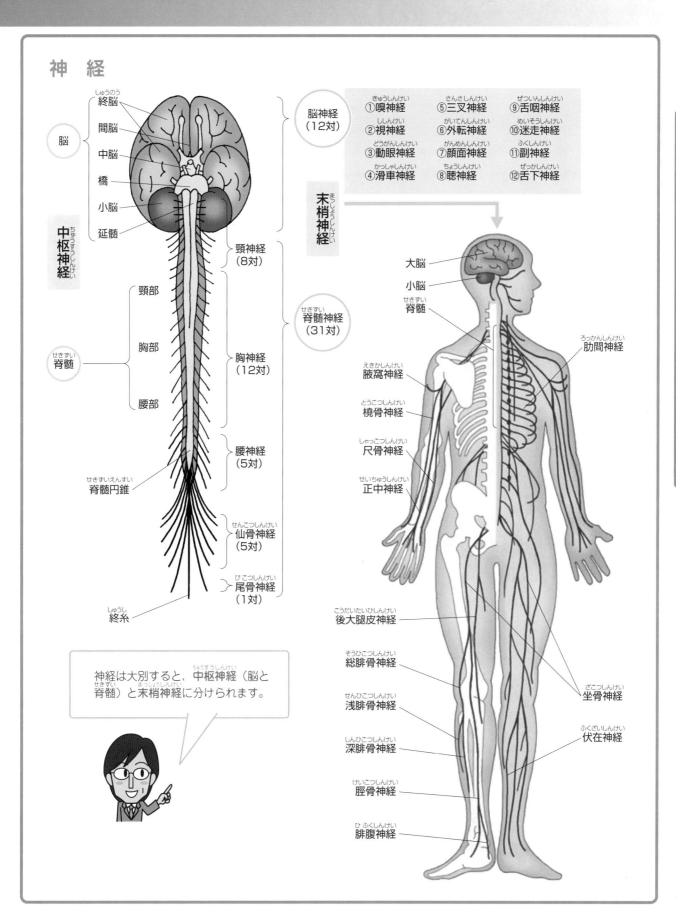

脳

終脳（しゅうのう）
間脳（かんのう）
中脳（ちゅうのう）
橋（きょう）
小脳（しょうのう）
延髄（えんずい）

中枢神経（ちゅうすうしんけい）

脊髄（せきずい）

頸部
胸部
腰部

脊髄円錐（せきずいえんすい）

終糸（しゅうし）

脳神経（12対）

末梢神経（まっしょうしんけい）

①嗅神経（きゅうしんけい）
②視神経（ししんけい）
③動眼神経（どうがんしんけい）
④滑車神経（かっしゃしんけい）
⑤三叉神経（さんさしんけい）
⑥外転神経（がいてんしんけい）
⑦顔面神経（がんめんしんけい）
⑧聴神経（ちょうしんけい）
⑨舌咽神経（ぜついんしんけい）
⑩迷走神経（めいそうしんけい）
⑪副神経（ふくしんけい）
⑫舌下神経（ぜっかしんけい）

頸神経（8対）

脊髄神経（31対）

胸神経（12対）

腰神経（5対）

仙骨神経（せんこつしんけい）（5対）

尾骨神経（びこつしんけい）（1対）

大脳
小脳
脊髄（せきずい）

肋間神経（ろっかんしんけい）

腋窩神経（えきかしんけい）

橈骨神経（とうこつしんけい）

尺骨神経（しゃっこつしんけい）

正中神経（せいちゅうしんけい）

後大腿皮神経（こうだいたいひしんけい）

総腓骨神経（そうひこつしんけい）

浅腓骨神経（せんひこつしんけい）

深腓骨神経（しんひこつしんけい）

脛骨神経（けいこつしんけい）

腓腹神経（ひふくしんけい）

坐骨神経（ざこつしんけい）

伏在神経（ふくざいしんけい）

神経は大別すると、中枢神経（ちゅうすうしんけい）（脳と脊髄（せきずい））と末梢神経（まっしょうしんけい）に分けられます。

体系図

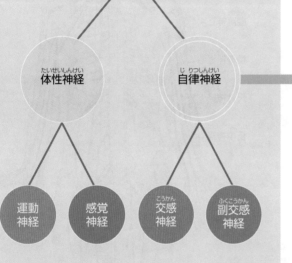

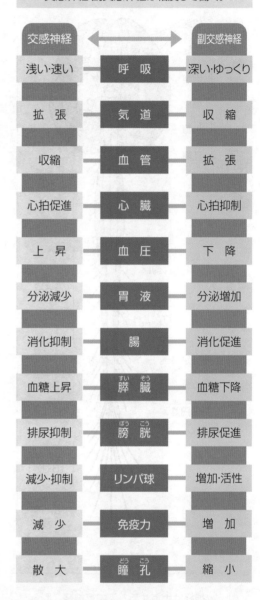

交感神経・副交感神経は相反して働く。

交感神経 ←→		副交感神経
浅い・速い	呼 吸	深い・ゆっくり
拡 張	気 道	収 縮
収 縮	血 管	拡 張
心拍促進	心 臓	心拍抑制
上 昇	血 圧	下 降
分泌減少	胃 液	分泌増加
消化抑制	腸	消化促進
血糖上昇	膵 臓	血糖下降
排尿抑制	膀 胱	排尿促進
減少・抑制	リンパ球	増加・活性
減 少	免疫力	増 加
散 大	瞳 孔	縮 小

中枢神経	●脳と脊髄
末梢神経	●脳神経（脳と末梢を連絡） ●脊髄神経（脊髄と末梢を連絡）
体性神経	●骨格筋などに分布し、随意運動などに関与
自律神経	●不随意筋の運動や腺での分泌などに関与

●交感神経は興奮している状態！
●副交感神経はリラックスしている状態！

血液循環と心臓

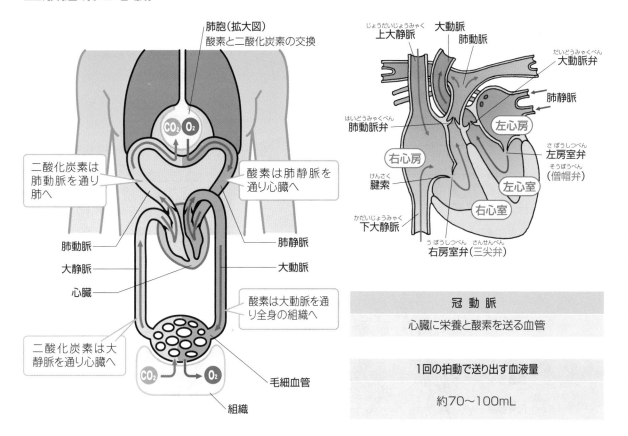

肺胞（拡大図）
酸素と二酸化炭素の交換

CO₂ O₂

二酸化炭素は
肺動脈を通り
肺へ

酸素は肺静脈を
通り心臓へ

肺動脈

大静脈

心臓

二酸化炭素は大
静脈を通り心臓へ

酸素は大動脈を通
り全身の組織へ

肺静脈

大動脈

CO₂ O₂

毛細血管

組織

上大静脈（じょうだいじょうみゃく）
大動脈
肺動脈
大動脈弁（だいどうみゃくべん）
肺静脈
肺動脈弁（はいどうみゃくべん）
左心房
右心房
左房室弁（さぼうしつべん）（僧帽弁）（そうぼうべん）
腱索（けんさく）
左心室
下大静脈（かだいじょうみゃく）
右心室
右房室弁（うぼうしつべん）（三尖弁）（さんせんべん）

冠動脈
心臓に栄養と酸素を送る血管

1回の拍動で送り出す血液量
約70〜100mL

血　圧

血圧は、血管中を流れる血液の圧力。

- 心臓が収縮したときを最高血圧
- 心臓が弛緩（しかん）したときを最低血圧

刺激伝導系

心臓の電気信号は、「心房」から「心室」へ伝わっていきます。

洞房結節（どうぼうけっせつ）（右心房）　—　ヒス束（そく）　→　プルキンエ線維（心室）

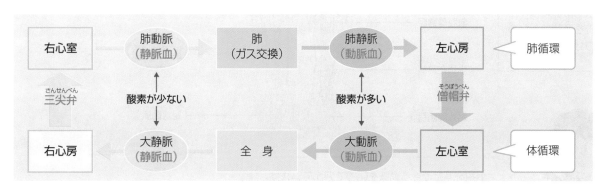

右心室	←	肺動脈（静脈血）	⇒	肺（ガス交換）	＝	肺静脈（動脈血）	→	左心房	← 肺循環
三尖弁（さんせんべん）		酸素が少ない				酸素が多い		僧帽弁（そうぼうべん）	
右心房	←	大静脈（静脈血）		全身	←	大動脈（動脈血）		左心室	← 体循環

第2章　こころとからだのしくみ

147

動脈と静脈

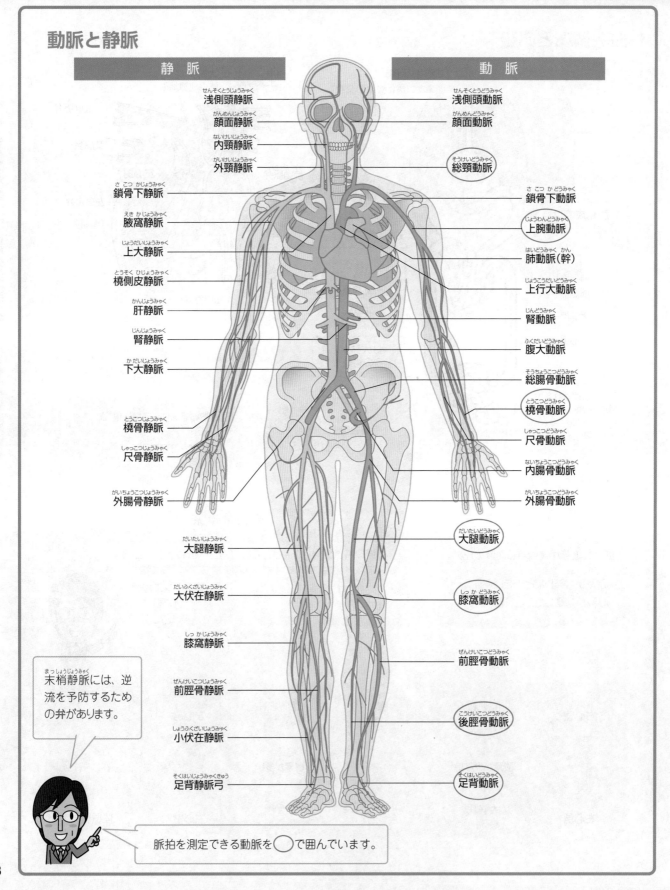

静脈

動脈

せんそくとうじょうみゃく
浅側頭静脈

がんめんじょうみゃく
顔面静脈

ないけいじょうみゃく
内頸静脈

がいけいじょうみゃく
外頸静脈

さ こつ か じょうみゃく
鎖骨下静脈

えき か じょうみゃく
腋窩静脈

じょうだいじょうみゃく
上大静脈

とうそく ひじょうみゃく
橈側皮静脈

かんじょうみゃく
肝静脈

じんじょうみゃく
腎静脈

か だいじょうみゃく
下大静脈

とうこつじょうみゃく
橈骨静脈

しゃっこつじょうみゃく
尺骨静脈

がいちょうこつじょうみゃく
外腸骨静脈

だいたいじょうみゃく
大腿静脈

だいふくざいじょうみゃく
大伏在静脈

しっ か じょうみゃく
膝窩静脈

ぜんけいこつじょうみゃく
前脛骨静脈

しょうふくざいじょうみゃく
小伏在静脈

そくはいじょうみゃくきゅう
足背静脈弓

せんそくとうどうみゃく
浅側頭動脈

がんめんどうみゃく
顔面動脈

そうけいどうみゃく
総頸動脈

さ こつ か どうみゃく
鎖骨下動脈

じょうわんどうみゃく
上腕動脈

はいどうみゃく（かん）
肺動脈（幹）

じょうこうだいどうみゃく
上行大動脈

じんどうみゃく
腎動脈

ふくだいどうみゃく
腹大動脈

そうちょうこつどうみゃく
総腸骨動脈

とうこつどうみゃく
橈骨動脈

しゃっこつどうみゃく
尺骨動脈

ないちょうこつどうみゃく
内腸骨動脈

がいちょうこつどうみゃく
外腸骨動脈

だいたいどうみゃく
大腿動脈

しっ か どうみゃく
膝窩動脈

ぜんけいこつどうみゃく
前脛骨動脈

こうけいこつどうみゃく
後脛骨動脈

そくはいどうみゃく
足背動脈

まっしょうじょうみゃく
末梢静脈には、逆流を予防するための弁があります。

脈拍を測定できる動脈を◯で囲んでいます。

血液成分

血液は体重の約7～8%を占めます。

血漿（けっしょう）

血漿（けっしょう）
（約55%）

血小板

白血球

赤血球

細胞成分（約45%）

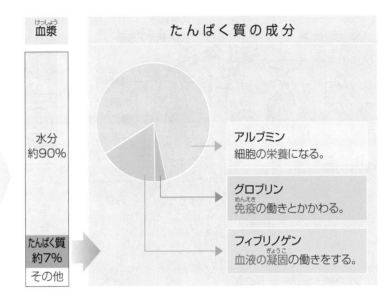

血漿（けっしょう）

水分
約90%

たんぱく質
約7%

その他

たんぱく質の成分

アルブミン
細胞の栄養になる。

グロブリン
免疫（めんえき）の働きとかかわる。

フィブリノゲン
血液の凝固（ぎょうこ）の働きをする。

血小板は、血液の凝固や止血の作用をする。

20～50万個/㎣

白血球は体内に入った細菌や異物を処理し、体を守る働きをする。

4,000～9,000個/㎣

白血球	無顆粒球（むかりゅうきゅう）	リンパ球	体液性免疫	B細胞
			細胞性免疫	T細胞 NK細胞
		単球	マクロファージ	
	顆粒球（かりゅうきゅう）	好中球（こうちゅうきゅう）、好酸球（こうさんきゅう）、好塩基球（こうえんききゅう）		

赤血球はヘモグロビンによって酸素の運搬を行う。

450～500万個/㎣

リンパ系

全身のリンパ管の走行

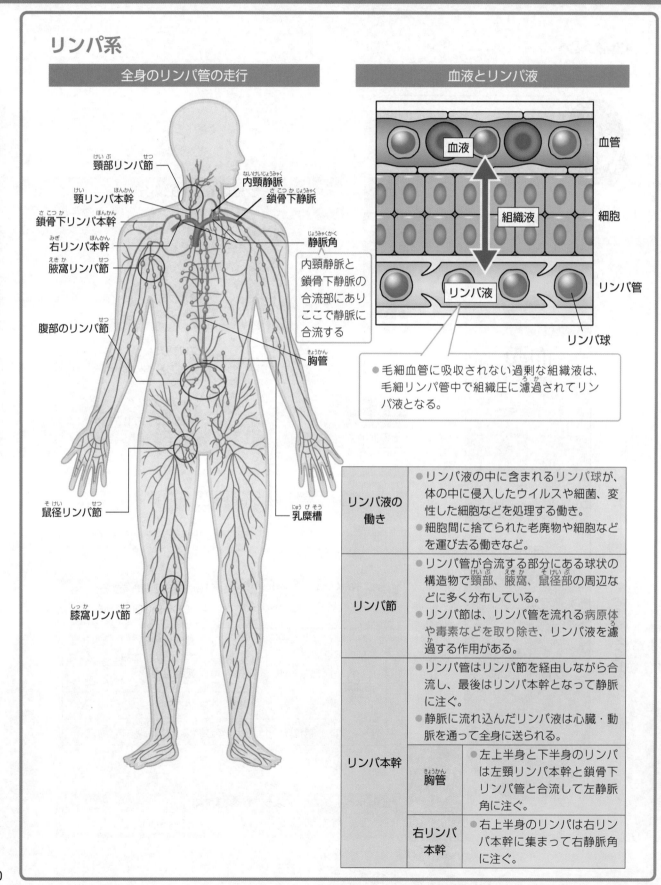

- 頸部リンパ節
- 内頸静脈
- 頸リンパ本幹
- 鎖骨下静脈
- 鎖骨下リンパ本幹
- 右リンパ本幹
- 静脈角
- 腋窩リンパ節
- 腹部のリンパ節
- 胸管
- 鼠径リンパ節
- 乳糜槽
- 膝窩リンパ節

内頸静脈と鎖骨下静脈の合流部にありここで静脈に合流する

血液とリンパ液

- 血液 — 血管
- 組織液 — 細胞
- リンパ液 — リンパ管
- リンパ球

● 毛細血管に吸収されない過剰な組織液は、毛細リンパ管中で組織圧に濾過されてリンパ液となる。

リンパ液の働き	●リンパ液の中に含まれるリンパ球が、体の中に侵入したウイルスや細菌、変性した細胞などを処理する働き。 ●細胞間に捨てられた老廃物や細胞などを運び去る働きなど。	
リンパ節	●リンパ管が合流する部分にある球状の構造物で頸部、腋窩、鼠径部の周辺などに多く分布している。 ●リンパ節は、リンパ管を流れる病原体や毒素などを取り除き、リンパ液を濾過する作用がある。	
リンパ本幹	●リンパ管はリンパ節を経由しながら合流し、最後はリンパ本幹となって静脈に注ぐ。 ●静脈に流れ込んだリンパ液は心臓・動脈を通って全身に送られる。	
	胸管	●左上半身と下半身のリンパは左頸リンパ本幹と鎖骨下リンパ管と合流して左静脈角に注ぐ。
	右リンパ本幹	●右上半身のリンパは右リンパ本幹に集まって右静脈角に注ぐ。

呼吸器

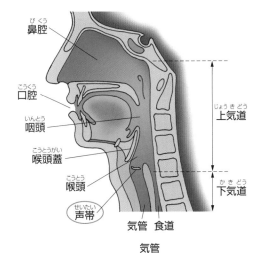

鼻腔（びくう）
口腔（こうくう）
咽頭（いんとう）
喉頭蓋（こうとうがい）
喉頭（こうとう）
声帯（せいたい）
上気道（じょうきどう）
下気道（かきどう）
気管　食道

呼　吸

● 呼吸は、外呼吸（空気と血液のガス交換）と内呼吸（血液と細胞のガス交換）の2種類に分けられる。
● 外呼吸では、口・鼻→咽頭（いんとう）→喉頭（こうとう）→気管→気管支→肺胞の順番で空気が取り込まれる。

喀　痰（かくたん）

● 痰（たん）は、気道の分泌物に、塵、ほこり、細菌、気道からはがれた細胞などが加わった混合物。
● 気管の表面はせん毛をもった上皮とその上の粘液でおおわれ、気管の奥から喉のほうへ動くせん毛運動によって、痰（たん）を外に押し出そうとする。
● 通常これらの量は少量で、ほとんどは無意識のうちに分泌物を胃の中に飲み込んでいるが、疾患などによって分泌物が増加したり、粘性（ねんせい）が増したりすると、排出されずに気管・喉（のど）などにたまる。

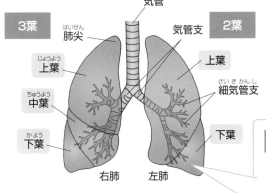

気管
3葉　肺尖（はいせん）　気管支　2葉
上葉（じょうよう）　上葉
中葉（ちゅうよう）　細気管支（さいきかんし）
下葉（かよう）　下葉
右肺　左肺

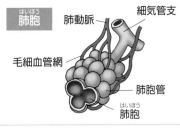

肺胞（はいほう）
肺動脈　細気管支
毛細血管網
肺胞管
肺胞（はいほう）

肺胞内の空気から、酸素を血液中に取り入れ、血液中の二酸化炭素を肺胞内に押し出し、"ガス交換"が行われる。

肺活量

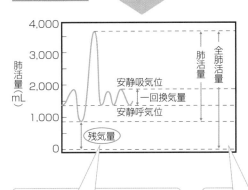

肺活量（mL）
4,000
3,000
2,000
1,000
0

安静吸気位
一回換気量
安静呼気位
残気量
肺活量
全肺活量

吸息時
呼息時
横隔膜

呼吸運動

● 吸息は、外肋間筋（がいろっかんきん）や横隔膜（おうかくまく）の収縮により、胸腔を拡大して行われる。
● 呼息は、内肋間筋（ないろっかんきん）の収縮、横隔膜（おうかくまく）の弛緩（しかん）により、胸腔を縮小して行われる。

残気量（ざんきりょう）は加齢とともに増加傾向。

肺活量……最大に息を吸い、ついで最大に息を吐いたときの呼吸量。成人男性では3,000〜4,000mL、女性では2,000〜3,000mL。

口 腔

口腔の構造

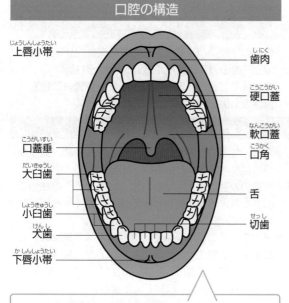

- 上唇小帯（じょうしんしょうたい）
- 歯肉（しにく）
- 硬口蓋（こうこうがい）
- 軟口蓋（なんこうがい）
- 口蓋垂（こうがいすい）
- 口角（こうかく）
- 大臼歯（だいきゅうし）
- 舌（ぜつ）
- 小臼歯（しょうきゅうし）
- 切歯（せっし）
- 犬歯（けんし）
- 下唇小帯（かしんしょうたい）

- ●永久歯の数は、28 ～ 32 本
- ●切歯（せっし）と犬歯（けんし）はかみ切る働きが、臼歯（きゅうし）は食物をかみ砕き、唾液と混ぜ合わせる働きがある。

歯の構造

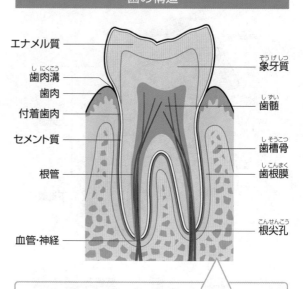

- エナメル質
- 象牙質（ぞうげしつ）
- 歯肉溝（しにくこう）
- 歯肉
- 歯髄（しずい）
- 付着歯肉
- 歯槽骨（しそうこつ）
- セメント質
- 歯根膜（しこんまく）
- 根管
- 根尖孔（こんせんこう）
- 血管・神経

- ●エナメル質は身体のなかで最も硬い部分、セメント質は歯根部分の表面を覆う部分であり、両者の内部に象牙質、歯髄がある。

舌

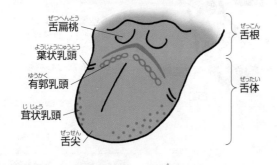

- 舌扁桃（ぜつへんとう）
- 舌根（ぜっこん）
- 葉状乳頭（ようじょうにゅうとう）
- 有郭乳頭（ゆうかく）
- 舌体（ぜったい）
- 茸状乳頭（じじょう）
- 舌尖（ぜっせん）

- ●舌は咀嚼（そしゃく）や嚥下（えんげ）、発声などに活用される。
- ●味覚は味蕾（みらい）のなかにある受容器を介して行われる。
- ●基本味は、「甘味」「苦味」「酸味」「塩味」「うま味」の5つ

唾液腺

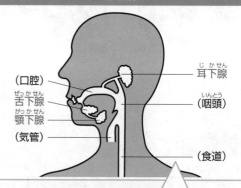

- （口腔）
- 耳下腺（じかせん）
- 舌下腺（ぜっかせん）
- （咽頭）（いんとう）
- 顎下腺（がっかせん）
- （気管）
- （食道）

- ●唾液腺（だえきせん）は、大唾液腺（だいだえきせん）と小唾液腺（しょうだえきせん）があり、大唾液腺には耳下腺（じかせん）、舌下腺（ぜっかせん）、顎下腺（がっかせん）がある。
- ●唾液は唾液腺から約 1L ／日分泌される。唾液の約 99 ％以上が水分で、消化酵素（こうそ）や少量のホルモンも分泌される。抗菌作用がある。

口臭（こうしゅう）の種類	生理的な口臭	●起床時など、水分不足の状態で、唾液分泌量が少なくなって発生
	食物などによる口臭	●にんにく、にらなど、においの強い食べ物や喫煙などにより発生
	疾患による口臭	●虫歯・歯周病などの口腔内疾患、鼻炎、呼吸器、消化器疾患などにより発生

嚥下のしくみ：摂食・嚥下の5分類

①先行期（認知期）

- 食物の形、色、臭いなどを認知する時期
- 唾液が分泌され、食事の準備が行われる。

②準備期（咀嚼期）

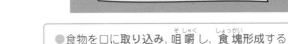

- 食物を口に取り込み、咀嚼し、食塊形成する時期

③口腔期　④咽頭期　⑤食道期

軟口蓋

食塊

気管 食道

嚥下反射

喉頭蓋

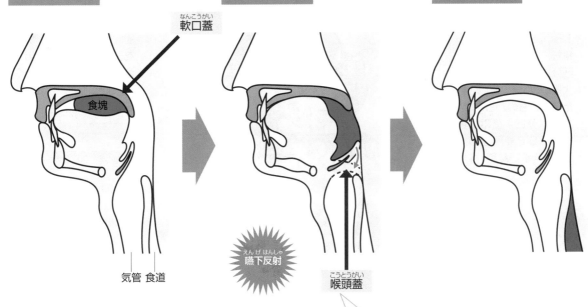

喉頭蓋は食物の重みと舌骨、喉頭の挙上によって下がり、気道を閉鎖する。

- 食塊を口腔から咽頭へ移送する時期
- 移送はおもに舌で行われる。

- 食塊が咽頭を通過する時期
- 口腔粘膜に食塊が触れると嚥下反射がおき食道へ送られる。

- 食塊が食道入口部から胃へ移送される時期
- 食道に入り込むと、蠕動運動、重力、腹腔内圧によって胃へと移送される。

消化器

胃

● 食道に続く噴門に始まり、左上方にふくれた胃底部、それに続き胃体部が右下方に向かい、幽門で終わる。胃液を分泌する。

小 腸

● 腹腔内を蛇行する6〜7mの管状の器官で、十二指腸、空腸、回腸に区分される。胆汁、膵液、腸液などの消化液で消化し、主に栄養分を吸収する。

大 腸

● 腹腔の周りを取り囲んで走っており、全長約1.5m。盲腸、結腸（上行、横行、下行、S状）、直腸に区分される。
● 大腸は、小腸で吸収された残りのものから、前半分で水分および電解質を吸収して糞便を形成し、後半部で蓄積、排便する。

排便の仕組み

● 食べ物が胃に入ると、胃・結腸反射が誘発される。
● 副交感神経は、直腸の蠕動運動を促進させる。
● 直腸の蠕動運動が促進し、内肛門括約筋がゆるむ。
● 排便時には、外肛門括約筋を意識的に弛緩させる。

肝 臓

● 胆汁を分泌。
● 門脈（胃や腸などから肝臓に流入する血管）を通じて流れてくる血液中に含まれている栄養の処理、貯蔵、中毒性物質の解毒、分解、排泄、血液性状の調節、身体防衛作用などを行う。

胆のう

● 肝臓で分泌された胆汁は、胆のうに貯えられ、十二指腸へ排出される。
● 胆汁はアルカリ性で黄色を呈し、主な成分は胆汁酸、胆汁色素（ビリルビン）など。脂肪の消化吸収を間接的に促す。

膵 臓

● 膵臓は膵液を分泌する外分泌部と、ランゲルハンス島からインスリン、グルカゴンというホルモンを分泌する内分泌部をもつ。
● 膵液は3大栄養素の消化酵素を含んでおり、弱アルカリ性で胃液にて酸性になった食物を中和し、消化酵素を働かせる。

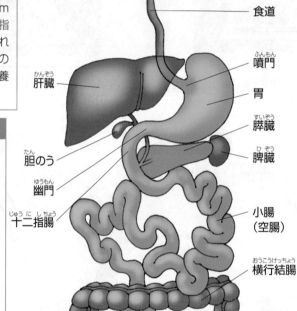

大脳
小脳
咽頭
口腔
食道
肝臓
噴門
胃
膵臓
脾臓
胆のう
幽門
十二指腸
小腸（空腸）
横行結腸
上行結腸
小腸（回腸）
下行結腸
盲腸
虫垂
直腸
S状結腸

ブリストル便性状スケール

コロコロ便	硬い便	やや硬い便	普通便	やや軟らかい便	泥状便	水様便

泌尿器

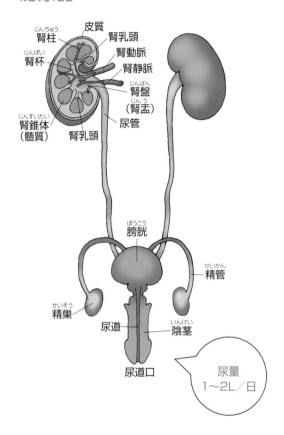

腎柱（じんちゅう）
皮質
腎乳頭
腎動脈
腎杯（じんぱい）
腎静脈
腎盤（じんばん）（腎盂（じんう））
腎錐体（じんすいたい）（髄質）
尿管
腎乳頭

膀胱（ぼうこう）
精管（せいかん）
精巣（せいそう）
尿道
陰茎（いんけい）
尿道口

尿量
1～2L／日

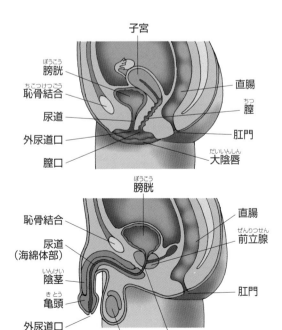

子宮
膀胱（ぼうこう）
恥骨結合（ちこつけつごう）
尿道
外尿道口
腟口
直腸
腟（ちつ）
肛門
大陰唇（だいいんしん）

膀胱（ぼうこう）
恥骨結合
尿道（海綿体部）
陰茎（いんけい）
亀頭（きとう）
外尿道口
精巣（せいそう）
直腸
前立腺（ぜんりつせん）
肛門
尿道隔膜部

腎臓（じんぞう）

- 体に不要な老廃物や多くの取り過ぎた物質を血液中から濾過（ろか）し、尿として体外に排泄する働きをする。
- 糸球体中からボウマンのうへ濾過されるものを原尿といい、1日約150～200Lにもなる。
- 原尿は尿細管を流れる間に、その周りを取り巻いている毛細血管に水分の99％、ナトリウム、ブドウ糖、アミノ酸などが再吸収され、実際に排泄される尿量は1日約1～2Lである。

尿管

- 腎盤（じんばん）から始まり腎門（じんもん）を出て膀胱（ぼうこう）まで走る長さ約30cmの平滑筋性の管。狭窄部（きょうさくぶ）が3か所あり、それが尿管結石やがんが起こりやすい場所となっている。

膀胱（ぼうこう）

- 尿管によって送られてきた尿を蓄える、およそ500mLの容量をもつ筋性の袋状の器官。
- 膀胱に150～300mL程度尿がたまると、排尿がしたいと感じる。

尿道

- 膀胱内（ぼうこうない）の尿を体外に排泄する管で、男性で16～18cm、女性で3～4cmと、男女で大きく異なる。
- 男性尿道は前立腺（ぜんりつせん）を貫き陰茎（いんけい）内を走り、亀頭（きとう）先端に外尿道口が開く。
（※前立腺（ぜんりつせん）は男性特有のもの）
- 排尿を調節する中枢は、大脳、脳幹（のうかん）、脊髄（せきずい）にある。

尿

- 排尿直後は淡黄色で透明である。
- 健常者の尿は、弱酸性（pH6.0前後）である。
- 尿を空気に触れた状態で放置しておくとアンモニア臭がする。

内分泌

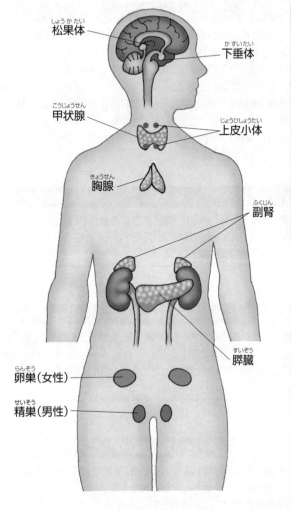

内分泌器官とホルモン

視床下部		成長ホルモン放出ホルモン、甲状腺刺激ホルモン放出ホルモン、副腎皮質刺激ホルモン放出ホルモンなど
下垂体	下垂体前葉	成長ホルモン、甲状腺刺激ホルモン、副腎皮質刺激ホルモン、性腺刺激ホルモンなど
	下垂体後葉	バゾプレッシン（抗利尿ホルモン）、オキシトシンなど
松果体		メラトニン（睡眠を促進する）
甲状腺		サイロキシン（体の活動全体のバランスを調整する）カルシトニン（カルシウムを調整する）
胸腺		胸腺ホルモン（免疫応答）※免疫応答(病原体などを排除し、体の恒常性を保つ反応)
上皮小体（副甲状腺）		パラソルモン（カルシウムを調節する）
副腎	副腎皮質	アルドステロン（血圧や血液の量を維持する）コルチゾール（炎症を抑える）
	副腎髄質	アドレナリン、ノルアドレナリン（ストレスに対応する）
膵臓		ランゲルハンス島で分泌 インスリン（血糖値を下げる働き）グルカゴン（血糖値を上げる働き）
性腺		女性ホルモン（卵巣で分泌）　エストロゲン、プロゲステロン 男性ホルモン（精巣などで分泌）　アンドロゲン（テストステロン）

●**ホルモン**の語源は、「引き起こすもの」「刺激するもの」です。
●ホルモンは、さまざまな器官で分泌されて**血液や体液などによって目的の器官や細胞組織に運ばれ**、その働きを促したり、逆に抑制したりして、「体の調節」をします。

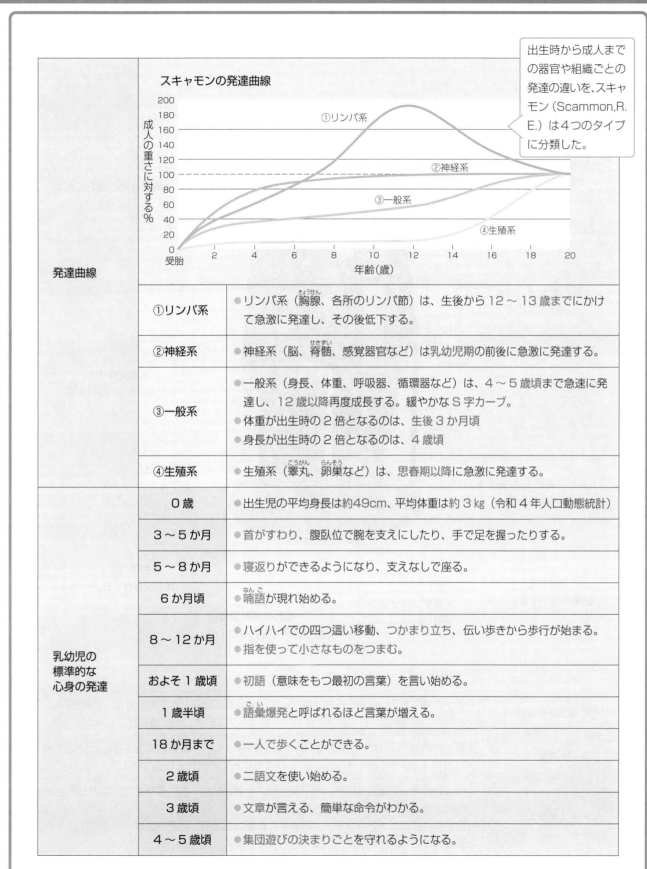

発達曲線	スキャモンの発達曲線 成人の重さに対する% ①リンパ系 ②神経系 ③一般系 ④生殖系 受胎 2 4 6 8 10 12 14 16 18 20 年齢(歳)	出生時から成人までの器官や組織ごとの発達の違いを、スキャモン（Scammon,R. E.）は４つのタイプに分類した。
	①リンパ系	●リンパ系（胸腺、各所のリンパ節）は、生後から 12 〜 13 歳までにかけて急激に発達し、その後低下する。
	②神経系	●神経系（脳、脊髄、感覚器官など）は乳幼児期の前後に急激に発達する。
	③一般系	●一般系（身長、体重、呼吸器、循環器など）は、4 〜 5 歳頃まで急速に発達し、12 歳以降再度成長する。緩やかな S 字カーブ。 ●体重が出生時の 2 倍となるのは、生後 3 か月頃 ●身長が出生時の 2 倍となるのは、4 歳頃
	④生殖系	●生殖系（睾丸、卵巣など）は、思春期以降に急激に発達する。
乳幼児の標準的な心身の発達	**0 歳**	●出生児の平均身長は約49cm、平均体重は約 3 kg（令和 4 年人口動態統計）
	3〜5か月	●首がすわり、腹臥位で腕を支えにしたり、手で足を握ったりする。
	5〜8か月	●寝返りができるようになり、支えなしで座る。
	6か月頃	●喃語が現れ始める。
	8〜12か月	●ハイハイでの四つ這い移動、つかまり立ち、伝い歩きから歩行が始まる。 ●指を使って小さなものをつまむ。
	およそ 1 歳頃	●初語（意味をもつ最初の言葉）を言い始める。
	1 歳半頃	●語彙爆発と呼ばれるほど言葉が増える。
	18 か月まで	●一人で歩くことができる。
	2 歳頃	●二語文を使い始める。
	3 歳頃	●文章が言える、簡単な命令がわかる。
	4〜5 歳頃	●集団遊びの決まりごとを守れるようになる。

高齢者の疾患・症状の特徴

- 一人で多くの疾患を有している。
- 検査結果の個人差が大きい。
- 疾患の経過が慢性化することが多い。
- 嚥下反射の低下により、誤嚥しやすい。
- 腸の蠕動運動の低下により、便秘になりやすい。
- 合併症を併発しやすい。
- 脱水症になりやすい。
- 加齢に伴って、収縮期血圧は上昇傾向。
- 尿路系、呼吸器系の感染症に罹患しやすい。
- 肺活量が低下する。
- 感覚器の機能が低下する。
- 症状が非定型的で顕著に発現しにくい。
- 複数の薬剤間の相互作用が起こりやすい。
- 生理的に貧血になりがち。

老化プログラム説	●老化の発現あるいは老化速度が遺伝的に決められているとする考え方で、正常細胞において、人の細胞分裂の回数があらかじめ決まっていることで老化が生じるという説。
エラー破局説	●細胞内の遺伝子（DNA）が活性酸素や紫外線などによる損傷を修復することができずにエラーとなった遺伝子（DNA）が蓄積することで老化が生じるという説。
ホメオスタシス	●ホメオスタシスは、生体恒常性と訳され、生体が外的・内的環境の変化に対して生理的状態を一定の状態に保とうとする性質。 ●高齢者はこのホメオスタシスを維持する機能が低下し、外的および内的変化に対する適応力が乏しくなる。

高齢者に起こりやすい状態のうち、「脱水」「便秘」「低栄養」について整理しましょう。

脱　水	●人体は、ホメオスタシス（生体恒常性）により一定の水分（およそ50～60%）やその他の必要な成分が保たれている。脱水は、発熱や下痢・嘔吐、発汗、水分摂取の低下などにより、水分喪失量に対して摂取量が不足することによって起こる。		
	脱水の分類	高張性脱水	●水分が多く失われる水欠乏性の脱水。
		低張性脱水	●ナトリウムが多く失われる塩類欠乏症の脱水。
		等張脱水	●水分とナトリウム欠乏とがほぼ同じ割合で起こっている混合性の脱水。
	脱水の症状		●皮膚や粘膜の乾燥、血圧低下、頻脈、尿量減少、体重減少、体温上昇、めまい、活動性の低下など。
	起こりやすい疾患		●尿路感染症、熱中症など。
	予　防		●こまめに水分をとるように工夫する。 ●経口補水液（食塩とブドウ糖を混合し、水に溶かしたもの）は、軽度から中等度の脱水状態に有効とされている。
便　秘	●便秘には、大腸がんや腸閉塞などが原因で腸管が狭くなっている器質性便秘と、腸管の機能低下などでおこる機能性便秘がある。		
	器質性便秘		●大腸がんや腸閉塞などが原因で腸管が狭くなっている。
	機能性便秘		●腸管の機能低下、または機能異常による便秘。麻薬性鎮痛剤などの副作用も原因の一つ。
		弛緩性便秘	●大腸の緊張が緩んで蠕動運動が弱くなっている。
		痙攣性便秘	●大腸が痙攣を起こして狭くなっている。
		直腸性便秘	●直腸反射が鈍くなって便意を感じにくくなっている。
	便秘の予防		●排便する習慣をつける援助を行う。 ●食物繊維の摂取、水分の摂取量保持、歯・義歯の点検・受診の援助、適度な運動など。
たんぱく質・エネルギー低栄養状態（PEM）	●たんぱく質および糖質、脂質などによって供給されるエネルギーが不足した低栄養状態。 ●加齢とともに、消化吸収能力が低下していくことが多く、低栄養状態になりやすい。		
	伴いやすい症状		●浮腫（むくみ）、感染症、活動性の低下、貧血など。
	指　標		●血清アルブミン値（3.5g/dL以下）、体重減少率（1か月で3～5%未満、3か月で3～7.5%未満、6か月で3～10%未満）、BMI（18.5未満）などが中リスクの指標となる。

加齢に伴う身体機能の変化の特徴

外見の変化	姿 勢	● 円背(猫背になりやすい) ● 変形性関節症(腰が湾曲したり、膝が伸びにくくなったりする)
	皮 膚	● 皮膚の乾燥(発汗や皮脂分泌の機能低下により水分量が低下) ● しわ、たるみ、弾力の低下など
	毛 髪	● 白髪、脱毛
	爪	● 硬くなる、もろくなる、肥厚するなど
	歯	● 歯肉の後退、歯周病、う歯(むし歯)になりやすい
神 経		● 体温調節機能の低下(低体温、高体温になりやすい) ● 深いノンレム睡眠の減少(早朝覚醒、不眠になりやすい) ● 脳萎縮(もの忘れしやすい)
筋骨格		● 筋力の低下(運動能力の低下) ● 骨密度の低下(骨折しやすい)
免疫機能		● 免疫機能が低下し、がんや感染症にかかりやすくなる。
咀嚼・嚥下機能	咀嚼機能	● 咀嚼機能の低下(歯の摩耗、口唇・口頬の筋力の低下)
	嚥下機能	● 誤嚥しやすくなる ● 咳嗽反射、感覚の低下(誤嚥があってもむせにくい)
	その他	● 味の濃いものを好むようになる ● 唾液の分泌量が低下する
循環器		● 赤血球数の減少(疲れやすい、貧血症状が起こりやすい) ● 血管壁の肥厚や弾力低下(高血圧になりやすい) ● 不整脈が増加する
呼吸器		● ガス交換機能の低下(血中酸素量が下がりやすい) ● 肺活量の減少(息切れがしやすい)
泌尿器		● 前立腺の肥大(頻尿、尿失禁が起こりやすい) ● 尿の濃縮力が低下する
消化器		● 結腸、直腸、肛門の機能の低下(便秘、便失禁が起こりやすい) ● 肝機能の低下(薬の副作用が出やすい)
内分泌・代謝		● 若年者に比べて低血糖の自覚症状に乏しい ● 電解質の異常が起こりやすい ● ビタミンDの利用能力が低下しやすい(骨粗鬆症になりやすい)
感覚器	視 覚	● 老眼(遠近調節機能の低下) ● 水晶体の混濁(明るいところではまぶしく、暗いところでは見えにくい) ● 識別に必要な照度が高くなる ● 明暗に順応する時間が長くなる
	聴覚・平衡機能	● 高音域(高周波の音)の聴力の低下(言葉の聞き取りが困難) ● 平衡感覚の低下(転倒しやすくなる)

第2章 こころとからだのしくみ

3節　疾病や障害

「疾病や障害」では、利用者に多い「疾病」や「障害」について整理していきます。

単　元		重要度	出題実績					最近の出題内容
			32回	33回	34回	35回	36回	
23	脳血管疾患	B	3	1	1	2		脳血管疾患の特徴、運動性失語症、感覚性失語症、高次脳機能障害
24	認知症	A	11	10	13	11	9	アルツハイマー型認知症、血管性認知症、レビー小体型認知症、前頭側頭型認知症、正常圧水頭症、若年性認知症、MMSE、中核症状とBPSD、薬物療法、認知症ケア
25	神経疾患	A	2	3	5	2	2	ALS、パーキンソン病、脊髄小脳変性症、脊髄損傷
26	運動器疾患	A	3	2		2	3	骨粗鬆症、転倒・骨折、関節リウマチ、変形性関節症、脊柱管狭窄症、筋ジストロフィー
27	循環器疾患	B	2	1	1		1	高血圧症、心房細動、狭心症、心筋梗塞、心不全、貧血
28	呼吸器疾患	C		1	1			肺炎、肺結核、慢性閉塞性肺疾患（COPD）
29	消化器疾患	C	1			1		胃・十二指腸潰瘍、ノロウイルス、肝炎
30	腎・泌尿器疾患	B	1	1	1		3	膀胱炎、前立腺肥大症、尿失禁、腎不全
31	内分泌・代謝疾患	C		1	1		1	甲状腺機能低下症、糖尿病、痛風
32	感覚器疾患	C		1				白内障、緑内障、網膜色素変性症、白癬、疥癬、老人性難聴、めまい
33	先天性疾患	C	1		1		1	ダウン症、脳性麻痺
34	感染症	C					2	インフルエンザ、MRSA、日和見感染症、感染経路、感染症対策
35	精神疾患	B	3	1	1		2	統合失調症、気分障害、せん妄、心的外傷後ストレス障害（PTSD）、精神障害者の入院形態
36	発達障害	B	1	3		2	2	自閉症スペクトラム障害、ADHD、学習障害
37	リハビリテーション	C		2				リハビリテーションの定義・理念、リハビリテーションの領域、ADLとIADL
38	廃用症候群・褥瘡	B	1	3		2		廃用症候群の予防、深部静脈血栓症、フレイル、褥瘡

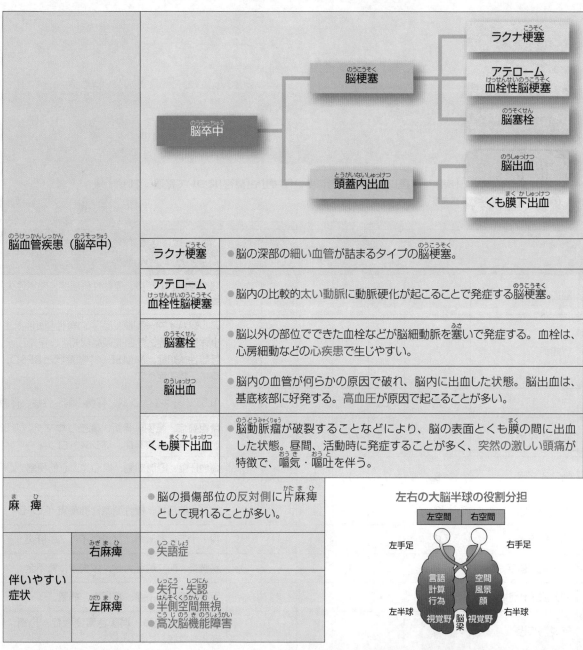

脳血管疾患（脳卒中）		
	ラクナ梗塞	●脳の深部の細い血管が詰まるタイプの脳梗塞。
	アテローム血栓性脳梗塞	●脳内の比較的太い動脈に動脈硬化が起こることで発症する脳梗塞。
	脳塞栓	●脳以外の部位でできた血栓などが脳細動脈を塞いで発症する。血栓は、心房細動などの心疾患で生じやすい。
	脳出血	●脳内の血管が何らかの原因で破れ、脳内に出血した状態。脳出血は、基底核部に好発する。高血圧が原因で起こることが多い。
	くも膜下出血	●脳動脈瘤が破裂することなどにより、脳の表面とくも膜の間に出血した状態。昼間、活動時に発症することが多く、突然の激しい頭痛が特徴で、嘔気・嘔吐を伴う。
麻痺		●脳の損傷部位の反対側に片麻痺として現れることが多い。
伴いやすい症状	右麻痺	●失語症
	左麻痺	●失行・失認 ●半側空間無視 ●高次脳機能障害

左右の大脳半球の役割分担

左空間　右空間

左手足　　　　　　　　　右手足

左半球	右半球
言語 計算 行為	空間 風景 顔

視覚野　脳梁　視覚野

左半球　　　　　　　　右半球

脳血管疾患　発症頻度

厚生労働省「令和2年患者調査」をもとに作成

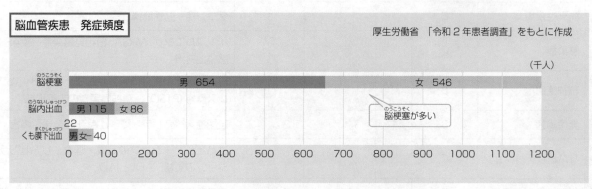

（千人）

脳梗塞　男 654　女 546

脳内出血　男 115　女 86

くも膜下出血　22　男女-40

脳梗塞が多い

0　100　200　300　400　500　600　700　800　900　1000　1100　1200

				対応方法
言語障害	失語症	運動性失語 （ブローカ失語）	●「理解面」よりも「表出面」に低下のみられる失語。 ●他人の話すことは理解するが、話そうとすると言葉にならない。	閉じられた質問、絵カードなどを活用する。
		感覚性失語 （ウェルニッケ失語）	●「表出面」よりも「理解面」に低下のみられる失語。 ●他人の話すことを理解することが難しい。	身振り（ジェスチャー）などを活用する。
	構音障害	器質性 構音障害	●音声器官の形態上の障害により引き起こされる発音上の障害。	五十音表、筆談などを活用する。
		運動障害（麻痺）性 構音障害	●唇や舌などの音声器官の運動機能障害により引き起こされる発音上の障害。	
高次脳機能障害			●記憶障害、注意障害、遂行（実行）機能障害などの認知障害を主たる原因として、日常生活および社会生活への適応に困難を有する障害。 ●原因疾患は、脳卒中が最も多く、脳外傷、脳腫瘍、脳炎、低酸素脳症などがある。	
		記憶障害	●物の置き場所や約束を忘れたり、新しい出来事を覚えていられなくなったりすること。そのために何度も同じことを繰り返し質問したりする。	
		注意障害	●注意の持続・維持が困難になり、同時に2つ以上のことをすると混乱する。	
		遂行（実行） 機能障害	●決まった方法にこだわり、状況に応じた判断ができない。日常生活や仕事の内容を計画して実行できない。	
		社会的 行動障害	●欲求、感情をコントロールする力やコミュニケーション能力、意欲などが低下し、ちょっとしたことで感情を爆発させたり、依存、退行、固執、抑うつなどの行動がみられる。	
失行			●運動機能が損なわれていないのに、目的に沿った動作ができない。	
		観念失行	●道具の使用方法は説明できるが、実際に使用する際にうまくできない。	
		着衣失行	●服を着るときに裏表・上下などを間違え、うまく着られない。	
失認			●感覚機能が損なわれていないのに、対象を認識または同定できない。	
		半側空間無視	●脳の損傷の反対側に提示された刺激に反応したり、注意を向けたりするのに失敗すること。左側に現れることが多い。	
		相貌失認	●目や鼻など顔のパーツは知覚可能であるのに、顔全体を見て個人の識別をすることができない。	

認知症の原因疾患

認知症	●アルツハイマー病その他の神経変性疾患、脳血管疾患その他の疾患により日常生活に支障が生じる程度にまで認知機能が低下した状態として政令で定める状態をいう（介護保険法第5条の2）。

（千人）

アルツハイマー型認知症
- 65～74歳
- 75歳以上
- 65歳未満

血管性認知症等
- 75歳以上
- 65～74歳

●アルツハイマー型認知症が最も多い。
●後期高齢者が多い。

0　100　200　300　400　500　600　700　800

厚生労働省「令和2年患者調査」をもとに作成

アルツハイマー型認知症	●脳にβたんぱくというたんぱく質が蓄積すること（老人斑）などが原因で、認知機能の低下を引き起こす。 ●健忘が主症状で、エピソード記憶（特に近時記憶）の障害が特徴。
血管性認知症	●脳梗塞や脳出血などが原因で引き起こされる認知症。 ●片麻痺や言語障害、嚥下障害などの局所症状を伴うことが多い。

アルツハイマー型認知症と血管性認知症の比較		アルツハイマー型認知症	血管性認知症
	検　査	脳萎縮がみられる	脳血管障害を伴う
	性　別	女性に多い	男性に多い
	症　状	もの忘れ、失見当識	片麻痺、言語障害
	精神症状	徘徊、妄想	感情失禁、抑うつ
	認知症	全般的認知症	まだら認知症

レビー小体型認知症	●脳内にたまったレビー小体という特殊なたんぱく質により、脳の神経細胞を障害することで発症。 ●幻視、パーキンソン症状、日内変動などが特徴。	
	幻視	●「知らない人がいる」といった実際には見えないものが生々しく見える。
	パーキンソン症状	●パーキンソン病に似た運動の障害がみられる。転倒の危険性が高い。

前頭側頭型認知症（ピック病）	●脳の前頭葉から側頭葉あたりにかけての部位が萎縮する病気で、初老期に多くみられる。 ●行動の異常や性格変化がみられる。食事や嗜好の変化、常同行動、脱抑制などが特徴。	
	常同行動	●いつも同じ道順を歩き続ける、同じような動作を取り続けるといった、同じ行動を繰り返す。
	脱抑制	●相手に対して遠慮ができない、相手に対して暴力をふるうなど、自分に対して抑制が効かなくなる。

治療可能な認知症	慢性硬膜下血腫	●硬膜の下と脳の間に血腫ができる疾患で、血腫が脳を圧迫してさまざまな症状がみられる。 ●数か月前の、転倒などによる頭部外傷が原因のことが多く、認知症に似た症状がみられることもある。頭部CT検査や頭部MRI検査が診断に有用である。 ●血腫を取り除く手術で、認知症が改善することがある。
	正常圧水頭症	●脳脊髄圧が正常範囲であるが、脳室拡大が起きてきて水頭症が進行してくる。認知症、歩行障害、尿失禁などの症状がみられる。 ●治療は、髄液の流れを整えるシャント手術を行うことが多い。
クロイツフェルト・ヤコブ病（CJD）		●異常なプリオン蛋白が脳に蓄積して神経細胞が変性し、認知症、けいれん、意識障害が進行していく。進行が速く、1年以内の死亡例も多い。

認知症に類似した状態の下部には以下の記述がある。

<table>
<tr><td rowspan="6">若年性認知症</td><td colspan="5">●若年性認知症は、65歳未満で発症する認知症のことである。
●若年性認知症者は「3.57万人」と推計されている。罹患率は、男性のほうが高い。
●高齢者の認知症と比べて進行が速い傾向がある。
●仕事上の失敗やさまざまな精神症状の出現で周囲が気づくことも多く、診断が遅れがち。
●子どもが成人していない場合には、親の病気が与える心理的・経済的な影響が大きい。</td></tr>
</table>

原因となる疾患はアルツハイマー型認知症が最も多い。

アルツハイマー型認知症　53%	血管性認知症　17%	前頭側頭型認知症 9%	外傷による認知症 4%	レビー小体型認知症 4%	アルコール関連障害 3%	その他

「若年性認知症の有病率・生活実態把握と多元的データ共有システムの開発」（2020年3月）

軽度認知障害（MCI）	●正常と認知症の境界にある状態で、もの忘れについて自覚があるが、全般的な認知機能は正常に保たれ、日常生活には支障をきたしていない状態。

●認知症とよく似た状態に、うつ病やせん妄がある。

「認知症」「うつ病」「せん妄」の比較

	認知症	うつ病	せん妄
初発症状	記憶障害	抑うつ症状	意識障害・幻視 運動不穏
経過	緩徐	比較的急激	急激
日内変動	目立たない	朝の不調が特徴	夜間に多い
症状の特徴	中核症状がみられる	自責的・悲観的	会話が成立しないことが多い

認知症に類似した状態

認知症の評価スケール

質問式認知症評価スケール

長谷川式認知症スケール（HDS-R）	●面接し質問方式で行うもので高齢者のおおよその認知症の有無とその程度を判定。記憶、見当識、計算などに関する質問からなる。30点満点で、20点以下を認知症疑いとしている。		
	1	1点	●お歳はいくつですか？
	2	4点	●今日は何年の何月何日ですか？ 何曜日ですか？
	3	2点	●私たちが今いるところはどこですか？
	4	3点	●これから言う3つの言葉を言ってみてください。 a）桜 b）猫 c）電車 など あとでまた聞きますので、よく覚えておいてください。
	5	2点	●100から7を順番に引いてください。
	6	2点	●私がこれから言う数字を逆から言ってください。（6-8-2、3-5-2-9）
	7	6点	●先ほど覚えてもらった言葉をもう一度言ってください。
	8	5点	●これから5つの品物を見せます。それを隠しますのでなにがあったか言ってください。
	9	5点	●知っている野菜の名前をできるだけ多く言ってください。
MMSE（ミニメンタルステート検査）	●記憶、見当識、計算などに関する質問からなるが、長谷川式認知症スケールと違い、図形の模写などの動作性の課題が含まれる。 ●30点満点で、23点以下を認知症疑いとしている。		
	1	5点	●「今年は何年ですか」「今の季節は何ですか」「今日は何曜日ですか」など
	2	5点	●「ここは何県ですか」「ここは何市ですか」「ここは何病院ですか」など
	3	3点	●「桜、猫、電車」など相互に無関係な物品名を3個復唱させる。
	4	5点	●「100から順番に7をくり返し引いてください」（5回まで）
	5	3点	●3で提示した物品名を再度復唱させる。
	6	2点	●時計を見せながら「これは何ですか？」など
	7	1点	●「みんなで力を合わせて綱を引きます」をくり返し言ってください。
	8	3点	●「右手にこの紙を持ってください」「それを半分に折りたたんでください」「机の上に置いてください」など3段階の命令
	9	1点	●この文章を読んで、その指示に従ってください。「目を閉じてください」
	10	1点	●何か文章を書いてください。
	11	1点	●次の図形を書いてください。 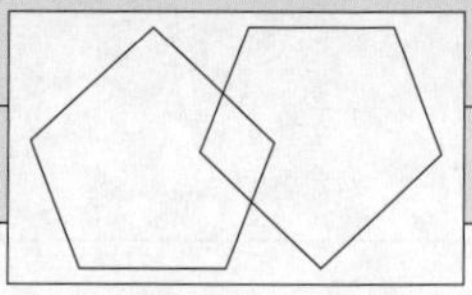

観察式認知症評価スケール

FAST （アルツハイマー病の機能評価ステージ）	● アルツハイマー型認知症の重症度を評価。生活機能の面から分類した評価尺度で、認知症の程度を7段階に評価する。	
	1　正常	● 主観的および客観的機能低下は認められない。
	2　年齢相応	● 物の置き忘れを訴える。喚語困難（「あれ、それ」と物の名前が出てこない）。
	3　境界状態	● 熟練を要する仕事の場合では機能低下が同僚によって認められる。 ● 新しい場所に旅行することは困難。
	4　軽度	● 夕食に客を招く段取りをつけたり、家計を管理したり、買い物をしたりする程度の仕事でも支障をきたす。
	5　中等度	● 介助なしでは適切な洋服を選んで着ることができない、大声をあげたりするような感情障害や多動がみられることがある。
	6　やや高度	● 不適切な着衣、入浴に介助を要する、入浴を嫌がる、トイレの水を流せなくなる、尿失禁、便失禁。
	7　高度	● 最大限約6語に限定された言語機能の低下、理解し得る語彙はただ1つの単語となる、歩行・着座・笑う能力の喪失、昏迷および昏睡。
CDR （臨床認知症基準）	● 「記憶」「見当識」「判断力と問題解決能力」「地域社会の活動」「家庭および趣味」「身の回りの世話」の6項目の段階を評価して認知症の程度を5段階（0：なし、0.5：疑わしい、1：軽度、2：中等度、3：重度）に評価する。	
認知症高齢者の日常生活自立度判定基準	● 高齢者の認知症の程度とそれによる日常生活の自立度を客観的に把握するため、厚生労働省が作成した指標。	
	Ⅰ	● 何らかの認知症を有するが、日常生活は家庭内及び社会的にほぼ自立している。
	Ⅱ	● 日常生活に支障をきたすような症状・行動や意思疎通の困難さが多少みられても、誰かが注意していれば自立できる。
	Ⅱa	● 家庭外で上記Ⅱの状態がみられる。
	Ⅱb	● 家庭内でも上記Ⅱの状態がみられる。
	Ⅲ	● 日常生活に支障をきたすような症状・行動や意思疎通の困難さがときどきみられ、介護を必要とする。
	Ⅲa	● 日中を中心として上記Ⅲの状態がみられる。
	Ⅲb	● 夜間を中心として上記Ⅲの状態がみられる。
	Ⅳ	● 日常生活に支障をきたすような症状・行動や意思疎通の困難さが頻繁にみられ、常に介護を必要とする。
	M	● 著しい精神症状や周辺症状あるいは重篤な身体疾患がみられ、専門医療を必要とする。

認知症の症状

中核症状	●中核症状は、脳の細胞が壊れることによって直接起こる症状。記憶障害、見当識障害、遂行（実行）機能障害、注意障害、理解・判断力の低下、失語、失認、失行など。			
	記憶障害	●過去の出来事よりも最近の出来事を忘れる。 ●通常のもの忘れは、「体験の一部」を忘れるが、認知症では、「体験の全体」を忘れる。		
	見当識障害 （けんとうしきしょうがい）	●現在の年月や時刻、自分がどこにいるかなどがわからなくなる。 ●例：介護者である夫に対して、「夫が帰ってきます。お帰りください」などと言う。		
	遂行（実行）機能障害 （すいこう（じっこう）きのうしょうがい）	●計画を立てて段取りをすることができない。		
	注意障害	●注意の持続・維持が困難になり、同時に2つ以上のことをすると混乱する。		
BPSD （行動・心理症状）	●中核症状にさまざまな要因が重なって起こる症状のことで、心理症状、行動症状などがある。			
	心理症状	妄想 （もうそう）	●誤った考えを、根拠もないのに確信している状態。もの盗られ妄想、嫉妬（しっと）妄想、見捨てられ妄想、迫害妄想などがある。	
			もの盗られ妄想	●大事な物を盗られたと訴える。
			嫉妬妄想 （しっと）	●配偶者が不貞をしていると思い込んでしまう。
		幻覚	●現実にはないことを見たり聞いたりすること。 ●幻視（いないはずの人が見える）、幻聴（聞こえるはずのない声を聞く）など。	
		アパシー （apathy）	●意欲や自発性が低下して、周囲の出来事に対して無気力・無関心になった状態。感情の起伏がみられない。	
		抑うつ	●気分が落ち込む、感情が鈍くなっている、何に対しても興味を示さないなど。	
		睡眠障害	●入眠困難、中途覚醒、早朝覚醒など。 ●夜間の睡眠量が減り、日中に傾眠傾向となり、昼夜逆転が起きやすくなる。	
		感情失禁	●些細（ささい）なことで大喜びしたり激怒するなど、感情を抑えることができない。	
	行動症状	徘徊 （はいかい）	●何らかの目的があって歩き始めて迷ったり、何かじっとしていられないような理由があって歩き回るなど。 ●直接止めることは逆効果、安全対策をとり、傾聴し気持ちに共感する。	
		帰宅願望	●「家に帰りたい」と訴えること。 ●夕暮れ症候群は、夕方になるとソワソワして落ち着かなくなったりする。	
		異食	●食べられない物を口にしたり、実際食べてしまう。	
		収集癖	●他の人にとっては価値のないようなものを集め、ため込んでしまう。	

薬物療法

抗認知症薬	コリンエステラーゼ阻害薬	● ドネペジル、ガランタミン、リバスチグミン（貼付薬） ● 進行を遅らせる効果があるが、症状の進行を完全に止めることはできない。 ● 副作用として腹痛、下痢（げり）などの胃腸障害、悪心（おしん）、徐脈（じょみゃく）、喘息（ぜんそく）、頻尿（ひんにょう）などがみられることがある。
	NMDA受容体拮抗薬	● メマンチン ● 易怒性（いどせい）や過活動を抑える働きがある。 ● 副作用として、めまいがあり転倒には注意が必要。
	アミロイドβの沈着を抑制する薬剤	● レカネマブ ● 軽度のアルツハイマー型認知症が対象 ● 2週間に1度、約1時間ほどかけて点滴で投与する。
抗精神病薬	ドパミン受容体遮断薬	● リスペリドン、クエチアピン、チアプリドなど ● 幻覚、妄想（もうそう）、易怒性（いどせい）、過活動などを抑える働きがある。 ● 副作用としてパーキンソン症候群が現れることがあり、転倒や誤嚥（ごえん）のリスクが高まる。

認知症ケア

パーソン・センタード・ケア		● イギリスの心理学者トム・キットウッド（Kitwood, T.）が提唱した。 ● 認知症になってもその人らしくいきいきと生活できるように個別のケアをすること。 ● 疾病あるいは症状を対象にしたアプローチではなく、生活する個人を対象とする。 ● 認知症の状態は、次の5つの要因が互いに関係しあって引き起こされている。
	5つの要因	①脳の障害 （アルツハイマー病や脳血管障害など） ②性格傾向（気質、能力、対処スタイルなど） ③生活歴 （成育歴、職歴、趣味など） ④健康状態、感覚機能（既往歴、体調、視力・聴力など） ⑤その人を取り囲む社会心理（周囲の人との人間関係、環境など）
ユマニチュード		● フランスのイヴ・ジネスト（Gineste, Y.）らが、医療・介護施設での経験を基に150を超えるケア技法を生み出して体系化したもの。 ● 「見る」「話す」「触れる」「立つ」を4つの柱とし、知覚・感情・言語による包括的コミュニケーションに基づいたケアの技法。
	見る	● 正面から視線の高さを合わせて、近い距離で見る。
	話す	● 低めの大きすぎない声で前向きな言葉を使う。 ● 自分がしているケアの動きを実況する「オートフィードバック」という技法が有効。
	触れる	● 広い面積で触れる。ゆっくりと手を動かす。
	立つ	● 1日に合計20分間の立つ機会を作る。

ひもときシート	●認知症ケアにおける「ひもときシート」は、言動の背景要因を分析して認知症の人を理解するためのツールで、次の3つのプロセスを通じて、認知症ケアにおける援助者自身の思考の転換を行う。		
	1	評価的理解	●援助者として感じる課題を、援助者の視点で評価する。
	2	分析的理解	●根本的な課題解決に向けて、8つの要因で言動を分析する。
	3	共感的理解	●本人の視点から課題の解決を考えられるように、援助者の思考展開を行う。
バリデーション	●アメリカのソーシャルワーカーであるナオミ・ファイル(Feil,N.)によって生み出された認知症高齢者とのコミュニケーション技法		
	基本テクニック	●リフレージング(キーワードを反復する) ●カリブレーション(感情を一致させる) ●レミニシング(昔話をする) ●ミラーリング(同じ表情、姿勢、呼吸をする) ●オープンクエスチョン(開かれた質問を多用する) ●タッチング(目的をもって触れる)など	
認知症ライフサポートモデル	●認知症ライフサポートモデルは、認知症の人にかかわるさまざまな専門職が、ケアを提供するうえでの目的・目標を共有し、認知症ケアの多職種協働や専門領域ごとの機能発揮を求めるものとして考え出された。		
	6つの考え方	●認知症の人本人の自己決定を支える。 ●住み慣れた地域で、継続性のある暮らしを支える。 ●自らの力を最大限に使って暮らすことを支える。 ●早期から終末期までの継続的な関わりと支援。 ●家族支援に取り組む。 ●介護・医療・地域社会の連携による総合的な支援体制。	
リアリティ・オリエンテーション(RO)	●現実見当識訓練とも呼ばれ、見当識障害のある高齢者に対して行われる。 ●基本的情報(氏名、場所、日時、時間など)を繰り返し伝えることによって、現実認識を取り戻し、不安や戸惑いを軽減することを目的としている。 ●24時間ROと小グループの教室ROなどがある。		
回想法	●過去の出来事を振り返ることを通じて、自らの人生を肯定的に再評価できるようになることをねらいとして、主に高齢者への援助方法として用いられる。 ●個人への回想法とグループ回想法がある。回想法は、認知症の人に豊かな情動をもたらすことが期待できる。		
音楽療法	●心身に障害や失調のある人々を、音楽の機能を活用し、回復・改善に導き、社会復帰の援助やQOLの向上をめざす療法の1つ。 ●受動的音楽療法(音楽を聴く) ●能動的音楽療法(歌を歌う、楽器を演奏する)		
運転免許	●運転免許は、認知症であると判明したときには、取り消しまたは停止されることがある(道路交通法第103条第1項)。 ●運転免許の更新期間が満了する日の年齢が75歳以上のドライバーは、高齢者講習の前に講習予備検査(認知機能検査)を受けなければならない。		

認知症施策推進大綱

<table>
<tr><td rowspan="7"></td><td colspan="2">基本的な考え方</td><td>●認知症の発症を遅らせ、認知症になっても希望を持って日常生活を過ごせる社会を目指し、認知症の人や家族の視点を重視しながら、「共生」と「予防」を車の両輪として施策を推進していく。</td></tr>
<tr><td colspan="2">本大綱の対象期間</td><td>●団塊の世代が75歳以上となる2025（令和7）年まで</td></tr>
<tr><td rowspan="6">5つの柱</td><td>普及啓発・本人発信支援</td><td>●自治体における、事前に本人の意思表明を確認する取組の実施率50%
●市町村における「認知症ケアパス」作成率100%　など</td></tr>
<tr><td>予　防</td><td>●介護予防に資する通いの場への参加率を8%程度に高める
●成人の週1回以上のスポーツ実施率を65%程度に高める　など</td></tr>
<tr><td>医療・ケア・介護サービス・介護者への支援</td><td>●初期集中支援チームにおける訪問実人数全国で年間40,000件
●介護人材確保の目標値（2025年度末に245万人確保）　など</td></tr>
<tr><td>認知症バリアフリーの推進等</td><td>●全国各地での自動運転移動サービスの実現
●高齢者人口に対する高齢者向け住宅の割合4%　など</td></tr>
<tr><td>研究開発・産業促進・国際展開</td><td>●認知機能低下抑制のための技術・サービス・機器等の評価指標の確立　など</td></tr>
</table>

共生社会の実現を推進するための認知症基本法

2024（令和6）年1月施行

<table>
<tr><td colspan="2">目的</td><td>●認知症施策を総合的かつ計画的に推進し、もって認知症の人を含めた国民一人一人がその個性と能力を十分に発揮し、相互に人格と個性を尊重しつつ支え合いながら共生する活力ある社会（共生社会）の実現を推進することを目的とする。</td></tr>
<tr><td colspan="2">定義</td><td>●「認知症」とは、アルツハイマー病その他の神経変性疾患、脳血管疾患その他の疾患により日常生活に支障が生じる程度にまで認知機能が低下した状態として政令で定める状態をいう。</td></tr>
<tr><td rowspan="2">認知症の日及び認知症月間</td><td>認知症の日</td><td>9月21日</td></tr>
<tr><td>認知症月間</td><td>9月1日〜9月30日</td></tr>
<tr><td colspan="2">認知症施策推進基本計画</td><td>●政府は、認知症施策の総合的かつ計画的な推進を図るため、認知症施策推進基本計画を策定しなければならない。</td></tr>
<tr><td></td><td>都道府県認知症施策推進計画</td><td>●都道府県は、基本計画を基本とするとともに、当該都道府県の実情に即した都道府県認知症施策推進計画を策定するよう努めなければならない。</td></tr>
<tr><td></td><td>市町村認知症施策推進計画</td><td>●市町村は、基本計画及び都道府県計画を基本とするとともに、市町村の実情に即した市町村認知症施策推進計画を策定するよう努めなければならない。</td></tr>
<tr><td colspan="2">認知症施策推進本部</td><td>●認知症施策を総合的かつ計画的に推進するため、内閣に、認知症施策推進本部を置く。</td></tr>
</table>

認知症ケアパスのイメージ

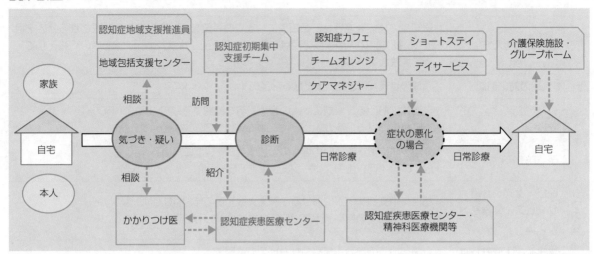

認知症ケアパス	●認知症発症予防から人生の最終段階まで、認知症の容態に応じ、相談先や、いつ、どこで、どのような医療・介護サービスを受ければよいのか、これらの流れをあらかじめ標準的に示したもの。 ●認知症ケアパスは、各市町村で作成（作成率93.7%：1,631市町村（令和4年）） 　認知症施策推進大綱の実施状況について（令和6年1月26日）

認知症の人の支援機関

<table>
<tr>
<td colspan="3">認知症疾患医療センター</td>
<td>●都道府県および指定都市から指定を受けた医療機関
●基幹型、地域型、連携型がある。
●認知症専門医、臨床心理技術者、精神保健福祉士または保健師が配置される。</td>
</tr>
<tr>
<td rowspan="3"></td>
<td colspan="2">専門的医療機能</td>
<td>①鑑別診断とそれに基づく初期対応
②認知症の行動・心理症状と身体合併症への急性期対応
③専門医療相談</td>
</tr>
<tr>
<td>事業
内容</td>
<td>地域連携拠点機能</td>
<td>①認知症疾患医療センター地域連携会議の設置および運営
②研修会の開催</td>
</tr>
<tr>
<td></td>
<td>診断後等支援機能</td>
<td>①診断後等の認知症の人や家族に対する相談支援
②当事者等によるピア活動や交流会の開催</td>
</tr>
<tr>
<td colspan="3">認知症地域支援推進員</td>
<td>●市町村や地域包括支援センターに配置され、家族等からの認知症に関する総合相談に応じ、コーディネーターの役割を担う。
●認知症の医療や介護の経験のある医師、保健師、看護師、作業療法士、精神保健福祉士、社会福祉士、介護福祉士などで、認知症地域支援推進員の研修を受講する。</td>
</tr>
<tr>
<td colspan="3">役割</td>
<td>①医療・介護等の支援ネットワークの構築
②関係機関と連携した事業の企画・調整
③相談支援・支援体制構築</td>
</tr>
<tr>
<td colspan="3">認知症初期集中支援チーム</td>
<td>●複数の専門職が家族の訴え等により認知症が疑われる人や認知症の人およびその家族を訪問し、アセスメント、家族支援などの初期の支援を包括的、集中的（おおむね6か月）に行い、自立生活のサポートを行うチーム。</td>
</tr>
<tr>
<td colspan="3">チーム員</td>
<td>●認知症サポート医
●医療系専門職（保健師、看護師、作業療法士など）と福祉系専門職（介護福祉士、精神保健福祉士など）</td>
</tr>
</table>

認知症に関する電話相談

認知症コールセンター	●都道府県および指定都市が実施主体。 ●認知症の人や家族の介護における悩み、介護方法などについて、認知症介護の専門家や経験者等に電話相談できる。
若年性認知症コールセンター	●全国若年性認知症支援センターの事業として実施。 ●若年性認知症の人やその家族等からの電話・メール相談に応じるとともに、関係機関への連絡調整を行う。

認知症の人の支援者

若年性認知症支援コーディネーター		●都道府県・指定都市に配置され、若年性認知症の人やその家族、企業等からの相談支援、市町村や関係機関とのネットワークの構築、若年性認知症の理解の普及などを行う。
認知症カフェ（オレンジカフェ）		●認知症の人と家族、地域住民、専門職等の誰もが参加でき、集う場。 ●介護サービス施設・事業者、地域包括支援センター、ボランティア・地域住民などが設置主体となっていることが多い。
	特徴	●1～2回／月程度の頻度で開催（2時間程度／回）。 ●多くは、通所介護施設や公民館等を活用。 ●活動内容は、特別なプログラムを用意せず、利用者が主体的に活動。講話や音楽イベントなどを開催している場合もある。
認知症サポーター		●認知症について正しく理解し、認知症の人や家族を見守り、支援する応援者。 ●キャラバン・メイトから地域住民などが認知症サポーター養成研修を受講。
	キャラバン・メイト	●認知症サポーター講座の講師。キャラバン・メイト養成研修を受講することが必要。
チームオレンジ		●ステップアップ講座を受講した認知症サポーター等が支援チームをつくり、認知症の人やその家族の支援ニーズにあった具体的な支援につなげるしくみ。
SOSネットワーク		●認知症のSOSネットワークは、警察だけでなく、介護事業者や地域の生活関連団体等が捜索に協力して、行方不明者を発見するしくみ。

意思決定支援

認知症意思決定支援ガイドライン			●認知症の人の意思や希望に基づいた生活が送れるよう、認知症の人の意思決定に関わる人が、認知症の人の意思をできるかぎり丁寧に汲み取るための標準的なプロセスや留意点を記載したもの。
	基本原則	本人の意思の尊重	●本人への支援は、本人の意思の尊重、つまり、自己決定の尊重に基づき行う。したがって、自己決定に必要な情報を、認知症の人が有する認知能力に応じて、理解できるように説明しなければならない。
		本人の意思決定能力への配慮	●認知症の症状にかかわらず、本人には意思があり、意思決定能力を有するということを前提にして、意思決定支援をする。
		チームによる早期からの継続的支援	●意思決定支援にあたっては、本人の意思を踏まえて、身近な信頼できる家族・親族、福祉・医療・地域近隣の関係者と成年後見人等がチームとなって日常的に見守り、本人の意思や状況を継続的に把握し、必要な支援を行う。

筋萎縮性側索硬化症（ALS）	●主に60〜70歳代に発症し、運動を司る神経（運動ニューロン）が変性し、徐々に筋肉の萎縮と筋力の低下をきたす原因不明の疾患。	
	現れやすい症状	●四肢の運動障害、球麻痺（構音障害、嚥下障害）、呼吸障害など。
	球麻痺	●延髄の運動核の障害による麻痺のことで、ろれつが回らない（構音障害）、飲み込みが悪くなる（嚥下障害）などがみられる。
	現れにくい症状	●知的障害、感覚障害、膀胱直腸障害、眼球運動障害、褥瘡。
パーキンソン病	●中脳の黒質と呼ばれる部位の神経細胞が変性するために、神経伝達物質であるドーパミンの産生量が減り、運動がスムーズに行えなくなる。60歳前後の発症が多い。 ●主な症状として、安静時振戦、筋固縮、動作緩慢、姿勢保持障害（姿勢反射障害）がある。 ●その他、表情の変化に乏しい（仮面様顔貌）、前かがみの姿勢、小刻み歩行、すくみ足、突進現象、うつ症状、認知症、自律神経症状などがみられる。 ●姿勢保持障害のある人の歩行介護では、一度足を引いてから歩き出す、目印をつくって足を出す、リズムをとるなど工夫する。	
	ホーエン・ヤールの重症度分類	●パーキンソン病の進行度（重症度）を示す指標として用いられている。
	ステージⅠ	●症状は一側性で、機能障害はないか、あっても軽微。
	ステージⅡ	●両側性の障害があるが、姿勢保持の障害はない。日常生活、職業には多少の障害はあるが行い得る。
	ステージⅢ	●姿勢保持障害、小刻み歩行、すくみ足がみられる。歩行時の方向転換が不安定。日常生活には介助を必要としない。
	ステージⅣ	●重篤な機能障害を呈し、自力のみによる生活は困難となるが、まだ支えられずに立つことや歩くことはどうにか可能。
	ステージⅤ	●介助なしではベッドまたは車いすにつきっきりの生活を強いられる。
脊髄小脳変性症	●小脳および脳幹から脊髄にかけての神経細胞の変性で起きる。 ●ふらつき歩行、ろれつが回らないなどの運動失調（※）が主症状。 ●自律神経症状として、起立性低血圧、排尿障害、発汗障害などがみられる。 　（※）運動失調とは、運動麻痺がないにもかかわらず、協調的運動ができない状態のこと	
多系統萎縮症	●オリーブ橋小脳萎縮症、線条体黒質変性症、シャイ・ドレーガー症候群という3つの病名の総称。介護保険の特定疾病のうちの1つ。 ●進行性の疾患で、パーキンソン症状、運動失調、自律神経症状などがみられる。 ●オリーブ橋小脳萎縮症→早期症状として小脳性運動失調が特徴。 ●線条体黒質変性症→パーキンソン症状が特徴。 ●シャイ・ドレーガー症候群→自律神経症状が特徴。	

| 脊髄損傷 | ● 脊髄が損傷すると損傷部位より下方の神経領域の感覚と運動機能が失われる。
● 頸髄損傷⇒四肢麻痺
● 胸髄損傷⇒体幹、下肢麻痺
● 腰髄損傷⇒下肢麻痺（対麻痺）
● その他、排便排尿障害、発汗障害、自律神経過反射、褥瘡などがみられる。 | 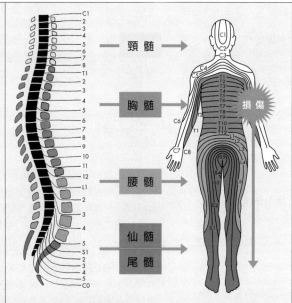 |

損傷レベル		運動機能	ADL
C1 ～ C3		● 上肢、下肢、体幹のすべてが麻痺。呼吸障害がある。	● 全介助。
C4		● 自発呼吸は可能。肩甲骨を上げられる。	● 全介助。
C5		● 肩と肘、前腕の一部を動かせる。	● 手を用いた動作以外ほとんどのADLは要介助。
C6		● 肩の力は不完全。肘は伸ばせないが曲げることはできるのでロープ等を用いて起き上がりが可能。	● 自助具を用いて食事、書字、ひげそりなどが可能。 ● ハンドリムを工夫した車いすの駆動が可能。 ● 自分で更衣できるように、上衣の着脱は座位で行い、靴下にループをつけるように勧める。
C7		● 手関節までの動きはほぼ完全。プッシュアップが可能。	● 自助具なしで食事が可能。 ● 整容と更衣が自立。 ● 寝返りや起き上がりが可能。
C8 ～ T1		● 上肢がすべて使える。	● 車いすでのADLが自立。
脊髄損傷に伴う症状	運動・知覚障害	● 同じ体位による同じ部位の皮膚圧迫が続くと、褥瘡を生じやすくなる。	
	排便・排尿障害	● 尿意・便意がなくなり、排泄のコントロールができなくなる。	
	発汗障害	● 麻痺部分の皮膚からの発汗が障害され、体からの熱の放散が減少し、うつ熱の状態になりやすい。	
	起立性低血圧	● 臥位から座位になると血圧が下がり、貧血状態となる。 ● リクライニング式車いすで起立性低血圧を起こした場合は、背もたれを倒す。	

重要度
A
★★★

骨粗鬆症（こつ そ しょうしょう）	●女性に多い。原因は、カルシウムの欠乏、女性ホルモンの低下、運動・栄養不足など。 ●予防には、カルシウム、ビタミンD、ビタミンKの摂取、運動による骨形成促進、日光浴によるビタミンDの産生促進などが重要。
骨 折	●高齢者に多い骨折 ○大腿骨頸部骨折（だいたいこつけいぶこっせつ）　○脊椎圧迫骨折（せきついあっぱくこっせつ）　○上腕骨頸部骨折（じょうわんこつけいぶこっせつ）　○橈骨遠位端骨折（とうこつえんいたんこっせつ） ●大腿骨頸部骨折（だいたいこつけいぶこっせつ）の治療は、臥床期間短縮のため、手術をすることが多い。
変形性関節症	●老化のために関節の軟骨がすり減り、関節に変形が生じるために起こる。変形性膝関節症（へんけいせいしつかんせつしょう）、変形性股関節症（へんけいせいこかんせつしょう）、肩関節周囲炎（五十肩）などがある。 ●膝関節症は中高年の女性、肥満者に多く、O脚変形を起こしやすい。膝の内側に痛みを生じることが多い。関節の負荷を軽くするため、歩行時は杖を使う。
関節リウマチ	●原因不明で難治性・全身性の炎症性疾患で、女性に多い。 ●朝の手足のこわばり、関節の痛み、腫れ、変形、可動制限を起こす。手足の小さい関節から左右対称に始まる。 ●日常生活指導では、便器に補高便座を乗せるなど、関節の保護を重視する。
後縦靭帯骨化症（こうじゅうじんたいこつかしょう）	●脊椎（せきつい）の靭帯（じんたい）が骨化するため、手足のしびれや四肢全体に麻痺などを起こす。
脊柱管狭窄症（せきちゅうかんきょうさくしょう）	●加齢により脊椎椎管（せきついついかん）が細くなり神経が圧迫され、腰痛や間欠性跛行（かんけつせいはこう）（※）などの症状が出る（腰部に多い）。 （※）しばらく歩いていると、足に痛みやしびれを感じ、歩き続けることが困難になるが、少し休むとまた歩けるようになる症状

デュシェンヌ型
筋ジストロフィー

●筋線維の変性・壊死を主病変とし、次第に筋萎縮と筋力低下が進行していく遺伝性疾患。
●基本的に男児のみに発症する。
●歩行可能期（ステージⅠ〜Ⅳ）、車いすが必要になる時期（ステージⅤ〜Ⅶ）、呼吸管理の適応になる時期（ステージⅧ）と進行していく。
●車いすを使用するようになっても、食事、書字動作などは自立できることが多い。

●筋ジストロフィー機能障害度の厚生労働省分類

ステージⅠ	階段昇降可能（a 手の介助なし　b 手の膝おさえ）
ステージⅡ	階段昇降可能（a 片手手すり　b 片手手すり、膝手　c 両手手すり）
ステージⅢ	椅子からの起立可能
ステージⅣ	歩行可能（a 独歩　b 物につかまれば歩ける）
ステージⅤ	起立歩行は不可能であるが、四つ這いは可能
ステージⅥ	四つ這いも不可能であるが、いざり這行（はこう）は可能
ステージⅦ	いざり這行（はこう）も不可能であるが、座位の保持は可能
ステージⅧ	座位の保持も不可能であり、常時臥床状態

高血圧症	●診察室での最高血圧（収縮期血圧）が140mmHg以上、または最低血圧（拡張期血圧）90mmHg以上。 ●高齢者は、収縮期血圧が高くなる傾向がある。 ●原因がはっきりしない高血圧を本態性高血圧という。 ●降圧剤として、カルシウム拮抗剤がある。 ●食生活では、ナトリウムのとりすぎに注意し、カリウムを多く含んだ野菜を多くとるようにする。	
心疾患	心房細動 （しんぼうさいどう）	●不整脈の1つで、脈が速くなったり遅くなったりリズムが乱れる状態。 ●頻脈になることが多い。 ●80歳以上では、有病率は10％程度といわれている。 ●脳梗塞（特に脳塞栓症）や心筋梗塞の原因となることがある。
	狭心症 （きょうしんしょう）	●冠動脈（心臓の血管）が狭くなり、先の方へ必要な血液を送れない状態。 ●ニトログリセリンの舌下投与が効果あり。
	心筋梗塞 （しんきんこうそく）	●冠動脈の血管がつまって、血液が送れなくなり心筋が壊死した状態。 ●30分以上持続する冷汗を伴う胸痛が特徴。上腹部痛を伴うことがある。 ●高齢になるほど痛みを訴えない人の割合が高くなる。
	心不全 （しんふぜん）	●心室の収縮力が低下して、身体に必要な血液が送り出せない状態。 ●四肢の冷感・チアノーゼ、息切れ、浮腫、尿量の減少、体重の増加、起座呼吸などがみられる。 ●呼吸が苦しいときは、臥位よりも座位のほうが呼吸しやすくなるため、就寝の際は、セミファーラー位など楽な体位を勧める。
	ペースメーカー	●心臓の徐脈性不整脈を治療するための装置。 ●ペースメーカー本体が挿入されている部位は、衝撃が加わらないように注意する。 ●極端に激しい運動や、電磁波を発生する機器類を近づけることは避ける。
閉塞性動脈硬化症 （へいそくせいどうみゃくこうかしょう）	●下肢の比較的太い動脈が慢性的に閉塞し、足が冷たく感じたり、歩くと痛みやしびれ感、間欠性跛行などの症状がみられる。	
貧血	●血液中の赤血球や血色素が減少して、血液中の酸素も減少するもの。鉄欠乏性貧血が多く、頭痛、めまい、耳なりなどがあらわれる。鉄分を補うことが大切。 ●鉄欠乏性貧血では、さじ状爪（爪がスプーンのように反り返る）になりやすい。	

肺炎	●肺の組織に炎症が起きる病気を総称して肺炎という。ウイルスや細菌の感染や飲食物の誤嚥などが原因となる。	
	マイコプラズマ肺炎	●マイコプラズマという微生物によって引き起こされる。 ●発熱としつこい乾いた咳が特徴。
	誤嚥性肺炎	●飲食物や胃液などの逆流物が気管や気管支に入って起こる肺炎。特に就寝前の口腔ケアは、予防のために大切である。
	沈下性肺炎	●長期臥床により、血液が鬱滞し、細菌などが繁殖しやすい条件になるため、発症する。
肺結核	●結核菌により引き起こされる感染症。症状として全身倦怠感、食欲不振、体重減少、微熱、寝汗、咳嗽などがみられる。 ●高齢者の場合は初感染ではなく、既感染結核の再燃が多い。 ●ツベルクリン反応検査は、結核菌感染の有無を調べる。BCGは予防接種。	
慢性閉塞性肺疾患（COPD）	●肺胞の破壊や気道炎症が起き、緩徐進行性および不可逆的に息切れが生じる。 ●男性に多い。主な危険因子は喫煙など。 ●喘鳴、咳、喀痰、労作性呼吸困難などの症状がある。 ●呼吸に伴うエネルギー消費亢進や食欲の低下などにより栄養障害を起こしやすい。 ●呼吸法として、口すぼめ呼吸や腹式呼吸がある。	
気管支喘息	●気道の炎症により粘液などが気管支の中にたまり、呼吸困難を起こす。胸部圧迫感、喘鳴などの症状がみられる。	
呼吸器機能障害者の介護	食事	●少量ずつ何度かに分けて食べるようにする。 ●高カロリーの食事を摂取する。
	入浴	●ぬるめの湯温にし、頸部まで浸からないようにする。 ●酸素療法中の入浴では、カニューレはつけたまま入浴する。
	着脱	●着替えをするときには、腕を高く上げない。
	排泄	●洋式トイレを使用する。
	歩行	●立ち上がるときには、息を止めない。 ●呼吸が激しくならないように、休みをとりながらゆっくりと歩行する。
	環境	●空気の清浄や、適度な湿度を保つようにする。 ●掃除をこまめに行う。
	その他	●酸素療法を行う場合、酸素ボンベを備え付ける場所では、火気の取扱いに注意する。

重要度 C
★☆☆

胃・十二指腸潰瘍	● 胃液の消化作用による消化性潰瘍とされる疾患。 ● 心窩部に痛みを訴えることが多い。 ● 胃潰瘍は食事後、十二指腸潰瘍では空腹時に痛みが起こることが多い。 ● ヘリコバクター・ピロリ菌が関与していることが多い。
感染性胃腸炎	● 主にウイルスなどの微生物を原因とする胃腸炎の総称で、原因となるウイルスには、ノロウイルス、ロタウイルスなどがある。
ノロウイルス	● 冬に多く発生する。潜伏期間は1〜2日で、吐き気、嘔吐、下痢、腹痛が主な症状。 ● 牡蠣などの貝類による食中毒や、感染者の糞便や嘔吐物などを介して経口感染する。 ● 嘔吐物の処理に際しては、使い捨てのガウン、マスクと手袋を着用しウイルスが飛び散らないように、ペーパータオル等で静かに拭き取る。 ● 拭き取った後は、次亜塩素酸ナトリウムで浸すように床を拭き取り、その後水拭きをする。
肝硬変	● 慢性の肝障害が進行した結果、肝臓が硬く変化し、肝機能が減衰した状態。 ● 原因としては、B、C型ウイルス性肝炎が多い。 ● 肝硬変になると食道静脈瘤や肝細胞がんを合併しやすい。 ● 肝機能障害では、GOT（AST）、GPT（ALT）、γGTPなどの検査数値が上昇する。
肝炎	● 肝臓に炎症が起こり、発熱、黄疸、全身倦怠感などの症状をきたす疾患。肝炎ウイルスによる肝炎が多く、日本ではA、B、C型が多い。
A型肝炎	● A型肝炎ウイルスに汚染された飲料水や魚介類などを食べることなどで感染する（経口感染）。
B型肝炎	● 主にB型肝炎ウイルスに感染している人の血液や体液を介して感染する（血液感染）。 ● 母子感染や性行為感染などが多い。 ● B型肝炎の利用者が使用する食器は、必ずしも使い捨てのものにする必要はない。
C型肝炎	● 主にC型肝炎ウイルスに感染している人の血液や体液を介して感染する（血液感染）。 ● 進行すると、肝硬変や肝がんへと病態が変化していくことが多い。 ● A型肝炎、B型肝炎には予防接種があるが、C型肝炎にはない。
黄疸	● 血中のビリルビン（胆汁色素）の増加によって、皮膚や眼球結膜などが黄色くなる症状。 ● 肝障害や溶血性貧血などでビリルビン値は高くなる。

尿路感染症	●腎臓から尿管、膀胱を通って尿道口にいたる尿路に、細菌などが感染して炎症を起こす。 ●症状として、排尿時痛、頻尿、尿混濁などの症状がある。	
	腎盂腎炎	●38℃以上の高熱が出て、腰痛を伴うことがある。
	膀胱炎	●発熱は通常みられない。
前立腺肥大症	●男性のみにみられる疾患で、高齢者に多い。尿道付近の前立腺組織が肥大して尿道を圧迫するために起こる。頻尿、残尿感、放尿力低下などの排尿障害を伴う。進行すると、尿がまったく出なくなる（尿閉）こともある。	
尿失禁	腹圧性尿失禁	●咳やくしゃみ、走ったり跳んだり、重い物を持ち上げるなど腹圧が高まるような動作をしたときに漏れる。 ●女性に多く、骨盤底筋群の機能低下などが原因。
	切迫性尿失禁	●「したい」と思うと、トイレまで我慢できなかったり、下着を下ろすまで間に合わずに漏れる。 ●膀胱炎、脳血管障害、パーキンソン病などに多くみられる。
	溢流性尿失禁	●尿がうまく出せないため、残った尿が膀胱内にたまり、じわじわと少量ずつあふれ出る。 ●男性に多く、前立腺肥大、糖尿病、脊椎損傷などに多くみられる。
	機能性尿失禁	●排尿動作や判断がうまくできずに漏れる。トイレに行けなかったり、トイレがわからない、衣服や下着を脱ぐことができないために起こる。 ●脳血管障害や認知症などに多くみられる。
	反射性尿失禁	●膀胱に尿が溜まっても排尿をコントロールできず、反射的に起こる尿失禁。 ●脊髄損傷など、脊髄の病気によって起こることが多い。
ネフローゼ症候群	●大量のタンパク尿が出て、それに伴って血液中のたんぱく質が減少するため、浮腫や脂質異常症（高コレステロール血症）などが現れる。	
腎不全	●腎炎などの病気で、血液を濾過する「糸球体」の網の目がつまり、腎臓の機能が落ち、老廃物を十分排泄できなくなる状態。 ●進行すると、乏尿（400mL／日以下）、無尿（100mL／日以下）を生じ、最終的には尿毒症に至る。 ●治療法として、血液透析、持続的携行腹膜透析（CAPD）などがある。	
腎臓機能障害者の介護	●食事管理（医師の指示に基づく適切な栄養管理が必要） [制限が必要] たんぱく質、塩分、カリウム、水分など　[制限しない] カロリー ●激しい仕事や運動は控える、休息や睡眠を十分にとる、感染を予防する、など	

甲状腺疾患	甲状腺機能亢進症	●甲状腺ホルモンが過剰に合成・分泌された状態。発汗過多、体重減少、頻脈、眼球突出などの症状。バセドウ病など。
	甲状腺機能低下症	●甲状腺ホルモンの不足のため生体代謝が低下した状態。むくみ、倦怠感、さむけ、ねむけ、皮膚の乾燥、便秘などの症状。 ●先天性の甲状腺機能不全による発育障害をクレチン症、成人性のものを粘液水腫という。
糖尿病		●インスリンの分泌不足やインスリンの作用が十分発揮されないために、高血糖が持続することを主因とする疾患。 ●症状として、口渇、多飲、多尿、夜間頻尿、倦怠感、体重減少などがある。 ●HbA1cはブドウ糖と結びついたヘモグロビンの割合で、1〜2か月前の平均血糖値。
	1型糖尿病	●膵臓のランゲルハンス島でインスリンを分泌しているβ細胞が破壊され、インスリンが枯渇してしまう。 ●若年者に多く、発症が急激で進行が速い。
	2型糖尿病	●肥満などが原因で、インスリンの働きが悪くなり、分泌量が減少するなどで血糖値の調整がうまくいかなくなる。 ●中年以降に発症が多く、進行は遅く、肥満を伴うことが多い。生活習慣病。 ●糖尿病の9割以上が2型糖尿病だといわれている。
	合併症　糖尿病網膜症	●網膜の毛細血管が傷害され、視力が低下する。進行すると失明することがある。
	糖尿病腎症	●腎臓の、糸球体の毛細血管が傷害され、腎機能障害が引き起こされる。悪化すると人工透析が必要となることがある。
	糖尿病神経障害	●手足のしびれ、起立性低血圧、発汗異常など。三大合併症のうち最も早期に出現する。 ●足の感覚が鈍くなり足の異常に気づきにくくなるため、足先の観察が重要。
脂質異常症		●血液中に含まれる脂質であるLDLコレステロール、中性脂肪(トリグリセリド)が過剰、またはHDLコレステロールが不足している状態。
痛風		●血液中に尿酸が増えすぎた状態。急性関節炎を主症状とする。発作は母趾のつけ根に起こりやすい。 ●痛風の予防には、肉類やビール等のプリン体の多い食品の過剰摂取に注意する。
リンパ浮腫		●リンパ節の切除などリンパ管の働きが何らかの原因で障害されることにより、皮膚組織のある部分に体液が溜まってむくみが起こる。 ●日常生活では、体重の増加を防ぎ、きつめの衣服は避け、皮膚を傷つけないように留意する。

眼

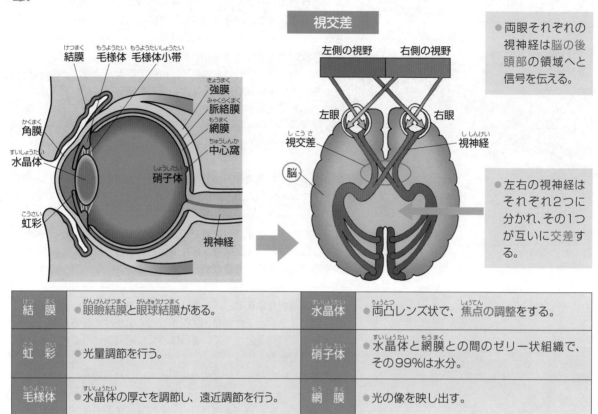

- 両眼それぞれの視神経は脳の後頭部の領域へと信号を伝える。
- 左右の視神経はそれぞれ2つに分かれ、その1つが互いに交差する。

結膜	●眼瞼結膜と眼球結膜がある。	水晶体	●両凸レンズ状で、焦点の調整をする。
虹彩	●光量調節を行う。	硝子体	●水晶体と網膜との間のゼリー状組織で、その99%は水分。
毛様体	●水晶体の厚さを調節し、遠近調節を行う。	網膜	●光の像を映し出す。

眼疾患

白内障	●水晶体が白く濁ってくる病気。「白そこひ」ともいう。
緑内障	●眼圧の上昇により、視神経が障害を起こし、視力が低下する。「青そこひ」ともいう。
糖尿病網膜症	●糖尿病の合併症の1つで、失明の主要な原因となっている。
加齢黄斑変性症	●黄斑が悪くなるため、視力低下や中心暗点を自覚することが多く、病状が進行すると視力が失われる可能性がある。
網膜色素変性症	●網膜の視細胞のうち、杆体細胞の機能が失われるため、夜盲や求心性の視野狭窄が最初の症状になり、病気の末期になって錐体細胞が機能しなくなると、視力が低下してくる。
流行性角結膜炎	●アデノウイルスの感染によって起こる結膜炎。結膜が充血し、眼脂(めやに)が出る。

黄斑 → 適切な大きさに拡大

柳暗 → 文字を拡大すると読みにくい

耳

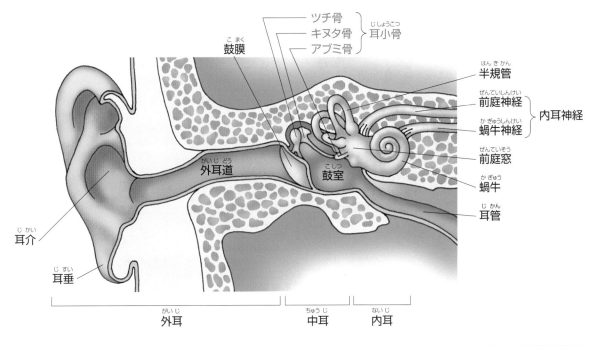

- ●耳は聴覚と体の平衡感覚を司る器官で、外耳、中耳、内耳からなる。

伝音系 （音を伝える）	外耳	●耳介と外耳道。（外耳道の長さは2.5〜3cm） ●外耳道に耳垢腺があり、粘液がゴミなどを吸着して耳垢となる。
	中耳	●鼓膜、鼓室、耳管。 ●耳小骨（ツチ骨、キヌタ骨、アブミ骨）がある。
感音系 （音を聞き分ける）	内耳	●中耳の奥の、蝸牛、半規管などの部分。 ●蝸牛は、音の振動を神経の信号に変える。 ●半規管は、体の平衡感覚を司る。

老人性難聴	●高音域から始まり、音がひずんで聞こえる特徴がある。 ●感音性難聴に分類される。 ●不可逆的な変化で治療ができないので、補聴器などを用いることが一般的。
中耳炎	●慢性中耳炎、滲出性中耳炎など中耳の疾患により引き起こされる。
突発性難聴	●原因不明の急性難聴で、誘因なく突然片側の耳鳴りや耳閉感が起こる。
メニエール病	●回転性のめまいと耳鳴り、難聴、耳閉感を特徴とする内耳の疾患。
良性発作性頭位 めまい症	●寝返りや起き上がりのときなど、ある決まった頭の位置をとると数秒から数十秒激しい回転性の めまいが起こる。耳鳴りなどは伴わない。

皮膚

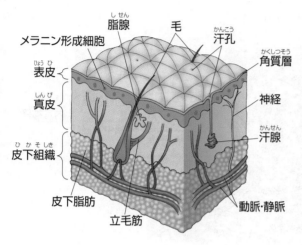

- 皮膚は触覚、温度感覚（温・冷）、痛覚などの受容器があり、身体の保護、体温の調節などの働きをもっている。

皮膚		●表皮、真皮、皮下組織からなり、全身を包んで外界から身体を保護する。表面は弱酸性、ビタミンDの産生にかかわっている。
角質層		●表面第1層で、古くなったものはフケやアカとして落ちていき、下から新しい皮膚が出てくる。
汗腺	アポクリン腺	●腋の下、乳首、陰部付近など特定部位に分布。精神的な緊張や性的な刺激によって汗を分泌する（濃い汗）。
	エクリン腺	●口唇やまぶたを除く全身に分布。体温を下げる働きなどがある（うすい汗）。
不感蒸泄		●発汗以外で皮膚、呼気から蒸発する水分。 ●成人の不感蒸泄の量は1日に約900mL（皮膚から約600mL、呼気から約300mL）。発熱などで増加する。

皮膚疾患

熱傷（やけど）	●熱や化学薬品などで皮膚などの体表組織が破壊されて、本来もっているべき防御機能が失われてしまった状態。

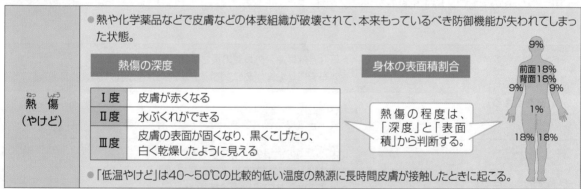

	熱傷の深度	身体の表面積割合
Ⅰ度	皮膚が赤くなる	
Ⅱ度	水ぶくれができる	
Ⅲ度	皮膚の表面が固くなり、黒くこげたり、白く乾燥したように見える	

熱傷の程度は、「深度」と「表面積」から判断する。

9%
前面18% 背面18%
9%　9%
1%
18% 18%

- 「低温やけど」は40〜50℃の比較的低い温度の熱源に長時間皮膚が接触したときに起こる。

白癬	●真菌（カビ）の一種である白癬菌が皮膚に感染することによって起こる。 ●足にできる白癬は、俗に水虫ともよばれる。爪に感染すると白く濁って厚くなる。
カンジダ症	●カンジダは、健常人の皮膚に常在する真菌（カビ）の一種。 ●オムツの中などの湿った環境を好み、免疫力の低下などの要因が加わると増殖して症状を起こす。
疥癬	●ヒゼンダニが皮膚の表面の角質層に寄生して起こる。衣服などを介して感染する。 ●疥癬には、通常型の疥癬と感染力の強い角化型疥癬（ノルウェー型疥癬）がある。
皮膚掻痒症	●皮膚に目立った症状がみられないにもかかわらず、かゆみを訴える。 ●全身など広範囲にかゆみを訴える汎発性掻痒症は、慢性腎不全、糖尿病、肝疾患なども原因となる。
帯状疱疹	●水痘・帯状疱疹ウイルスの再活性化によって起こるウイルス性の疾患。 ●通常、体の半分（右側か左側）にできる痛みを伴う水痘がみられる。

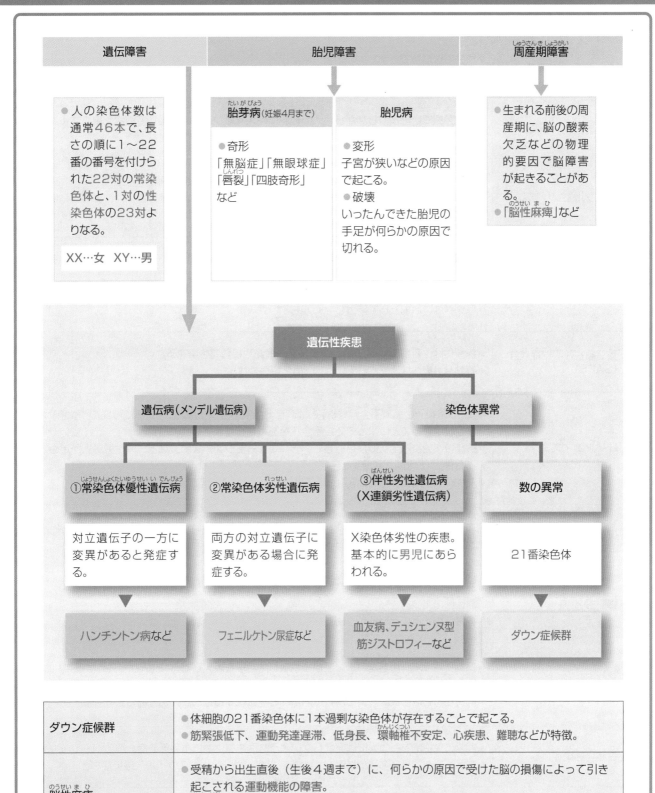

| | 遺伝障害 | 胎児障害 | | 周産期障害 |

遺伝障害
- 人の染色体数は通常46本で、長さの順に1～22番の番号を付けられた22対の常染色体と、1対の性染色体の23対よりなる。

XX…女　XY…男

胎児障害

胎芽病（妊娠4月まで）
- 奇形
「無脳症」「無眼球症」「唇裂」「四肢奇形」など

胎児病
- 変形
子宮が狭いなどの原因で起こる。
- 破壊
いったんできた胎児の手足が何らかの原因で切れる。

周産期障害
- 生まれる前後の周産期に、脳の酸素欠乏などの物理的要因で脳障害が起きることがある。
- 「脳性麻痺」など

遺伝性疾患

- 遺伝病（メンデル遺伝病）
- 染色体異常

遺伝病（メンデル遺伝病）

①常染色体優性遺伝病
対立遺伝子の一方に変異があると発症する。
→ ハンチントン病など

②常染色体劣性遺伝病
両方の対立遺伝子に変異がある場合に発症する。
→ フェニルケトン尿症など

③伴性劣性遺伝病（X連鎖劣性遺伝病）
X染色体劣性の疾患。基本的に男児にあらわれる。
→ 血友病、デュシェンヌ型筋ジストロフィーなど

染色体異常

数の異常
21番染色体
→ ダウン症候群

ダウン症候群	● 体細胞の21番染色体に1本過剰な染色体が存在することで起こる。 ● 筋緊張低下、運動発達遅滞、低身長、環軸椎不安定、心疾患、難聴などが特徴。
脳性麻痺	● 受精から出生直後（生後4週まで）に、何らかの原因で受けた脳の損傷によって引き起こされる運動機能の障害。 ● 痙直型（手足がこわばって硬くなる）、アテトーゼ型（不随意運動が生じる）、失調型（バランスがとりにくい）などがある。

重要度 C

病原体	ウイルス	●単独では増殖できず、人の細胞の中に侵入し増殖する。 ●ノロウイルス、インフルエンザウイルス、肝炎ウイルス、HIVなど
	細菌	●細胞分裂で自己増殖しながら、人の細胞に侵入するか、毒素を出して細胞を傷害する。 ●ブドウ球菌、大腸菌、サルモネラ菌、緑膿菌（りょくのうきん）、結核菌、破傷風菌（はしょうふうきん）など
インフルエンザ		●インフルエンザウイルスの感染によって起こる（潜伏期間は、通常1〜2日）。 ●高熱や頭痛、筋肉痛、全身けん怠感などの症状がみられる。迅速診断には、鼻咽頭粘液（びいんとう）を用いる。
MRSA （メチシリン耐性黄色（たいせいおうしょく）ブドウ球菌）		●多種類の抗生物質に抵抗力を示し、多種の抗生物質を投与しても効果がないブドウ球菌。 ●基礎疾患のある人に発症することが多い。接触感染することが多い。 ●保菌者は、原則として隔離しなくてもよい。
重症急性呼吸器症候群 （SARS）		●病原体は、新型SARSコロナウイルス。飛沫（ひまつ）や接触で感染する。 ●有効な治療法は確立されていない（第2類感染症）。
HIV／エイズ		●エイズ（後天性免疫不全症候群（こうてんせいめんえきふぜんしょうこうぐん））とは、ヒト免疫不全ウイルス（HIV）に感染し、免疫細胞を破壊することによって免疫不全状態を引き起こす感染症のこと。 ●感染後、免疫不全状態が進行していき、ニューモシスチス肺炎など、厚生労働省が定める合併症（日和見感染症（ひよりみかんせんしょう））を発症するとエイズと診断される。 ●「性的接触」「血液・血液製剤」「母子感染」がおもな感染経路。
破傷風（はしょうふう）		●土壌中に生息する破傷風菌（はしょうふうきん）が、おもに傷口から感染する。 ●予防には、ジフテリア・百日咳・破傷風の三種混合ワクチンを接種する。
緑膿菌（りょくのうきん）		●緑膿菌（りょくのうきん）は、施設内の水場、洗面台などのたまり水に生息し、弱毒性で日和見感染症（ひよりみかんせんしょう）の原因菌の1つ。 ●接触感染することが多く、創部感染、呼吸器・尿路感染などを引き起こす。
レジオネラ菌		●循環式浴槽水、加湿器の水などから飛散した粒子を吸入して感染（人から人へは感染しない）。 ●肺炎がおもな症状。設備の清掃・消毒などを徹底することが大切である。
日和見感染症（ひよりみかんせんしょう）		●通常の免疫能をもつ人には発症しないような弱毒微生物による感染症。 ●ニューモシスチス肺炎、MRSA、カンジダ症、単純ヘルペスウイルス感染症など

感染症対策と感染症法

主な感染経路	空気感染	●咳などにより、空気中にただよった飛沫核から感染。 ●結核菌・麻疹ウイルスなど
	飛沫感染	●咳などで飛んだ飛沫粒子から感染（飛沫粒子は1m以内に落下する）。 ●インフルエンザウイルス、風疹ウイルスなど
	接触感染	●手指、病原菌の付着したタオルや容器などを介して感染。 ●MRSA、緑膿菌など
	経口感染	●病原微生物の混入した飲食物などを摂取して感染。 ●ノロウイルス、病原性大腸菌O157など
	血液媒介感染	●病原体が汚染された血液や体液、分泌物が針刺し事故などにより体内に入ることにより感染する。 ●B型肝炎ウイルス、ヒト免疫不全ウイルスなど
施設での感染経路別予防策	●感染経路に対する予防策を、標準予防策（スタンダードプリコーション）に追加して行う。	
	空気感染	●入院による治療が必要。 ●結核で排菌している利用者と接触する際は、職員は高性能マスク（N95微粒子マスク等）を着用。
	飛沫感染	●職員はマスクを着用。入所者も着用が難しい場合を除き、原則としてマスクを着用してもらう。 ●原則として個室管理。 ●隔離管理ができないときは、ベッドの間隔を2m以上あける、あるいは、ベッド間をカーテンで仕切る。
	接触感染	●ケア時は、手袋を着用。 ●汚染物との接触が予想されるときは、ガウンを着用。 ●周囲に感染を広げてしまう可能性が高い場合は、原則として個室管理。
	血液媒介感染	●出血、吐血した場合や、褥瘡ケアなど血液に触れるリスクのある処置の場合には、血液が触れないように手袋やガウンを着用。
感染症法 （感染症の予防及び感染症の患者に対する医療に関する法律）	●感染力や罹患した場合の重篤性などに基づき、感染症を危険性が高い順に1類から5類に分類し、都道府県知事に届出義務を課している。	
	1類感染症	●エボラ出血熱、クリミア・コンゴ出血熱、痘そうなど
	2類感染症	●重症急性呼吸器症候群（SARS）、結核、鳥インフルエンザ（H5N1）など
	3類感染症	●腸管出血性大腸菌感染症、コレラ、細菌性赤痢など
	4類感染症	●E型肝炎、A型肝炎など
	5類感染症	●後天性免疫不全症候群、メチシリン耐性黄色ブドウ球菌感染症、感染性胃腸炎、マイコプラズマ肺炎、クロイツフェルト・ヤコブ病、新型コロナウイルス感染症など
	新型インフルエンザ等感染症	●新型インフルエンザ、再興型インフルエンザ

統合失調症（とうごうしっちょうしょう）	特 徴		●思春期から青年期に発症することが多い。 ●症状は、幻覚、妄想を主とした陽性症状と、感情の平板化、意欲の低下などを主とした陰性症状がある。
	陽性症状（ようせいしょうじょう）		●健康な心理状態では認められない、幻覚や妄想、言葉の歪曲（わいきょく）と誇張、まとまりのない発語と行動、精神運動興奮、焦燥などをいう。
		幻覚	●実際にはないものが感覚として感じられること。 ●統合失調症では、幻聴（幻声）が多い。
		妄想（もうそう）	●明らかに誤った内容であるのに信じてしまい、周りが訂正しても受け入れられない（被害妄想（ひがいもうそう）や誇大妄想（こだいもうそう）などがある）。
		対応例	●妄想（もうそう）の内容が理解できなくても、否定も肯定もせずにかかわる。
	陰性症状（いんせいしょうじょう）		●健康な心理状態から欠如している感情の平板化や会話の貧困、意欲の低下、意思疎通不良、常同的思考などをいう。
気分障害（躁（そう）うつ病）	特 徴		●双極性障害、感情障害とも呼ばれる。 ●躁（そう）状態とうつ状態があり、交互に繰り返すタイプと、一方のみ繰り返すタイプなどさまざまなタイプがある。
	躁（そう）状態		●気分が持続的に高揚し、開放的になったり怒りっぽくなったりする。観念奔逸（かんねんほんいつ）、自尊心の肥大、睡眠欲求の減少、多弁、注意散漫などの症状が特徴。
		対応例	●躁（そう）状態のときは、「いつもより気分が高ぶっていますよ」など、自分の症状を客観的にとらえることができるような声かけを行う。
	うつ状態		●抑うつ気分、興味または喜びの喪失、不眠または過眠、体重の増減、疲れやすい、やる気が出ない、自責感、自殺念慮（じさつねんりょ）などの症状が特徴。 ●老年期うつ病は、身体症状と関連することが多く、若年者と比べ抑うつ気分が軽いことが多い。
		対応例	●訴えに対して、受容的に接し、見守っていることを伝える。 ●「頑張って」などの励ましの言葉は負担に感じる場合がある。

せん妄		●意識の混濁に加えて、錯覚、幻覚、不穏、興奮などを伴う。急激な発症で日内変動がある。
	夜間せん妄	●脳血管障害や認知症などで、昼間は症状がなく夕方から夜にかけてせん妄が出現することがある。
	危険因子	●高熱、脱水などの体調不良、せん妄を引き起こす薬剤、脳血管障害、感染症などの疾患、環境の変化など。
パニック障害		●前触れもなくめまい、パニック発作が繰り返し起き、発作に対する不安と、それに伴う回避行動がみられる。 ●発作が再発するのではないかと恐れる予期不安と、それに伴う症状の慢性化が生じる。
てんかん		●脳神経細胞の過剰放電が原因で起こる、てんかん発作を主症状とする慢性の大脳疾患。 ●てんかん発作には、一定の脳の場所から発作が始まる部分発作と、脳全体が同時に過剰放電する全般発作がある。 ●発作が起きた場合、無理に手足を押さえるとかえって危険なため、身体を支える程度にして安全を確保する。
PTSD（心的外傷後ストレス障害）		●トラウマのさまざまな後遺症の総称。悪夢やフラッシュバックにより外傷的出来事を反復的に想起する。外傷時の出来事を思い出すような場所や行動を回避する。
アルコール依存症		●アルコールの習慣的常用から、アルコールを飲まなくてはいられない状態となり、身体的・精神的・社会的にさまざまな障害が現れる。 ●アルコール精神病には、振戦せん妄、コルサコフ症候群（健忘症候群）、アルコール幻覚症などがある。治療には何よりも禁酒を継続することが大切である。
知的障害	原因	●知的障害の原因は、病理的要因（ダウン症などの染色体異常、自閉症、出生時障害など）や生理的要因（原因不明なもの）などがある。生理的要因が約4分の3を占めるといわれている。
	特徴	①発達期（おおむね18歳未満）に生じる障害。 ②知的機能の水準に遅れがある。 　軽度（IQ50〜69）、中度（IQ35〜49）、重度（IQ20〜34）、最重度（IQ19以下） ③認知、言語、運動、社会的能力などの適応行動が困難である。
	対応	●ライフステージに応じた支援を行う（例：壮年期には、親と死別したあとの生活への適応を支援）。 ●本人にとって身の回りのことがどのように認識されているのかを把握し、その人らしい生活を支援する。

医療および保護

入院患者のデータ	●入院患者（約26万人）の内訳　　　　　　　　　　　令和 5 年　厚生労働省精神保健福祉課調べ		
	入院形態	医療保護入院　50%	任意入院　48%　　措置入院　0.6%
	疾患	統合失調症　50%	認知症　19%　　気分障害　10%　　その他

入院形態	措置入院		●2 名以上の精神保健指定医の診察結果の一致により、自傷他害のおそれがあると認められる場合の入院措置。定期的に知事に報告しなければならない。 ●急を要する場合は、1 名の指定医の判断で、緊急措置入院（72時間が限度）の措置をとることができる。
	2024（令和6）年4月改正　医療保護入院		●本人の同意により入院させるべき状態にない患者で、精神保健指定医が必要性を認め、家族等のうちいずれかの者の同意があるときは、本人の同意がなくても 6 か月以内（入院の開始から 6 か月を経過するまでの間は 3 か月以内）の期間を定め、その者を入院させることができる。 ●家族等がいない場合、家族等が同意・不同意の意思表示を行わない場合は市町村長の同意により入院させることができる。
		家族等	●患者の配偶者、親権を行う者、扶養義務者及び後見人又は保佐人
	任意入院		●原則の入院形態。本人の同意に基づく入院。
	応急入院		●家族等の同意がすぐに得られない場合で、しかも急を要する場合、72時間を限度に入院させることができる。

精神疾患の成因による分類

成　因	内　容		精神疾患の例
内因性	●精神疾患の発症が、主に遺伝や生まれもった器質による脳の機能障害に起因していると考えられるもの		●統合失調症 ●双極性感情障害（躁うつ病）
外因性	器質性精神障害	●脳の器質的病変を主な原因として発症するもの	●脳腫瘍、脳外傷、頭部外傷 ●パーキンソン病、脳血管障害、認知症
	症状性精神障害	●脳以外の身体疾患の発症・経過に伴って発症するもの	●内分泌疾患、代謝疾患、感染症など
心因性	●過度のストレスやトラウマ、性格傾向など心理的な問題が疾患の主な要因となっているもの		●解離性（転換性）障害 ●心身症、心気症、神経症 ●睡眠障害、ストレス関連障害

自閉症スペクトラム障害	●先天的な脳の機能障害といわれている。 ●社会的コミュニケーション障害や限定、反復された行動などが特徴。 ●症状は、発達早期の段階で出現するが、後になって明らかになるものもある。 ●男性に多い。	
	社会的コミュニケーション障害	●言語・非言語コミュニケーション能力の障害、対人関係、社会的交流が苦手。
	限定、反復された行動	●柔軟性のない行動、変化への適応が苦手、限定、反復された行動がみられる。焦点や行動の切り替えに困難を伴う。 ●特定のものに対するこだわりが強い。
	コミュニケーションの方法	●複雑な表現や抽象的な表現は避け、短くて具体的な表現を用いる。 ●予定の変更があるときは、メモや絵を使って予告する。 ●できるだけ否定的な表現を用いずに、肯定的な表現を用いる。 例：○「Eちゃんは、これから遊園地に行きます」 　　×「手を洗って、ご飯を食べて、歯を磨いてから遊園地に行こうね」 　　×「片づけが終わらないと、遊園地に連れて行きませんよ」
注意欠陥多動性障害 （ADHD）	●不注意、多動、衝動性を特徴とした障害。 ●男性に多い。 ●学業などにおいて不注意な間違いをしたり、落ち着きがなく、自分の席を立ったりすることがあり配慮が必要。	
	不注意症状	●こまかな注意ができずにケアレスミスしやすい ●注意を持続することが困難 ●話を聞けないように見える ●宿題などの課題が果たせない ●外部からの刺激で注意散漫になりやすい　など
	多動、衝動性の症状	●着席中に手足をソワソワする ●着席が期待されている場面で離席する ●不適切な状況で走り回ったりする ●静かに遊ぶことができない　など
学習障害 （LD）	●基本的には全般的な知的発達に遅れはないが、聞く、話す、読む、書く、計算するまたは推論する能力のうち特定のものの習得と使用に著しい困難を示す。 ●読字障害、算数障害、書字表出障害などがある。 ●男性に多い。 ●年齢、知的水準から期待される状態よりも明らかに低い場合には、障害に対するアセスメントと配慮が必要。	

重要度 C
★☆☆

リハビリテーションとは		● 語源は、「再び適したものにすること」である。 ● 何らかの障害を受けた人が、全人間的復権を目指して、人として尊厳、権利、資格を本来あるべき姿に回復すること。
	全人間的復権	● 障害を持った人が身体的、精神的、社会的、職業的に能力を発揮し、人間らしく生きる権利。
リハビリテーションの4つの領域	医 学	● 障害の医学的治療を行い、障害の改善、二次障害の予防、機能維持などを通して、自立生活を支援する。
	社 会	● 社会生活能力（社会の中で、自分のニーズを満たし、社会参加を実現する権利を行使する能力）を高める視点から支援する。
	教 育	● 障害児・者の全面的発達を促進させ、課題への対応や生活技能を発達させ、自己実現を図るよう支援する。
	職 業	● 職業指導、職業訓練、職業選択などの職業的サービスの提供を含んだ、適切な就職の確保と継続ができるように支援する。
リハビリテーションの種類	理学療法	● 身体に障害のある者に対し、主としてその基本的動作能力の回復を図るため、治療体操その他の運動を行わせ、および電気刺激、マッサージ、温熱その他の物理的手段を加える療法。
	作業療法	● 身体または精神に障害のある者に対し、主としてその応用的動作能力または社会的適応能力の回復を図るために、手芸、工作、その他の援助を行う療法。
	言語聴覚療法	● 音声機能、言語機能または聴覚に障害のある者に、機能の維持向上を図るため、言語訓練、嚥下訓練、これに必要な検査および助言、指導などを行う療法。
リハビリテーションの流れ		● リハビリテーションは発症からの時期を、急性期、回復期、維持期のリハビリテーションとして、大きく3段階に分けて対処される。 急性期リハビリテーション → 回復期リハビリテーション → 維持期（生活期）リハビリテーション
	急性期リハビリテーション	● 発症直後から開始され、廃用症候群の予防と早期からのセルフケアの自立を目標とする。
	回復期リハビリテーション	● 多職種リハビリテーションチームにより行われる集中的かつ包括的なリハビリテーションで、ADLの向上および早期社会復帰を目指す。
	維持期リハビリテーション	● リハビリテーション専門職のみならず、多職種によって構成されるチームアプローチによる生活機能の維持・向上、自立生活の推進、介護負担の軽減、QOLの向上を図る。

基本肢位、良肢位	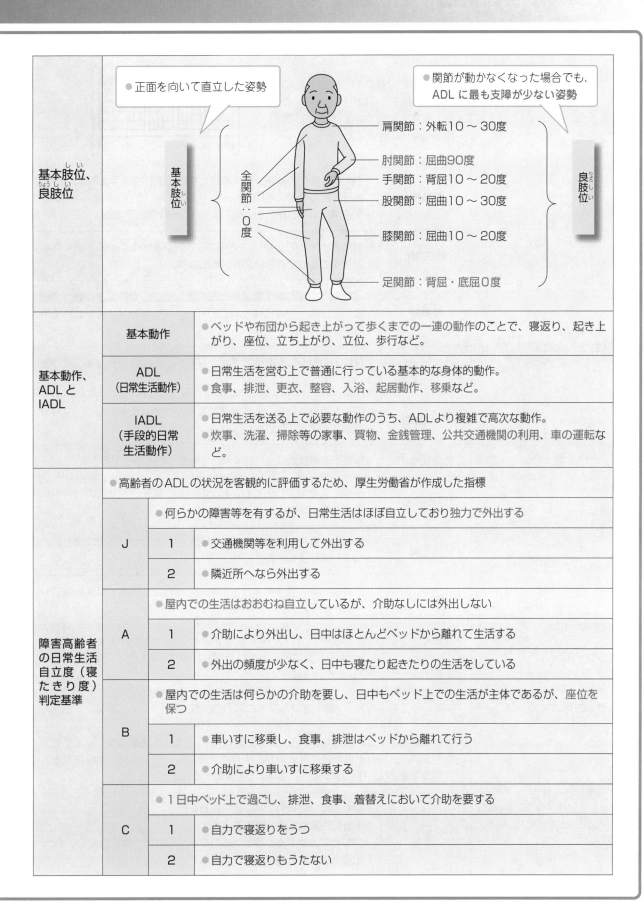		
基本動作、ADL と IADL	基本動作		●ベッドや布団から起き上がって歩くまでの一連の動作のことで、寝返り、起き上がり、座位、立ち上がり、立位、歩行など。
	ADL（日常生活動作）		●日常生活を営む上で普通に行っている基本的な身体的動作。 ●食事、排泄、更衣、整容、入浴、起居動作、移乗など。
	IADL（手段的日常生活動作）		●日常生活を送る上で必要な動作のうち、ADLより複雑で高次な動作。 ●炊事、洗濯、掃除等の家事、買物、金銭管理、公共交通機関の利用、車の運転など。
障害高齢者の日常生活自立度（寝たきり度）判定基準	●高齢者のADLの状況を客観的に評価するため、厚生労働省が作成した指標		
	J		●何らかの障害等を有するが、日常生活はほぼ自立しており独力で外出する
		1	●交通機関等を利用して外出する
		2	●隣近所へなら外出する
	A		●屋内での生活はおおむね自立しているが、介助なしには外出しない
		1	●介助により外出し、日中はほとんどベッドから離れて生活する
		2	●外出の頻度が少なく、日中も寝たり起きたりの生活をしている
	B		●屋内での生活は何らかの介助を要し、日中もベッド上での生活が主体であるが、座位を保つ
		1	●車いすに移乗し、食事、排泄はベッドから離れて行う
		2	●介助により車いすに移乗する
	C		●1日中ベッド上で過ごし、排泄、食事、着替えにおいて介助を要する
		1	●自力で寝返りをうつ
		2	●自力で寝返りもうたない

（図中）
●正面を向いて直立した姿勢
●関節が動かなくなった場合でも、ADL に最も支障が少ない姿勢
基本肢位
良肢位
全関節：0度
肩関節：外転10～30度
肘関節：屈曲90度
手関節：背屈10～20度
股関節：屈曲10～30度
膝関節：屈曲10～20度
足関節：背屈・底屈0度

		●全身あるいは身体の各部の活動の低下や不使用（不活動）によって、身体的・精神的に起きるさまざまな悪影響を総称した合併症。
廃用症候群 （生活不活発病）	筋萎縮	●長期間の臥床の結果、筋肉が細くなる。下肢の筋力低下が大きく、歩行への影響が大きい。 ●1週間の安静臥床で筋力は10～15%程度低下する。
	関節拘縮	●関節が固まって動かしにくくなる。安静を続けていると全く体を動かすことのできない硬直状態になる。
	骨萎縮	●骨がもろくなり骨粗鬆症などを引き起こす。安静による骨への刺激の低下は、骨の形成と吸収のバランスを失わせ、骨がもろく折れやすくなる。
	尿路結石	●尿中のカルシウム排泄が増え、尿路結石の原因にもなることがある。
	起立性低血圧	●安静を続けていると、血管運動反射が作動しにくくなり、立ちくらみなどを起こしやすくなる。
	静脈血栓症	●特に下肢の静脈に生じやすく、うっ血やむくみがでる。
	精神機能	●活動による刺激が失われ、抑うつ状態、認知機能などの機能の低下をもたらす。
	褥瘡	●長期間の臥床などにより持続的な圧迫が加わり、血流障害を起こして組織が壊死すること。
	感染	●痰の喀出能力低下により、細菌感染を起こしやすく肺炎になりやすい。沈下性肺炎・誤嚥性肺炎を起こしやすくなる。
フレイル		●高齢になって筋力や活動が低下している状態をフレイル（虚弱）という。 ●「体重減少」「歩行速度低下」「握力低下」「疲れやすい」「身体活動レベルの低下」のうち3項目以上あればフレイルとみなされる。
サルコペニア		●加齢に伴う筋力低下・筋萎縮をサルコペニア（加齢性筋肉減少症）という。
深部静脈血栓症 （エコノミークラス症候群）		●食事や水分を十分に摂らない状態で、車などの狭い座席に長時間座っていて足を動かさないと、血行不良が起こり血液が固まりやすくなる。その結果、血栓ができて血管の中を流れ、肺に詰まって肺塞栓などを誘発するおそれがある。
	予防方法	●時々、軽い体操やストレッチ運動を行う。 ●十分にこまめに水分を取る。 ●かかとの上げ下ろし運動をしたりふくらはぎを軽くもんだりする。 ●眠るときは足を高くする。　　など

褥瘡

褥瘡（じょくそう）の原因	● 寝床に臥床中や車いすなどに座っている際、骨と皮膚や皮下組織の間に持続的な圧迫を受け、血流が低下した状況が一定時間持続されると、その部分の組織が壊死し褥瘡となる。 ● 摩擦（まさつ）、ずれ、皮膚の不潔（ふけつ）と湿潤（しつじゅん）、栄養不良、全身状態の低下なども褥瘡（じょくそう）の誘因となる。
褥瘡（じょくそう）の好発部位	仰臥位（ぎょうがい）　側臥位（そくがい）　大転子部（だいてんしぶ）　膝関節外側部（しつかんせつがいそくぶ） 足関節外果部（そくかんせつがいかぶ） 後頭部（こうとうぶ） 肩甲骨部（けんこうこつぶ） 脊柱部（せきちゅうぶ） 肘関節部（ちゅうかんせつぶ） 仙骨部（せんこつぶ） 踵骨部（しょうこつぶ）　耳介部（じかいぶ）　肩関節部（かたかんせつぶ）　胸腹部（きょうふくぶ） 仙骨部（せんこつぶ）が最も多い 座位（ざい） 坐骨結節部（ざこつけっせつぶ） 尾骨部（びこつぶ）
褥瘡（じょくそう）の症状	● 褥瘡（じょくそう）は損傷の深さにより各ステージに分類される（IAETの分類）。 ステージI　皮膚の発赤があり褥瘡（じょくそう）になりかけている ステージII　表皮から真皮まで欠損している ステージIII　表皮から皮下脂肪組織まで欠損している ステージIV　腱（けん）、筋肉、骨、関節まで潰瘍（かいよう）ができている
褥瘡（じょくそう）の予防	● 離床し、座位の生活を確保する。 ● 体位変換（おおむね2時間ごとに実施）を行う。 ● エアーマットなどの床ずれ（褥瘡（じょくそう））防止用具を使用する。 ● 清潔を保つ。 ● 摩擦（まさつ）を防ぐ。しわを作らない。 ● たんぱく質、ビタミンの多い食事で栄養状態をよくする。 ● 入浴の際は、変色した部分をこすらずに洗い流す。

1節　こころのしくみ

単　元		問　題	解　答
16 こころの発達・人格	1	エリクソンの発達段階説において、青年期の発達課題は、（　　　）の獲得である。	同一性
	2	ハヴィガーストが示した発達課題の「読み・書き・計算などの基礎的技能の習得」は、（　　　）期の発達課題である。	児童
	3	ピアジェの発達段階説において、同じ量のジュースを形の違うコップに入れたとき同じ量だと理解できないのは、（　　　）期である。	前操作
	4	「養育者がいないと不安な様子になり、再会すると安心して再び遊び始める」行動は、ストレンジ・シチュエーション法における（　　　）型の愛着行動である。	安定
	5	ライチャードの人格5類型のうち、（　　　）型は、年を取ることをありのまま受け入れていく。	円熟
	6	（　　　）とは、年を取るにつれて、交際する範囲を選択的に狭めて、ポジティブな情動的経験を最大にして、情動的なリスクを最小にするという考え方をいう。	社会情動的選択理論
17 記憶・知能・学習	7	記憶には、記銘、保持、（　　　）の3つの過程がある。	想起
	8	（　　　）記憶は、言葉の意味などに関する記憶である。	意味
	9	エピソード記憶は、加齢の影響を（　　　）。	受けやすい
	10	からだで覚えた（　　　）記憶は忘れにくい。	手続き
	11	（　　　）知能は、新しい場面に適応するときに要求される問題解決能力である。	流動性
	12	（　　　）学習とは、モデルの行動を観察するだけで、直接強化を受けることがなくても成立する学習である。	観察
18 障害受容・適応機制	13	障害受容の過程の（　　　）期の特徴として、現実を実感することが難しいということがある。	ショック
	14	都合のよい理由をつけて、自己の立場を正当化する適応機制を（　　　）という。	合理化
	15	発達の未熟な段階に後戻りして、自分を守ろうとすることを、（　　　）という。	退行
	16	認めたくない欲求、不安や苦痛を意識下にとどめる適応機制を（　　　）という。	抑圧
	17	身体機能の低下の代わりに、認知的な活動での優越感をもつことで心理的安定を図ろうとすることを、（　　　）という。	補償
19 欲求・動機	18	好意がある他者との良好な関係は、（　　　）欲求に相当する。	所属と愛情
	19	（　　　）欲求は、ホメオスタシス（homeostasis）の働きによって制御される。	生理的
	20	「会社で上司から認められたい」という欲求は、（　　　）欲求である。	承認
	21	「平和な社会をつくりたい」という欲求は、（　　　）欲求である。	自己実現

2節　からだのしくみ

単　元		問　　題	解　答
⑳ 人体の構造と機能	1	立位姿勢を維持するための筋肉を、（＿＿＿）という。	抗重力筋
	2	腸腰筋の収縮によって、股関節は（＿＿＿）する。	屈曲
	3	皮膚の痛みの感覚を受け取る大脳の機能局在の部位は、（＿＿＿）である。	頭頂葉
	4	視覚野の大脳の機能局在の部位は、（＿＿＿）である。	後頭葉
	5	（＿＿＿）は、脳の中で記憶を司る部位である。	海馬
	6	副交感神経の作用として、消化の（＿＿＿）がある。	促進
	7	肺動脈には（＿＿＿）血が流れている。	静脈
	8	血液中において酸素の運搬を行っている成分は、（＿＿＿）である。	赤血球
	9	気管粘膜の（＿＿＿）運動によって、痰を口腔のほうへ移動させる。	せん毛
	10	ガス交換は、（＿＿＿）内の空気と血液の間で行われる。	肺胞
	11	嚥下反射のとき、咽頭と喉頭の間は、（＿＿＿）によって塞がれる。	喉頭蓋
	12	大腸は、盲腸、（＿＿＿）結腸、横行結腸、（＿＿＿）結腸、S状結腸、直腸の順に構成されている。	上行、下行
	13	小腸は、十二指腸、（＿＿＿）腸、（＿＿＿）腸の順に構成されている。	空、回
	14	（＿＿＿）は、睡眠を促進するホルモンである。	メラトニン
	15	インスリンは、すい臓の（＿＿＿）より分泌される。	ランゲルハンス島
㉑ 身体の成長と発達	16	スキャモンの発達曲線では、生殖器系の組織は、（＿＿＿）から急速に発達する。	思春期（12歳ごろ）
	17	初語（意味をもつ最初の言葉）は、およそ（＿＿＿）歳ごろ言い始める。	1
	18	二語文を使い始めるのは、およそ（＿＿＿）歳ごろである。	2
㉒ 加齢による身体機能の変化	19	生体が生理的状態を一定の状態に保とうとする性質を（＿＿＿）という。	ホメオスタシス
	20	脱水に伴う症状として、体重減少、体温上昇、（＿＿＿）がある。	めまい、活動性の低下など
	21	（＿＿＿）性便秘は、大腸の蠕動運動の低下によって起こる。	弛緩
	22	加齢により、尿の濃縮力が（＿＿＿）する。	低下
	23	加齢により、唾液が減少し、味覚が（＿＿＿）する。	低下
	24	加齢により、肺活量が（＿＿＿）する。	減少
	25	加齢により、（＿＿＿）周波の音から聞こえにくくなる。	高

3節　疾病や障害

単元		問題	解答
23 脳血管疾患	1	（＿＿＿＿＿）は、心房細動等の心疾患に合併することが多い。	脳塞栓
	2	（＿＿＿＿＿）は、脳の細い血管が詰まるタイプの脳梗塞である。	ラクナ梗塞
	3	（＿＿＿＿＿）失語は、理解面よりも表出面に低下がみられる。	運動性（ブローカ）
	4	運動性失語のある人には、（＿＿＿＿＿）質問や絵カードを用いる。	閉じられた
	5	（＿＿＿＿＿）障害は、音声器官の形態上の障害により引き起こされる発音上の障害である。	構音
	6	（＿＿＿＿＿）障害では、状況に応じた判断ができず、計画的に実行できない。	遂行（実行）機能
	7	（＿＿＿＿＿）障害では、同時に2つ以上のことに気配りできない。	注意
	8	（＿＿＿＿＿）障害では、欲求、感情をコントロールできずに、ちょっとしたことで感情を爆発させる。	社会的行動
	9	目的に沿った動作ができない状態を（＿＿＿＿＿）という。	失行
24 認知症	10	認知症の原因のうち、アルツハイマー型認知症の次に多い疾患は、（＿＿＿＿＿）である。	血管性認知症
	11	アルツハイマー型認知症の有病率は、（＿＿＿＿＿）性が高い。	女
	12	（＿＿＿＿＿）認知症の特徴として、人格変化、常同行動がある。	前頭側頭型
	13	（＿＿＿＿＿）認知症は、幻視やパーキンソン症状などが特徴的である。	レビー小体型
	14	（＿＿＿＿＿）検査は、慢性硬膜下血腫の診断に有用な検査である。	頭部CT
	15	（＿＿＿＿＿）では、認知症、歩行障害、尿失禁などの症状がみられる。	正常圧水頭症
	16	（＿＿＿＿＿）は、脳に異常なプリオン蛋白が沈着し、脳神経細胞の機能が障害される。	クロイツフェルト・ヤコブ病
	17	（＿＿＿＿＿）は、65歳未満で発症する認知症で、不安や抑うつを伴うことが多い。	若年性認知症
	18	長谷川式認知症スケールは、記憶、見当識、計算などに関する質問から成り、30点中（＿＿＿＿＿）点以下を認知症疑いとしている。	20
	19	（＿＿＿＿＿）は、認知症の評価スケールで、口頭での回答と図形の模写などで評価する。	MMSE
	20	「日常生活に支障をきたすような症状・行動や意思疎通の困難さがときどき見られ、介護を必要とする」のは、認知症日常生活自立度判定基準の（＿＿＿＿＿）である。	ランクⅢ
	21	計画を立てて段取りをすることができない症状を、（＿＿＿＿＿）障害という。	遂行（実行）機能
	22	実際には存在しないものが見えることを、（＿＿＿＿＿）という。	幻視
	23	理由もなく急に泣きだすなど感情を抑えられないのは、（＿＿＿＿＿）である。	感情失禁
	24	（＿＿＿＿＿）は、現実の感覚や認識を確認して、見当識に働きかける療法である。	リアリティ・オリエンテーション
	25	（＿＿＿＿＿）は、認知能力を活用して、過去の出来事を振り返ることを通じて自らの人生を肯定的に再評価する。	回想法
	26	（＿＿＿＿＿）は、都道府県知事から指定を受けた医療機関で、地域の認知症医療の連携を強化する役割をもつ。	認知症疾患医療センター

単　　元		問　　　　　題	解　　答
24 認知症	27	（＿＿＿＿）は、認知症の人とその家族など誰もが参加でき、集える場である。	認知症カフェ
	28	（＿＿＿＿）は、認知症に対する正しい知識と理解をもち、認知症の人を支援する。	認知症サポーター
	29	（＿＿＿＿）は、認知症の人の状態に応じた適切なサービス提供の流れをまとめたものである。	認知症ケアパス
25 神経疾患	30	筋萎縮性側索硬化症では、（＿＿＿＿）障害は出現しにくい。	感覚、膀胱直腸、眼球運動、知的
	31	パーキンソン病の症状で、立位で重心が傾き、歩行中に停止することや向きを変えることが困難なのは（＿＿＿＿）障害である。	姿勢反射
	32	脊髄小脳変性症は、（＿＿＿＿）や言語障害、自律神経症状などがみられる。	運動失調
	33	脊髄の完全損傷で、プッシュアップが可能となる最上位のレベルは、（＿＿＿＿）である。	頸髄（C7）
	34	腰髄損傷は、（＿＿＿＿）麻痺を生じる。	下肢（対）
26 運動器疾患	35	骨粗鬆症の予防には、適度な運動や日光浴、カルシウムやビタミン（＿＿＿＿）、ビタミン（＿＿＿＿）の摂取などが推奨されている。	D、K
	36	高齢者が尻もちをついて転倒した場合、（＿＿＿＿）骨折を起こしやすい。	脊椎圧迫
	37	変形性膝関節症は、（＿＿＿＿）性のほうが罹患率が高い。	女
	38	関節リウマチの日常生活指導では、（＿＿＿＿）を重視する。	関節の保護
	39	脊柱管狭窄症では、腰痛や（＿＿＿＿）がみられる。	間欠性跛行
	40	筋ジストロフィーは、（＿＿＿＿）の変性を主病変とする遺伝性筋疾患である。	筋線維
27 循環器疾患	41	原因がはっきりしない高血圧を、（＿＿＿＿）高血圧という。	本態性
	42	（＿＿＿＿）は、冠動脈の血管がつまって、30分以上持続する冷や汗を伴う胸痛が特徴である。	心筋梗塞
	43	鉄欠乏性貧血では、（＿＿＿＿）爪がみられる。	さじ状
28 呼吸器疾患	44	飲食物や胃液などの逆流物が気管や気管支に入って起こる肺炎を、（＿＿＿＿）という。	誤嚥性肺炎
	45	（＿＿＿＿）の症状として全身倦怠感、食欲不振、体重減少、微熱、寝汗、咳嗽などがみられる。	肺結核
	46	（＿＿＿＿）は、進行すると、息切れ、呼吸困難、チアノーゼなどの症状がみられる。	慢性閉塞性肺疾患（COPD）
29 消化器疾患	47	胃潰瘍は、（＿＿＿＿）菌が関与しているといわれている。	ヘリコバクター・ピロリ
	48	ノロウイルスは、（＿＿＿＿）炎を起こす。	感染性胃腸
	49	ノロウイルスの消毒には、（＿＿＿＿）が有効である。	次亜塩素酸ナトリウム溶液
	50	C型肝炎ウイルスの感染経路は、主に（＿＿＿＿）を介して感染する。	血液

単　元		問　　　　題	解　　答
30 腎・泌尿器疾患	51	膀胱炎では、排尿時痛、頻尿などの症状があるが、通常、（＿＿＿）はみられない。	発熱
	52	（＿＿＿）尿失禁は、咳やくしゃみで尿が漏れることが多い。	腹圧性
	53	トイレまで我慢できずに尿を漏らすのを、（＿＿＿）尿失禁という。	切迫性
	54	認知症や脳血管障害の人によくみられる排尿障害は、（＿＿＿）尿失禁である。	機能性
	55	慢性腎不全の人の食事では、（＿＿＿）が多い食品を控える。	たんぱく質、塩分、カリウム、水分
31 内分泌・代謝疾患	56	甲状腺機能（＿＿＿）では、浮腫（むくみ）、倦怠感などの症状を示すことが多い。	低下症
	57	糖尿病の症状として、口渇、多飲、（＿＿＿）などがある。	多尿
	58	1〜2か月前の平均血糖値を示す指標として、（＿＿＿）がある。	血中ヘモグロビンA1c（HbA1c）
	59	糖尿病は、（＿＿＿）の作用不足が原因である。	インスリン
	60	糖尿病のある人の身支度の介護で、特に観察すべき部位は（＿＿＿）である。	足趾（指）
32 感覚器疾患	61	（＿＿＿）では、水晶体が混濁する。	白内障
	62	（＿＿＿）では、眼圧が上がる。	緑内障
	63	網膜色素変性症の初期の症状の1つとして、（＿＿＿）がある。	夜盲
	64	老人性難聴は、高音域から始まり、（＿＿＿）難聴に分類される。	感音性
	65	良性発作性頭位めまい症やメニエール病では、（＿＿＿）がある。	回転性のめまい
	66	皮膚の表面は（＿＿＿）に保たれている。	弱酸性
	67	（＿＿＿）腺は、体臭の原因となる。	アポクリン
	68	皮膚から1日に約（＿＿＿）mLの不感蒸泄がある。	600
	69	白癬は、（＿＿＿）の一種である白癬菌の感染が原因である。	真菌（カビ）
	70	疥癬は、（＿＿＿）が皮膚に寄生しておこる感染症である。	ヒゼンダニ
33 先天性疾患	71	ダウン症は、（＿＿＿）の異常が原因である。	染色体
	72	ダウン症の症状として、筋緊張低下、運動発達遅滞、心疾患、（＿＿＿）などがある。	難聴
	73	脳性麻痺のアテトーゼ型は、（＿＿＿）が特徴である。	不随意運動
34 感染症	74	通常の免疫能をもつ人には発症しないような弱毒微生物による感染症を（＿＿＿）という。	日和見感染症
	75	肺結核は、主に（＿＿＿）感染する。	空気
	76	ノロウイルスの感染経路は、主に（＿＿＿）感染である。	経口
	77	MRSA（メチシリン耐性黄色ブドウ球菌）では、（＿＿＿）感染予防策を実施する。	接触

単　元		問　　　題	解　　答
[35] 精神疾患	78	（＿＿＿＿）では、気分が高揚し、多弁多動、欲求亢進、観念奔逸などの症状があらわれる。	躁状態
	79	（＿＿＿＿）では、抑うつ気分、興味または喜びの喪失がみられる。	うつ状態
	80	（＿＿＿＿）は、意識の混濁に加えて、錯覚、幻覚、不穏、興奮などを伴う。	せん妄
	81	（＿＿＿＿）の症状としては、フラッシュバックや、周囲の出来事への反応性の低下などを示すことがある。	PTSD（心的外傷後ストレス障害）
	82	（＿＿＿＿）は、精神保健指定医2名以上の診察の結果が、入院させなければ自傷他害のおそれがあると一致した場合の入院である。	措置入院
	83	（＿＿＿＿）は、精神保健指定医から入院が必要と判断された場合に、家族等の同意に基づいて行う入院である。	医療保護入院
	84	統合失調症は、（＿＿＿＿）性精神障害に分類される。	内因
[36] 発達障害	85	（＿＿＿＿）では、社会的コミュニケーション障害や社会性の障害がみられる。	自閉症スペクトラム障害
	86	（＿＿＿＿）では、不注意、多動、衝動性を特徴としている。	注意欠陥多動性障害（ADHD）
	87	（＿＿＿＿）では、全般的な知的発達に遅れはないが、聞く、話す、読む、書く、計算するなどのうち特定のものの習得と使用に著しい困難を示す。	学習障害
[37] リハビリテーション	88	リハビリテーションの語源は、（＿＿＿＿）である。	再び適したものにすること
	89	リハビリテーションは、何らかの障害を受けた人が、（＿＿＿＿）を目指し本来あるべき姿の回復を目指す。	全人間的復権
	90	（＿＿＿＿）は、ADL（日常生活動作）に最も支障が少ない姿勢である。	良肢位
	91	食事、入浴、排泄など日常生活を営む上の基本的な身体的動作は、（＿＿＿＿）に分類される。	ADL（日常生活動作）
	92	自力でベッドから車いすに移乗できる状態は、障害高齢者の日常生活自立度の判定では（＿＿＿＿）である。	ランクB1
[38] 廃用症候群・褥瘡	93	1週間の安静臥床で筋力は（＿＿＿＿）％程度低下する。	10〜15
	94	高齢になって筋力や活動が低下している状態を（＿＿＿＿）という。	フレイル
	95	廃用症候群で起こる深部静脈血栓症の対策として、（＿＿＿＿）を勧める。	運動
	96	褥瘡の発生部位として、最も頻度の高い場所は（＿＿＿＿）である。	仙骨部
	97	腰髄損傷による対麻痺で車いすを使用している場合、褥瘡は（＿＿＿＿）部などに発生しやすい。	坐骨結節

第 3 章

医療的ケア

「医療的ケア」では、「喀痰吸引」「経管栄養」「在宅医療・緊急時の対応」について整理していきます。

	単　元	重要度	出題実績					最近の出題内容
			32回	33回	34回	35回	36回	
39	喀痰吸引	**B**	3	1	1	1	2	喀痰吸引の手順・留意点、気管切開
40	経管栄養	**B**	1	3	2	1	2	経管栄養の手順・留意点、胃ろう、経鼻経管栄養
41	在宅医療・緊急時の対応	**A**	2	2	1	4	1	在宅酸素療法、心肺蘇生法、バイタルサイン、パルスオキシメーター、服薬、座薬の挿入

喀痰吸引等制度

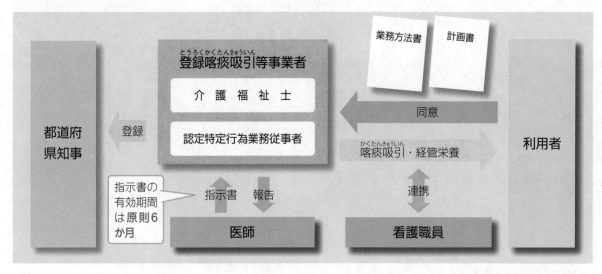

実施可能な行為	●喀痰吸引その他の日常生活を営むのに必要な行為で、医師の指示の下に行われるもの。	
	喀痰吸引	●口腔内、鼻腔内、気管カニューレ内部
	経管栄養	●胃ろう、腸ろう、経鼻経管栄養
介護福祉士等の範囲	●喀痰吸引等を実施できる介護職員は、次の介護職員等に限定されている。	
	介護福祉士	●「実地研修を修了した喀痰吸引等行為」の登録申請を行うと、介護福祉士登録証に喀痰吸引等の研修課程修了の有無が記載される。
	認定特定行為業務従事者	●一定の研修を修了した者を都道府県知事が認定。 ●修了者には「認定特定行為業務従事者認定証」が交付される。
認定証	●認定特定行為業務従事者認定証は、研修区分に対応して第1号～第3号の3種類ある。	
	第1号	●不特定多数の利用者に対して、すべての喀痰吸引等の行為が可能。
	第2号	●不特定多数の利用者に対して、喀痰吸引等の行為のうち実地研修を修了した特定の行為のみが可能。
	第3号	●特定の者が必要とする行為に限られる。
登録事業者	●喀痰吸引等の業務を行う場合は、事業所ごとに都道府県知事に登録しなければならない。	
	喀痰吸引等事業者	●実地研修を修了した介護福祉士に喀痰吸引等の業務をさせる事業所
	特定行為事業者	●認定特定行為業務従事者認定証を持った介護職員等に喀痰吸引等の業務をさせる事業所
	医療関係者との連携に関する基準	●文書による医師の指示を受け、報告書を医師へ提出すること ●医師、看護職員等の医療関係者との連携を確保すること ●喀痰吸引等の計画書を作成し、利用者の同意を得ること ●業務の手順等を記載した業務方法書を作成すること　など

喀痰吸引等制度の実施状況

喀痰吸引等事業者数

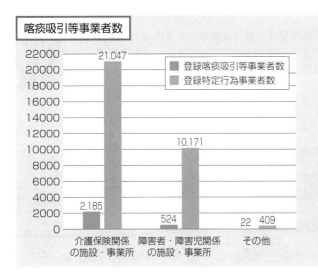

認定特定行為業務従事者認定証件数

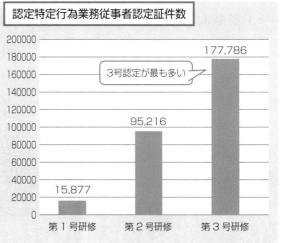

事業所種別（高齢者・介護保険関係の施設・事業所）

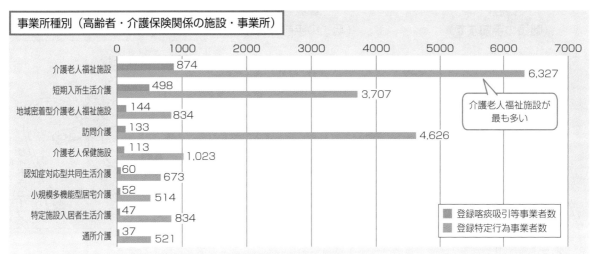

事業所種別（障害者・障害児関係の施設・事業所）

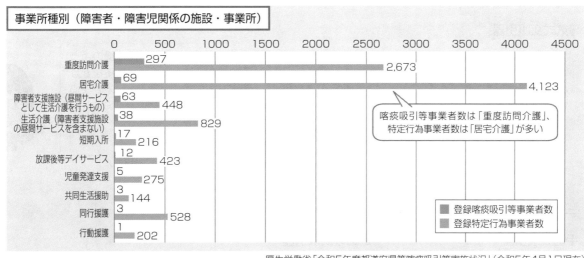

厚生労働省「令和5年度都道府県等喀痰吸引等実施状況」（令和5年4月1日現在）

喀痰吸引

介護福祉士等が実施できる喀痰吸引

認定特定行為業務従事者や介護福祉士が実施できるのは、「口腔内の喀痰吸引」「鼻腔内の喀痰吸引」「気管カニューレ内部の喀痰吸引」です。

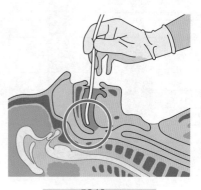

口腔内
（咽頭の手前まで）

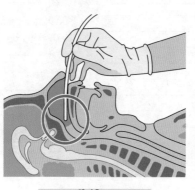

鼻腔内
（咽頭の手前まで）

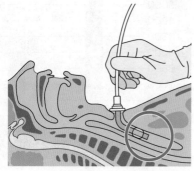

気管カニューレ内部

気管カニューレ

パイロットバルーン

サイドチューブ

カフ

空気を入れる穴

吸引器の種類

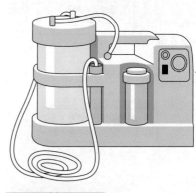

● 電気式痰吸引器は、障害者総合支援法（日常生活用具給付等事業）の対象となっている。

電気式痰吸引器

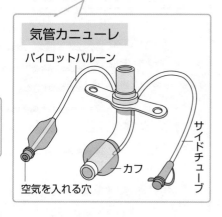

手動式吸引器

足踏み式吸引器

吸引器は、掃除機のようなしくみで、陰圧をかけて喀痰などの分泌物を吸い出します。吸引器は、電気式、手動式、足踏み式があります。

必要物品

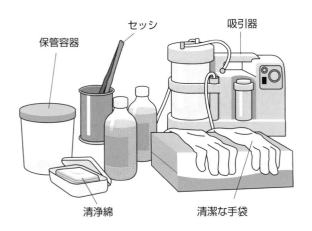

- 保管容器
- セッシ
- 吸引器
- 清浄綿
- 清潔な手袋

- 吸引器、接続管
- 吸引チューブ（気管カニューレ内部用と口腔内・鼻腔内用で分ける）
- （滅菌）手袋またはセッシ
- 滅菌精製水（気管カニューレ内部用）
- 洗浄水（口腔内・鼻腔内用）
- 清浄綿
- 吸引チューブの保存容器消毒液入り（再利用時、消毒液につけて保存する場合）

吸引チューブを再利用する場合は、浸漬法や乾燥法があり、それぞれ利用者の方法に従って行います。

浸漬法	吸引チューブを消毒液に漬けて保管する方法。
乾燥法	吸引チューブを乾燥させて保管する方法。

体位ドレナージ（体位排痰法）

体位ドレナージは、いろいろな体位をとることにより、重力を利用して痰の喀出を促す方法です。

仰臥位

側臥位

腹臥位

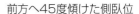

前方へ45度傾けた側臥位

後方へ45度傾けた側臥位

喀痰吸引の手順

準備

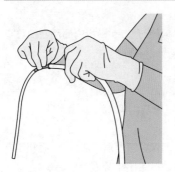

- 吸引チューブを吸引器に接続した接続管につなげる

- 利用者には吸引のたびに説明を行う。
- 室内の空気を清浄に保つ。
- 入浴時は、その前後に吸引を行う。
- 流水と石けんで手洗い、あるいは速乾性擦式手指消毒剤で手洗いし、必要に応じて手袋をする。
- 吸引チューブを不潔にならないように取り出し、吸引チューブを吸引器に接続した接続管につなげる。

- 非利き手で、吸引器のスイッチを押す

- 利き手の温存

- 吸引チューブを操作する利き手で吸引チューブの根元の部位を持って、チューブ先端を周囲の物に触れさせないようにしながら、反対の手で吸引器のスイッチを押す。
- 吸引圧が、陰圧になることを確認する。

口腔内

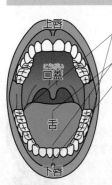

上唇

奥歯とほおの内側の間

口蓋

舌の上下面、周囲

前歯と唇の間

舌

下唇

十分に開口できない人の場合、片手で唇を開いたり、場合によっては、バイトブロックを歯の間に咬ませて、口腔内吸引をします。

- 上半身を10〜30度挙上した姿勢にする。
- 口腔内吸引の場所としては、奥歯とほおの間、舌の上下面と周囲、前歯と唇の間等を吸引する。
- 咽頭後壁を強く刺激すると、嘔吐反射が誘発されるので、特に食後間もないときなどは、強く刺激しないように注意する。

鼻腔内

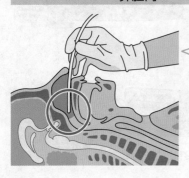

- すぐにチューブを下向きに変え、底をはわせるように深部まで挿入

- まずチューブ先端を鼻孔からやや上向きに数センチ入れる。その後、すぐにチューブを上向きから下向きに変え、底をはわせるように深部まで挿入する。
- 奥まで挿入できたら、吸引チューブに陰圧をかけ、チューブを持った3本の指でこよりをよるように、左右にチューブを回しながらゆっくり引き抜く。

気管カニューレ内部

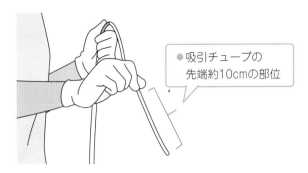

- 吸引チューブの先端約10cmの部位

気管カニューレ内部の喀痰吸引は、**無菌的な操作**が必要です。

- 気管カニューレ内部の吸引では、口腔内・鼻腔内吸引と異なり、無菌的な操作が要求されるので、滅菌された吸引チューブの先端約10cmの部位は、挿入前に他の器物に絶対に触れさせないように注意する。

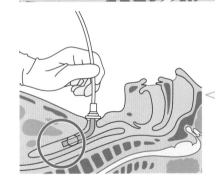

フレキシブルチューブ

コネクター

気管カニューレ

- 気管カニューレ内部に吸引チューブを挿入

- 吸引チューブを持った状態で、もう一方の手で、フレキシブルチューブのコネクターを気管カニューレからはずす。
- はずした後の回路は不潔にならないように保持する。

- 1回の吸引は10〜15秒以内にとどめ、できるだけ短時間で確実に効率よく行う。
- サイドチューブがある場合は、吸引を行う。
- 気管カニューレより先の気管の部分には迷走神経があり、この部分を刺激すると心臓や呼吸のはたらきを停止させてしまう危険性があるので注意する。

- 吸引実施に伴う呼吸状態、全身状態、貯留物残留の有無確認、パルスオキシメーターによる動脈血酸素飽和度の確認などを行い、医師や看護師に報告する。

吸引が終わったら

- 吸引チューブの外側をアルコール綿で、先端に向かって拭きとる

- 吸引チューブと接続管の内腔を洗浄水で洗い流す

- 吸引チューブの外側をアルコール綿で先端に向かって拭きとり、最後に吸引チューブと接続管の内腔を洗浄水で洗い流す。

- 吸引物は、吸引びんの70〜80%になる前に廃棄する。

40 経管栄養

経管栄養

経管栄養は、口から食事を摂ることができない、あるいは摂取が不十分な人の消化管内にチューブを挿入して栄養剤（流動食）を注入し、栄養状態の維持管理を行う方法です。

介護福祉士等が実施できる経管栄養

認定特定行為業務従事者や介護福祉士が実施できるのは、「**胃ろうまたは腸ろうによる経管栄養**」「**経鼻経管栄養**」です。

胃ろう経管栄養

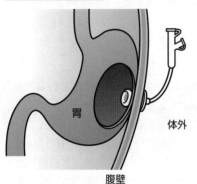

胃

体外

腹壁

腸ろう経管栄養

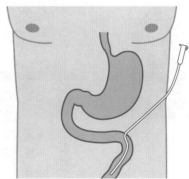

経鼻経管栄養

経鼻胃管

		ボタン型	チューブ型
		長所）自己抜去がほとんどない。 短所）ボタンが開閉しづらいことがある。	長所）栄養チューブとの接続が容易。 短所）自己抜去しやすい。
バルーン型	長所）交換が容易。 短所）バルーンが破裂することがあり、短期間で交換になることがある。		
バンパー型	長所）カテーテルが抜けにくく交換までの期間が長い。 短所）交換時に痛みや圧迫感を生じることがある。		

経管栄養の必要物品

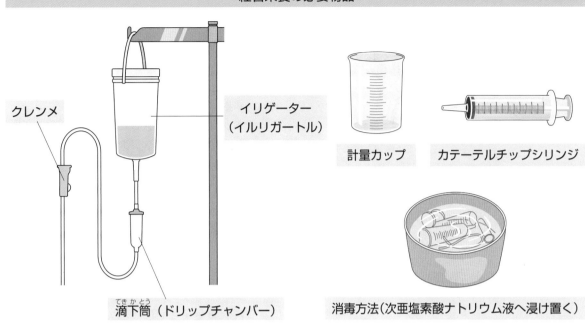

クレンメ

イリゲーター
（イルリガートル）

滴下筒（ドリップチャンバー）

計量カップ

カテーテルチップシリンジ

消毒方法（次亜塩素酸ナトリウム液へ浸け置く）

栄養剤（流動食）の種類

経管栄養で使用される栄養剤は、取り扱いの違いから、食品タイプと医薬品タイプに分けられます。医薬品タイプでは、医師の処方が必要です。

食品タイプ	医薬品タイプ	半固形栄養剤

濃厚流動食

半消化態栄養剤　　消化態栄養剤

形状の違いからは、液状タイプ、粉末状タイプ、半固形（ゼリー状）タイプに分けられます。

経管栄養の手順

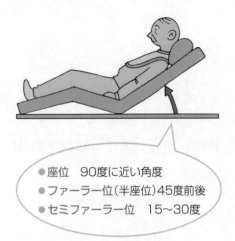

- 座位　90度に近い角度
- ファーラー位（半座位）45度前後
- セミファーラー位　15～30度

- 栄養剤を利用者のところに運んだ後、最初に本人であることを確認する。
- 利用者が望むいつもの決められた体位に調整する。
- ベッド上では、注入した栄養剤が逆流し、肺に流れ込むことがないように、ベッドの頭側を30～60度上げ、ファーラー位にし、体がずり落ちないよう膝を軽度屈曲させる。

カテーテルチップシリンジによる胃内容物の確認

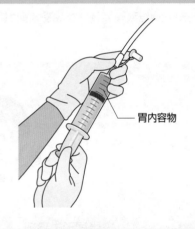

胃内容物

- 経鼻経管栄養では、挿入されている栄養チューブが胃に到達しているか、医師または看護職が確認する。

クレンメの開け閉めによる滴下調整

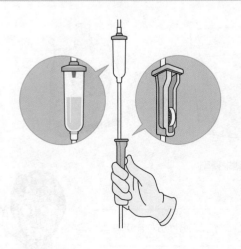

- 注入内容を確認し、栄養剤を用意し注入容器に入れる。
- 滴下筒には半分くらい満たし、滴下が確認できるようにする。
- クレンメを開け、経管栄養セットのラインの先端まで栄養剤を満たす。

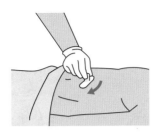

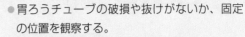

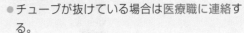

- 胃ろうチューブの破損や抜けがないか、固定の位置を観察する。
- チューブが抜けている場合は医療職に連絡する。

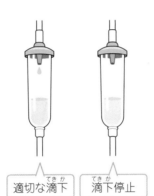

胃ろうカテーテルをつなぐ。
- 利用者に注入開始について声かけをする。
- 注入前に胃内のガスの自然な排出を促すとともに、前回注入した栄養剤が戻ってこないかを確認する。
- 栄養剤を所定の位置につるす（栄養剤の液面は、胃から50cm程度高くする）。
- 胃ろうチューブと注入用バッグのラインを接続する。
- クレンメをゆっくり緩めて滴下する。
- 医療職が指示する許容範囲内で利用者の状態や好みに合わせて注入速度を調整する。
- 栄養剤の注入速度が速いと、下痢や嘔吐を起こすことがあるので注意する。

適切な滴下　　滴下停止

- 栄養剤の注入が終わったらクレンメを閉じ、経管栄養セット側のチューブをはずす。
- 次にカテーテルチップシリンジで、胃ろうチューブに白湯を流し、チューブ内の栄養剤を洗い流す。

胃ろうから半固形栄養剤をバッグで注入する場合

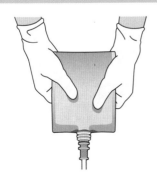

- 半固形栄養剤は、液状の栄養剤が胃食道逆流を起こしやすい場合などに用いられる（食道への逆流を改善することが期待できる）。
- 注入時は、上半身を30〜45度程度起こし、腹部の緊張を緩和する体位とする。
- 短時間で栄養剤を注入することから、腸の蠕動が亢進することもあるので、医師や看護師の指導のもとで実施する。

在宅酸素療法（HOT）

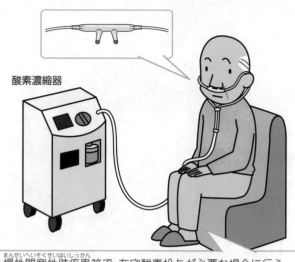

酸素濃縮器

携帯用酸素吸入器

- 慢性閉塞性肺疾患等で、在宅酸素投与が必要な場合に行う。
- 火気からは2m以上離れる。室内を換気して清浄に保つようにする。風邪を予防する。

尿道留置カテーテル

- 尿道口から膀胱に通して導尿する目的で使用されるカテーテル。
- 蓄尿バッグを膀胱の位置より高くしない。

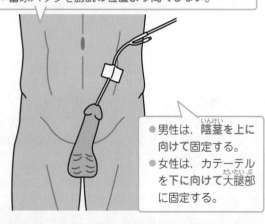

- 男性は、陰茎を上に向けて固定する。
- 女性は、カテーテルを下に向けて大腿部に固定する。

自己導尿

- プライバシーに配慮する。

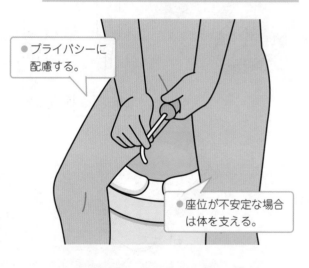

- 座位が不安定な場合は体を支える。

心臓ペースメーカー

- 心臓に対して電気刺激を与え鼓動を促す医療機器。
- 低周波治療器などは使用しない。植え込み位置に近い筋肉を使う運動は避ける。

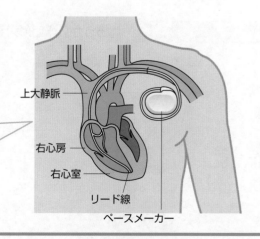

上大静脈

右心房

右心室

リード線

ペースメーカー

中心静脈栄養

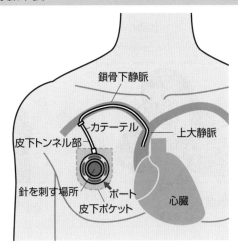

● 経口・経腸による栄養摂取ができない場合などに、鎖骨下静脈（さこつか じょうみゃく）などから大静脈までカテーテルを入れて輸液ライン（IVH）を確保し、高カロリー液を輸液する。

鎖骨下静脈

カテーテル

上大静脈

皮下トンネル部

針を刺す場所

ポート

皮下ポケット

心臓

腹膜透析（CAPD）
（ふくまくとうせき）

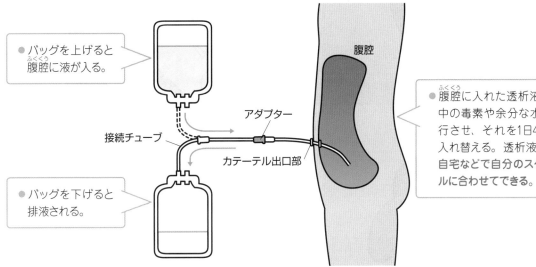

● バッグを上げると腹腔（ふくくう）に液が入る。

● バッグを下げると排液される。

接続チューブ

アダプター

カテーテル出口部

腹腔

● 腹腔（ふくくう）に入れた透析液に血液中の毒素や余分な水分を移行させ、それを1日4回程度入れ替える。透析液交換は、自宅などで自分のスケジュールに合わせてできる。

在宅人工呼吸療法

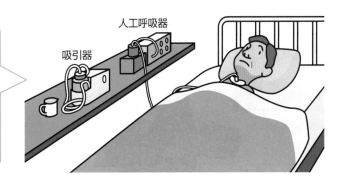

● 人工呼吸器を装着して呼吸の維持・改善をする治療を人工呼吸療法という。
● 人工呼吸療法は、気管切開部から気管カニューレを挿入し、そこから空気を送り込む侵襲的（しゅう）人工呼吸療法と、口・鼻または鼻のみをマスクで覆い空気を送り込む非侵襲的（ひ しんしゅう）人工呼吸療法がある。

人工呼吸器

吸引器

心肺蘇生法

心肺停止状態の傷病者に対し、救急隊が到着するまでの間に行う救命処置を一次救命処置といいます。

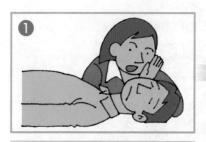

❶ 意識があるか確認

❷ 助けを求める　呼吸確認

●回復体位
●気道確保

呼吸あり

呼吸なし　　※迷ったらすぐ胸骨圧迫

圧迫する位置

❹ 気道確保

●1分間に100回〜120回の速さ
●約5cmで、6cmを超えない深さ

❸ 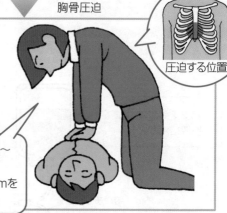 心臓マッサージ（胸骨圧迫）

❺ 人工呼吸

 心臓マッサージ30回と人工呼吸2回の組み合わせを救急隊員などが現場に来るまで続けます。

※人工呼吸ができないか、ためらわれる場合は、心臓マッサージ（胸骨圧迫）のみを行う

自動体外式除細動器（AED）

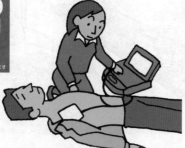

●心室細動の際に機器が自動的に解析を行い、電気的なショック（除細動）を与え、心臓の働きを戻すことを試みる医療機器。

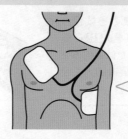

●電極パッドは、右前胸部および左側胸部に貼りつける。

窒息防止

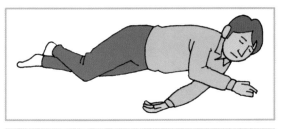

回復体位（昏睡体位）

- ややうつ伏せに近い側臥位
- 気道を確保するため、頭はやや後ろにする

舌が気道に落ち込んだり、嘔吐物がのどに詰まったりして窒息するのを防ぐ体位です。

のどに異物が詰まった

指でかき出す

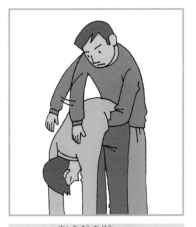

背部叩打法（※）

ハイムリック法（※）
（腹部突き上げ法）

（※）意識のない人には用いない

やけど

やけどは（着衣は脱がさずに）冷水などでよく冷やします。水ぶくれはつぶさないようにします。

出血

- 外傷性出血がある場合は、出血部位を清潔なガーゼで圧迫する。

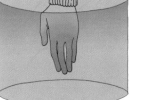

すり傷

- すり傷は、水道水で十分に洗い流す。

- 感染を起こしていない皮膚の創傷治癒を促す方法として、消毒をしない、乾燥させない、湿潤療法が推奨されている。

バイタルサイン	●バイタルサインとは、人間が生きている状態を示す徴候、所見をいう。 ●狭義には、体温、血圧、脈拍、呼吸を指す。	
測定	体温測定	●体温計には、水銀体温計、電子体温計、耳式体温計、非接触型体温計がある。 ●直腸>口腔>腋窩の順で高く測定される。 ●腋窩検温は、腋窩中央部に感温部がくるようにし、前下方から45度の角度で挿入する。 ●高体温は、37℃以上。低体温は、34℃以下の状態。
	血圧測定	●血圧は、血液が血管壁に及ぼす圧力の大きさ。 ●診察室で測定した場合の正常血圧は、最高(収縮期)血圧120mmHg未満かつ最低(拡張期)血圧80mmHg未満。 ●血圧は、測定時の姿勢に影響される。
	脈拍測定	●回数、リズム(整・不整)、大きさ、緊張などを観察する。 ●橈骨動脈で測定されることが多い。3指(2・3・4指)を動脈の真上に置き指腹で触診する。 ●通常、1分間に60〜70を正常とする。60未満を徐脈、100以上を頻脈という。
	呼吸測定	●呼吸数、深さ、リズムなどを観察する。 ●呼吸は意思で変化させることができるので、測定にあたっては気づかれないようにする。 ●通常、1分間に16〜20回。 ●経皮酸素飽和度モニター(パルスオキシメーター)は、動脈血の酸素飽和度を測定することができる(健康な人の基準値は95〜100%)。

服薬の介護

薬の種類	カプセル剤　　散薬　　坐薬 錠剤　　水薬　　軟膏		
服用時間	食前薬	●食事の30分〜1時間前に服用する薬	
	食間薬	●食後2〜3時間（食事と食事の間）に服用する薬	
	食後薬	●食後（食後、30分後など）に服用する薬	
	頓服薬	●1回限り服用する薬	
薬の作用	薬の吸収	●口から飲んだ薬は、胃で溶け、おもに十二指腸や小腸から栄養素と同じように吸収される。	
	薬の分布	●吸収された薬は、血液によって全身に運ばれて分布される。 ●その薬は、たんぱく質と結合した「結合型」と、結合しない「遊離型」に分かれて全身に分布され、おもに「遊離型」が薬の効果を現わす。	
	薬の代謝	●肝臓に入った薬は、酵素の働きで、身体から排泄しやすい形に変えられる（薬物代謝）。	
	薬の排泄	●薬は腎臓から尿の中に排泄され、ほかにも便、汗、涙、唾液からも排泄されるものがある。	
服用	●薬を飲むときはなるべく多めの水で飲むようにする。 ●カプセルを外したり、錠剤をつぶして服用することは避け、飲みやすい剤形への変更など、医師や薬剤師などに相談する。 ●点眼は、容器の先がまつ毛に触れないようにする。 ●坐薬（座薬）は、挿入後排出されないことを確認する。		
保管	●薬は一般的に直射日光の当たらない湿度の低いところに保管する。		
副作用	●高齢者は複数の薬を併用していることが多いため、相互作用、副作用に注意が必要である。 ●抗ヒスタミン薬の副作用として、眠気、口渇、吐き気、便秘などが現れる場合がある。		

単　元		問　題	解　答
39 喀痰吸引	1	介護福祉士が喀痰吸引を行うときは、（＿＿＿）の指示を文書で受けなければならない。	医師
	2	喀痰吸引等の業務を行おうとする事業者は、事業所ごとに（＿＿＿）の登録を受けなければならない。	都道府県知事
	3	介護福祉士による喀痰吸引は、口腔内、鼻腔内、（＿＿＿）の吸引が実施できる。	気管カニューレ内部
	4	介護福祉士が鼻腔内の吸引を行うときは、（＿＿＿）まで吸引チューブを挿入できる。	咽頭の手前
	5	吸引器は、（＿＿＿）になることを確認する。	陰圧
	6	吸引1回ごとに、（＿＿＿）でカテーテル表面を根元から先端に向かって拭いてから洗浄水を吸引し、内腔を洗い流す。	アルコール綿
	7	気管カニューレ内部の吸引では、（＿＿＿）洗浄水を使用する。	滅菌された
	8	気管切開をして人工呼吸器を使用している人の喀痰吸引の1回の吸引時間は、（＿＿＿）とする。	15秒以内
	9	吸引物は、吸引びんの（＿＿＿）％になる前に廃棄する。	70～80
40 経管栄養	10	介護福祉士による経管栄養は、胃ろうまたは腸ろう、（＿＿＿）が実施できる。	経鼻経管栄養
	11	介護福祉士が経管栄養を実施するときに、注入量を指示する者は（＿＿＿）である。	医師
	12	栄養剤を利用者のところに運んだ後、最初に（＿＿＿）の確認をする。	本人であること
	13	胃ろうの、（＿＿＿）型は自己抜去しにくい。	ボタン
	14	イルリガートルを用いた経管栄養の栄養剤の液面は、胃から（＿＿＿）程度高くする。	50cm
	15	栄養剤の注入速度が速いと、（＿＿＿）を起こすことがある。	下痢、嘔吐
	16	チューブ内の栄養剤を洗い流すために、栄養剤の注入後に（＿＿＿）を注入する。	白湯
41 在宅医療・緊急時の対応	17	自己導尿を行う場合、（＿＿＿）で行えるように支援する。	座位姿勢
	18	利用者が寝室の床に倒れていた場合、最初にとるべき行動は、（＿＿＿）ことである。	意識を確認する
	19	意識がなく、自発呼吸がある場合には、（＿＿＿）をとらせる。	回復体位（側臥位）
	20	固形物が気道につまって窒息状態に陥った場合には、背部叩打法や（＿＿＿）法を用いる。	ハイムリック
	21	感染を起こしていない皮膚の創傷治癒を促す方法として、（＿＿＿）療法が推奨されている。	湿潤
	22	健康な人の体温では、腋窩温は口腔温より（＿＿＿）。	低い
	23	パルスオキシメーターは、（＿＿＿）の酸素飽和度を測定することができる。	動脈血
	24	点眼は、容器の先が（＿＿＿）に触れないように行う。	まつ毛

第**4**章

介 護

1節　介護の基本

「介護の基本」では、「社会福祉士及び介護福祉士法」「介護の基本的視点」「国際生活機能分類(ICF)」について整理していきます。

	単　　元	重要度	出題実績					最近の出題内容
			32回	33回	34回	35回	36回	
42	社会福祉士及び介護福祉士法	**B**	2	1	2	2	1	介護福祉士の定義、介護福祉士の義務、介護福祉士と医療的ケア、日本介護福祉士会倫理綱領
43	介護の基本的視点	**A**	6	6	8	13	11	自立に向けた介護、援助関係、施設での介護、事故防止、PDCAサイクル、介護従事者の心身の健康管理、腰痛予防と対策、感染対策、身体拘束の禁止、災害対策
44	国際生活機能分類(ICF)	**B**	2	2	1		1	国際障害分類(ICIDH)と国際生活機能分類(ICF)、社会モデル、環境因子、活動と参加

介護福祉士とは？

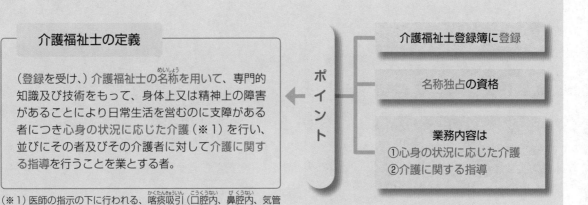

介護福祉士の定義

（登録を受け、）介護福祉士の名称を用いて、専門的知識及び技術をもって、身体上又は精神上の障害があることにより日常生活を営むのに支障がある者につき心身の状況に応じた介護（※1）を行い、並びにその者及びその介護者に対して介護に関する指導を行うことを業とする者。

ポイント →

- 介護福祉士登録簿に登録
- 名称独占の資格
- 業務内容は
  ①心身の状況に応じた介護
  ②介護に関する指導

（※1）医師の指示の下に行われる、喀痰吸引（口腔内、鼻腔内、気管カニューレ内部）、経管栄養（胃ろう、腸ろう、経鼻経管栄養）を含む。

欠格事由（介護福祉士になれない人）

- 心身の故障により介護福祉士の業務を適正に行うことができない者として厚生労働省令で定める人
- 禁錮（※2）以上の刑または社会福祉士及び介護福祉士法などの法律の規定で、罰金の刑に処せられ、執行を終わり、もしくは執行を受けることがなくなった日から2年を経過しない人
- 介護福祉士の登録を取り消され、その取消しの日から2年を経過しない人

介護福祉士の義務など

	義務など	罰　則
秘密保持義務	●正当な理由がなく、その業務に関して知り得た人の秘密を漏らしてはならない。介護福祉士でなくなった後においても、同様とする。	●1年以下の懲役（※2）または30万円以下の罰金 ＋ ●登録の取り消し、または期間を定めて介護福祉士の名称使用制限
名称の使用制限	●介護福祉士でない者は、介護福祉士という名称を使用してはならない。	●30万円以下の罰金
信用失墜行為の禁止	●介護福祉士の信用を傷つけるような行為をしてはならない。	●登録の取り消し、または期間を定めて介護福祉士の名称使用制限
誠実義務	●個人の尊厳を保持し、自立した日常生活を営むことができるよう、常にその者の立場に立って、誠実にその業務を行わなければならない。	
資質向上の責務	●介護を取り巻く環境の変化による業務の内容の変化に適応するため、介護等に関する知識及び技能の向上に努めなければならない。	
連　携	●認知症であることなどの心身の状況その他の状況に応じて、福祉サービスなどが総合的かつ適切に提供されるよう、「福祉サービスを提供する者」または「医師その他の保健医療サービスを提供する者」「その他の関係者」との連携を保たなければならない。	

（※2）「禁錮」「懲役」は2022（令和4）年の改正により「拘禁刑」となる（2025（令和7）年6月1日から施行）。

日本介護福祉士会倫理綱領

前　文

　　私たち介護福祉士は、介護福祉ニーズを有するすべての人々が、住み慣れた地域において安心して老いることができ、そして暮らし続けていくことのできる社会の実現を願っています。

　　そのため、私たち日本介護福祉士会は、一人ひとりの心豊かな暮らしを支える介護福祉の専門職として、ここに倫理綱領を定め、自らの専門的知識・技術及び倫理的自覚をもって最善の介護福祉サービスの提供に努めます。

1	利用者本位、自立支援	●介護福祉士は、すべての人々の基本的人権を擁護し、一人ひとりの住民が心豊かな暮らしと老後が送れるよう利用者本位の立場から自己決定を最大限尊重し、自立に向けた介護福祉サービスを提供していきます。
2	専門的サービスの提供	●介護福祉士は、常に専門的知識・技術の研鑽に励むとともに、豊かな感性と的確な判断力を培い、深い洞察力をもって専門的サービスの提供に努めます。 ●また、介護福祉サービスの質的向上に努め、自己の実施した介護福祉サービスについては、常に専門職としての責任を負います。
3	プライバシーの保護	●介護福祉士は、プライバシーを保護するため、職務上知り得た個人の情報を守ります。
4	総合的サービスの提供と積極的な連携、協力	●介護福祉士は、利用者に最適なサービスを総合的に提供していくため、福祉、医療、保健その他関連する業務に従事する者と積極的な連携を図り、協力して行動します。
5	利用者ニーズの代弁	●介護福祉士は、暮らしを支える視点から利用者の真のニーズを受けとめ、それを代弁していくことも重要な役割であると確認したうえで、考え、行動します。
6	地域福祉の推進	●介護福祉士は、地域において生じる介護問題を解決していくために、専門職として常に積極的な態度で住民と接し、介護問題に対する深い理解が得られるよう努めるとともに、その介護力の強化に協力していきます。
7	後継者の育成	●介護福祉士は、すべての人々が将来にわたり安心して質の高い介護を受ける権利を享受できるよう、介護福祉士に関する教育水準の向上と後継者の育成に力を注ぎます。

自立に向けた介護

生活支援の基本的視点	●生活とは、衣食住を基礎として職業生活、社会生活などを行うことである。 ●医学モデルより生活モデルを尊重する。 ●ICIDH(国際障害分類)よりICF(国際生活機能分類)を尊重する。 ●集団ケアより個別ケアを尊重する。 ●介護者の意向より利用者の意向を尊重する。 ●利用者の生活歴を理解して行う。 ●信頼関係に基づいて支援する。 ●生活時間は、その人独自のものがある。
アドボカシー (権利擁護)	●利用者の利益を図り生活の質を高めるために主張や代弁をし、権利を擁護していく活動。
エンパワメント	●利用者自身が本来もっている力を取り戻し、自分自身の力で問題や課題を解決できる能力を獲得すること。
エンパワメント アプローチ	●利用者のもっている力に着目し、その力を引き出して積極的に利用、援助すること。 ●利用者はエンパワメントアプローチをされることで、自己決定能力が高まる。
QOL(生活の質)	●物理的な豊かさ、ADLの自立だけでなく、人間らしい、自分らしい生活を送るという精神面を含めた生活全体の豊かさをとらえる概念。
ワーカビリティー	●援助者を活用して問題解決に向かう利用者の能力や意欲。
インフォームドコンセント (Informed Consent)	●十分な説明を受けたうえで同意をすること。 ●インフォームドチョイス(十分に説明したうえで選択してもらうこと。)
レスパイトケア	●介護を担う家族に休養を提供するための家族支援サービス。ショートステイやデイサービスなど。

援助関係

自己覚知(かくち)	●援助者自身のものの見方や考え方について、自ら理解すること。 ●自己覚知(かくち)のために、自分の感情の動きとその背景を洞察することが重要。
ラポール	●援助者と利用者の間に成立する共感を伴った信頼関係。 ●ラポール形成の初期段階のかかわりでは、利用者の感情に関心をもつ。
コンプライアンス	●法律や社内規定、マニュアルなどを遵守すること。 ●介護サービス事業者は、法令遵守責任者を選任しなければならない。
セルフヘルプグループ	●自助グループとも呼ばれ、同じ課題や悩みを抱える人たちが自発的なつながりで結びついた集団。

施設での介護

ユニットケア		●各ユニットにおいて入居者が相互に社会的関係を築き、各ユニットに固定配置された顔なじみの介護スタッフが、入居者の生活リズムを尊重した暮らしをサポートする。
	設備	●入居者個人のプライベート空間である「居室」と、他の入居者や介護スタッフと交流するための「共同生活室」がある。
	介護保険施設の基準	●1ユニットの入居定員は、原則としておおむね10人以下とし、15人を超えない。 ●ユニットごとに、常勤のユニットリーダーを配置。 ●2ユニットごとに1人以上の夜勤の介護職員又は看護職員を配置。
施設での介護		●利用者の羞恥心(しゅうちしん)に配慮した介護を行う。入室するときは、ノックや声かけをする。 ●利用者が使い慣れた家具を置く。 ●少しでも早くなじみの職員ができるようにする。 ●利用者の身体的側面だけでなく、心理的・社会的な面も含む支援を行う。

事故防止

リスクマネジメント		●リスクを組織的に管理し、事故の防止をはかるプロセスをいう。	
ヒヤリハット（インシデント）報告書		●利用者に被害を及ぼすことはなかったが、日常の現場で、"ヒヤリ"としたり、"ハッ"とした経験を有する事例の報告書。	重大事故 軽微な事故 ヒヤリハット
	ハインリッヒの法則	●1つの重大事故の背景には、多くの軽微な事故とヒヤリハットが存在するという経験則	
事故発生の防止および発生時の対応（介護保険施設の運営基準）		●事故発生の防止のための指針を整備し、担当者を置かなければならない。 ●事故が発生した場合に、事故の改善策を従業者に周知徹底する体制を整備しなければならない。 ●事故発生の防止のための委員会や職員に対する研修を定期的に行わなければならない。 ●事故が発生した場合、速やかに市町村、入所者の家族等に連絡を行わなければならない。 ●事故の状況および事故に際してとった処置について記録しなければならない。	

PDCAサイクル

PDCAサイクル		●事業活動における品質管理などの管理業務を円滑に進める手法の1つ。 ●Plan（計画）→Do（実行）→Check（評価）→Action（改善）の4段階を繰り返すことによって、業務を継続的に改善する。	
	Plan（計画）	●目標を設定し、実績や将来の予測などをもとにして業務計画を作成する。	Plan 計画 Action 改善　PDCAサイクル　Do 実行 Check 評価
	Do（実行）	●計画に沿って業務を行う。	
	Check（評価）	●業務の実施が計画に沿っているかどうかを検証・評価する。	
	Action（改善）	●実施が計画に沿っていない部分を調べて改善すべき点を是正する。	

介護従事者の心身の健康管理

ストレス		●ストレスは、ストレス刺激となるもの(ストレッサー)と、ストレス刺激を受けて生体に歪みが生じた状態(ストレス反応)とに分けて考えることができる。
	ストレス反応	●ストレス要因に対して生じる反応。 ●身体面(過換気症候群、過敏性腸症候群など)、心理面(燃え尽き症候群、無気力な状態など)、行動面の反応などがある。
	ストレスマネジメント	●自分自身で心身の緊張といったストレス反応に気づき、それを解消していくこと。 ●ストレス反応を解消するために自分に合った適切な対処法をもつことが重要。
コーピング	問題焦点型コーピング	●ストレッサーそのものに働きかけて、それ自体を変化させて解決を図ろうとする。
	情動焦点型コーピング	●ストレッサーそのものに働きかけるのではなく、それに対する考え方や感じ方を変えようとする。
燃え尽き症候群(バーンアウト)		●一定の期間に過度の緊張とストレスの下に置かれた場合に発生することが多く、無気力感、疲労感や無感動がみられる。
ハラスメント対策		●事業者は、職場において行われる性的な言動または優越的な関係を背景とした言動であって業務上必要かつ相当な範囲を超えたものにより職員の就業環境が害されることを防止するための方針の明確化等の必要な措置を講じなければならない。

腰痛予防と対策

ボディメカニクス		●骨・関節・筋肉等の各系統間の力学的原理を活用した介護の方法。 ●ボディメカニクスを活用することで、利用者と介護者の負担を軽減することができる。
	例	●支持基底面積は広くとり、重心を低くする。 ●介護者と利用者の重心を近づける。 ●腹筋、背筋、大腿筋など大きな筋群を使う。 ●テコの原理を活用する。 ●移動時の摩擦面を小さくする。
腰痛予防	作業姿勢と動作	●同一作業や姿勢が長く続かないよう、変化のある作業計画を立てる。 ●作業対象物あるいは利用者に体を近づけて作業する。 ●作業面の高さを上げる。 ●低い姿勢になるときは膝を曲げる。 ●体をひねった状態での介助は避ける。
	作業環境管理	●作業環境には、温度、照明、作業床面、作業空間や設備の配置など腰痛の発症や症状の悪化に関連する要因があるため、作業環境管理を実施する必要がある。
	作業前体操	●静的なストレッチングは筋肉への負担が少なく、安全性が高いために推奨されている。

感染対策

感染症に対する対策	●感染は、感染源、感染経路、宿主の3つの要因があって成立するため、感染対策の柱として次の3つの対策があげられる。	
	感染源の排除	●「排泄物」「血液、喀痰」などを素手で触れないようにする。
	感染経路の遮断	●手洗いやうがい、環境の清掃など感染源を持ち込まない、拡げない、持ち出さないようにする。
	宿主抵抗力の向上	●栄養状態を改善するなど、身体の抵抗力を強化する。
スタンダードプリコーション（標準予防策）	●感染の有無を問わずすべての利用者を対象に実施される感染予防策。 ●血液、汗を除く体液、分泌物、排泄物、粘膜、損傷した皮膚には感染の可能性があるとみなして対応する。	
	対応例	●利用者ごと、援助ごとに手洗いを励行する。 ●固形石鹸よりも液体石鹸のほうが望ましい。 ●利用者の体液に触れる可能性があるときは、手袋、マスクなどを着用する。 ●使用したリネンや器材を適切に処理する。
事業所における感染症対策	●事業所における感染症および食中毒の予防およびまん延の防止のための対策を検討する委員会を定期的に開催し、その結果の周知徹底を図り、指針を整備し、研修、訓練（シミュレーション）を実施する措置を講じなければならない。 ●施設は、委員会をおおむね3か月に1回（その他のサービスは6か月に1回）開催しなければならない。	

身体拘束の禁止

身体拘束の禁止	●サービスの提供にあたっては、利用者の生命または身体を保護するために、緊急やむを得ない場合を除き、身体拘束その他の利用者の行動を制限する行為を行ってはならない。	
緊急やむを得ない場合	切迫性	●利用者本人または他の利用者の生命または身体が危険にさらされる可能性が著しく高いこと。
	非代替性	●身体拘束その他の行動制限を行う以外に代替する介護方法がないこと。
	一時性	●身体拘束その他の行動制限が一時的なものであること。
留意事項	●「緊急やむを得ない場合」の判断は、施設全体で判断することが必要である。 ●緊急やむを得ず身体拘束等を行う場合は、その態様、時間、利用者の心身の状況、緊急やむを得ない理由を記録しなければならない。	
身体的拘束適正化検討委員会	●施設は、身体的拘束適正化検討委員会を3か月に1回以上開催しなければならない。	
身体拘束の具体例	●徘徊しないように、車いす、ベッドに体幹や四肢をひも等でしばる。 ●自分で降りられないように、ベッドを柵（サイドレール）で囲む。 ●チューブ等を抜かないように、ミトン型の手袋等をつける。 ●脱衣やおむつはずしを制限するために、介護衣（つなぎ服）を着せる。	

災害対策

避難行動要支援者名簿の作成		● 市町村長は、当該市町村に居住する要配慮者のうち、災害時に自ら避難することが困難な者で特に支援が必要な者（避難行動要支援者）の把握に努め、避難支援等を実施するための基礎とする名簿（避難行動要支援者名簿）を作成しておかなければならない。 ● 市町村長は、災害の発生に備え、避難支援等の実施に必要な限度で、消防機関、警察、民生委員、社会福祉協議会など避難支援等の実施に携わる関係者に対し、名簿情報を提供する。
個別避難計画		● 避難行動要支援者（高齢者、障害者等）ごとに、避難支援を行う者や避難先等の情報を記載した計画。 ● 市町村長は、地域防災計画の定めるところにより、名簿情報にかかる避難行動要支援者ごとに、個別避難計画を作成するよう努めなければならない。
福祉避難所		● 災害発生時に、要配慮者を受け入れる避難所で、国のガイドラインによって各市町村で確保するよう求められている。
	指定福祉避難所の基準	● 要配慮者の円滑な利用が確保され、要配慮者が相談し、または助言その他の支援を受けることができる体制が整備された施設で、災害対策基本法施行規則の基準を満たすもの。
	要配慮者	● 災害時において、高齢者、障害者、乳幼児その他の特に配慮を要する者。
	利用対象	● 身体等の状況が特別養護老人ホームまたは老人短期入所施設等へ入所するには至らない程度の者であって、避難所での生活において、特別な配慮を要する者およびその家族。
消火・避難訓練		● 施設は、非常災害対策計画を立て、定期的に避難、救出その他必要な訓練を行わなければならない。 ● 訓練の実施に当たって、地域住民の参加が得られるよう連携に努めなければならない。 ● 施設は、消防法において、年2回以上の消火・避難訓練が義務づけられている。
地震対策		● 外への避難経路は、複数のルートを用意しておく。 ● 書棚の上部に軽い物を収納するなど重心が下になるようにする。 ● 非常時に持ち出す物は、リュックサックにまとめておく。
業務継続に向けた取組の強化		● 事業者は、感染症や非常災害の発生時において、利用者に対するサービスの提供を継続的に実施するための、および非常時の体制で早期の業務再開を図るための計画（業務継続計画）を策定し、当該業務継続計画に従い必要な措置を講じなければならない。

44 # 国際生活機能分類（ICF）

 国際生活機能分類（ICF）は、人間の生活機能と障害の分類法として、2001年世界保健機関（WHO）において採択されました。これまでの国際障害分類（ICIDH）（1980年採択）がマイナス面を分類するという考え方が中心であったのに対し、ICFは、生活機能というプラス面からみるように視点を転換しました。

国際障害分類（ICIDH）　※「障害」というマイナス面をとらえていた。

機能障害	→	能力障害	→	社会的不利

障害分類	機能障害	●心理的、生理的または解剖学的な構造・機能の何らかの障害
	能力障害	●機能障害に起因して、活動していく能力が何らかの制限をされること
	社会的不利	●機能障害や能力障害の結果、社会的な役割を果たすことが制限されること

国際生活機能分類（ICF）

※心身機能・身体構造、活動、参加の生活機能レベルと、健康状態・環境因子・個人因子のすべての要素は、それぞれ相互に関係している。

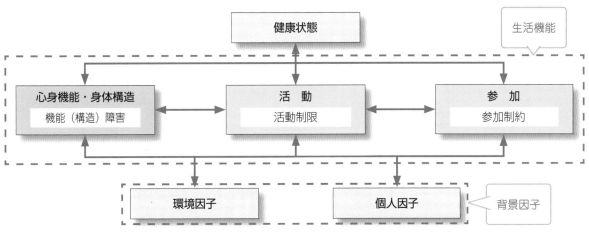

生活機能	心身機能・身体構造	●心身機能は、身体系の生理的機能（心理的機能を含む） ●身体構造は、器官、肢体とその構成部分などの解剖学的部分	
	活動	●課題や行為の個人による遂行（ADL、IADLなど） ●活動における、実行状況（している活動）と能力（できる活動）に区別し、将来の目標（する活動）に向けて働きかける	
	参加	●生活・人生場面へのかかわり（娘の結婚式に出席、レクリエーションに参加など）	
背景因子		環境因子	●物的な環境や社会的環境などを構成する因子（段差がある、娘がいるなど）
		個人因子	●個人の人生や生活の特別な背景（医者嫌いであるなど）
健康状態		●疾患だけではなく、高齢や妊娠、ストレスなどを含むより広い概念	

介 護

2節　身体介護

「身体介護」では、「食事介助」「入浴介助」「排泄介助」など、身体的なケアを中心に整理していきます。

単　元		重要度	出題実績					最近の出題内容
			32回	33回	34回	35回	36回	
45	食事の介護	A	2	1	1	5	2	食事時の姿勢、身体機能の変化に応じた食事、嚥下障害、介護を行うときの留意点
46	口腔ケア	B		3	2	1		歯ブラシを使用した口腔ケア、経管栄養を行っている利用者への口腔ケア、義歯の取り扱い
47	入浴・清潔保持の介護	A	2	4	5	3	5	入浴の効果、一般浴（個浴）の介助、ストレッチャータイプの特殊浴槽、シャワー浴、足浴、手浴、洗髪、清拭、爪の手入れ
48	排泄の介護	A	2	2	2	4	3	トイレの排泄、ポータブルトイレ、おむつ交換、尿器・便器、便秘の予防、浣腸器を用いた排便の介護
49	着脱の介護	B	1		2	1	1	衣服の選択、片麻痺のある利用者の着脱介助、ベッド上での着脱介助、ベッドメイキング
50	移動の介護	A	3	4	2	4	4	歩行介助、歩行補助用具、階段の昇降介助、移乗の介助、車いす介助、ベッド上介助
51	福祉用具	B	1		1	2	2	福祉用具貸与、福祉用具購入、補装具、日常生活用具、自助具の選択
52	睡眠の介護	A	3	4	3	2	4	睡眠のしくみ、高齢者の睡眠の特徴、睡眠障害、安眠のための支援
53	視覚・聴覚障害者の介護	B	1		3	2		視覚障害者の外出支援とコミュニケーション、手話、筆談、老人性難聴、補聴器
54	終末期の介護	A	5	5	4	3	3	キューブラー・ロス、臨終期の身体の変化、終末期の事前の意思確認、尊厳死、終末期ケア、グリーフケア、死後の介護

食事介助

- 食事時のいすは、かかとが床に着く高さ、テーブルは肘がつき腕が自由に動かせるものを用意する。
- 車いすで食事をするときは、足をフットサポートから下ろして床につける。
- 食事の温度は、体温と同程度は嚥下（えんげ）しにくいので、冷たいものは冷たく、温かいものは温かく食べられるようにする。
- 誤嚥（ごえんぼうし）防止には、食べる前に、嚥下（えんげ）体操やアイスマッサージをすることも有効である。
- 初めにお茶や汁物で口の中を湿らせてもらう。
- 介助するときは、利用者のペースに合わせる。
- 自助具などを活用し、自分で摂取（せっしゅ）できるようにする。
- 腸の蠕動（ぜんどう）運動の低下に対しては、食物繊維や乳酸菌の多い食品を取り入れる。

嚥下しにくい食品

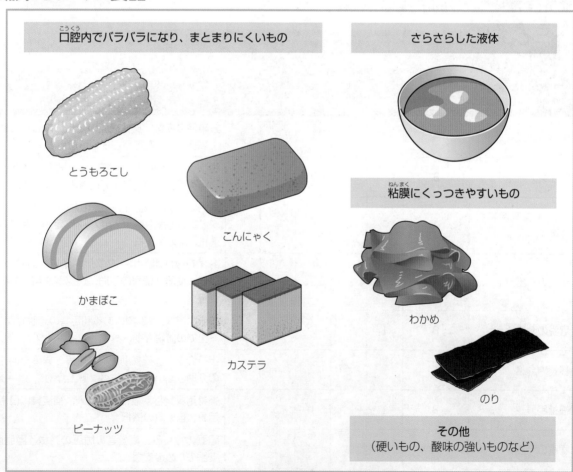

口腔（こうくう）内でバラバラになり、まとまりにくいもの

さらさらした液体

とうもろこし

こんにゃく

かまぼこ

カステラ

ピーナッツ

粘膜（ねんまく）にくっつきやすいもの

わかめ

のり

その他
（硬いもの、酸味の強いものなど）

ゼリー状にしたり、とろみを加えるなどの工夫が必要

ベッド上での食事介助

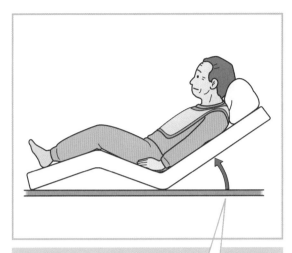

ベッドを起こす

- 座位　90度に近い角度
- ファーラー位（半座位）　45度前後
- セミファーラー位　15〜30度

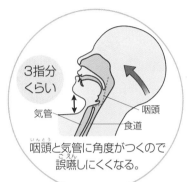

3指分
くらい

気管
咽頭
食道

咽頭と気管に角度がつくので
誤嚥しにくくなる。

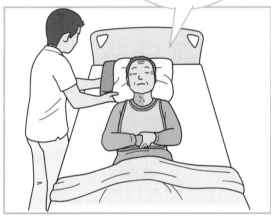

健側をやや下にして頸部を前屈する

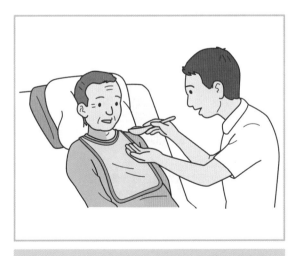

健側から介助する

- 食事内容を説明する。
- 最初の一口は水分のあるものをとってもらう。
- 一口量は、適切な量にする。
- 食べ物を口に入れたら、口唇を閉じるよう声かけする。
- 一口ごとに、飲み込みを確認する。
- 食物残渣を確認しながら介助する。
- 半側空間無視のある利用者の食事介護では、食べる様子を観察して適宜食器の位置を変える。

重要度
B
★★☆

口腔ケアの目的

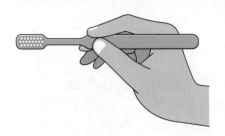

- 齲歯、歯周疾患、口腔粘膜疾患などを予防。
- 正常な味覚を保ち、食欲を増進させる。気分を爽快にするなど。
- 口腔内の細菌繁殖を予防し、誤嚥性肺炎などを予防。
  （口から食事ができない人にも、口腔ケアは大切）

口腔ケアの方法

ブラッシング法	●歯ブラシはペングリップ（ペンを握るように）で持ち、力を入れすぎないように注意し、小刻みに動かしながら磨くようにする。	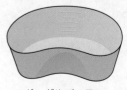
口腔粘膜の清掃	●誤嚥を予防するために奥から手前に行う。 ●食物残渣は麻痺側に残りやすいので留意する。	
口腔清拭法	●歯ブラシによる口腔ケアが困難な場合などに、スポンジブラシや巻き綿子・綿棒、ガーゼ等を使用して口腔内を清拭する。	
含嗽法	●口腔内に水、薬液などを含み、口腔に残っている食物残渣、細菌などを除去する。	スポンジブラシ

ベッド上での口腔ケア

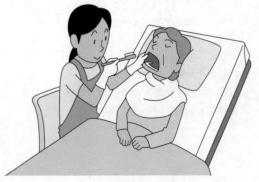

ベッド上で横から介助

- ベッドをギャッチアップして、できるだけ上半身を起こしてもらう。
- 上半身を起こせない場合は、側臥位にする。
- 誤嚥を予防するために、顎を少し引いた状態になるように工夫する。

ガーグルベースン

ベッド上で含嗽（うがい）を行う場合に使用する。

義歯の取り扱い

全部床義歯

部分床義歯

- 失った歯の機能（咀嚼・発音）を回復させるために、歯の欠損状態によって全部床義歯（総入れ歯）や部分床義歯を使用する。
- 全部床義歯の場合、上顎から装着し、下顎から外す。
- 歯肉の損傷防止などのため、原則として寝る前には外し、水に浸して保管する。

第4章　介　護

全部床義歯を装着するときは、片側の後縁より口腔内に挿入し、回転させながら口腔内に入れる。

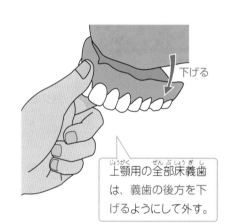

下げる

上顎用の全部床義歯は、義歯の後方を下げるようにして外す。

- 小さな入れ歯でも外してから磨く。
- 熱湯や歯磨き剤の使用は、義歯の摩耗や変形の原因になるので、水またはぬるま湯で清掃するようにする。
- 入れ歯専用ブラシが推奨されているが、用意できない場合は少し固めの歯ブラシで代用する。
- 落として破損したり排水口に流したりしないように、水を張った洗面器などの上で清掃する。

入浴の効果

温熱作用	●湯温は40℃前後がよい。 ●入浴時間は、15分くらい（湯につかる時間の目安は5分以内）を目安にする。 ●微温浴により副交感神経が働いて、精神的に安らいで落ち着いた気分になる。
浮力作用	●水中では水の浮力によって、腰やひざへの負担が小さくなって動きやすくなる。 ●浮力作用を活用し、入浴中に関節運動を促す。
静水圧作用 （せいすいあつ）	●水中では水面からの深さに応じて身体に静水圧が加わる。 ●下肢のむくみの軽減の作用がある。 ●高血圧や呼吸器疾患などがある利用者は、半身浴が負担がかからなくてよい。

入浴の温度が身体に及ぼす影響		
	中温浴（38～41℃）	高温浴（42℃以上）
自律神経	副交感神経を刺激	交感神経を刺激
心臓の動き	抑 制	促 進
血圧	低 下	上 昇
筋肉の働き	弛 緩（し かん）	収 縮
腎臓の働き	促 進	抑 制
腸の動き	活 発	抑 制

入浴の準備

利用者の準備	●空腹時や食事直後の入浴は避ける。 ●入浴前に排泄を済ませておく。 ●入浴による水分喪失にそなえ、入浴の前に水分を摂取する。 ●着替える衣服を利用者に選択してもらい準備をする。
脱衣室・浴室の環境	●ヒートショック予防として、浴室・脱衣室と居室との温度差を小さくする。 ●脱衣室の中が外から見えないように、衝立（ついたて）やカーテンを用い、羞恥心（しゅうちしん）に配慮する。 ●必要に応じ、適切な福祉用具を活用する。

入浴補助用具

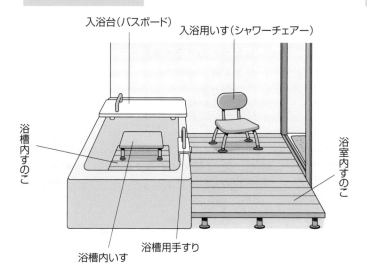

入浴台（バスボード）
入浴用いす（シャワーチェアー）
浴槽内すのこ
浴室内すのこ
浴槽用手すり
浴槽内いす

簡易浴槽

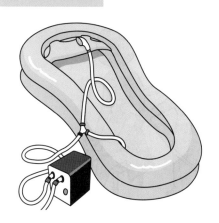

浴槽設置式リフト

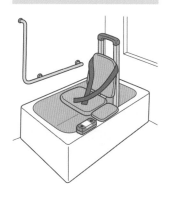

シャワー用車いす

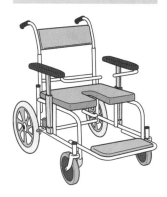

入浴用ストレッチャー

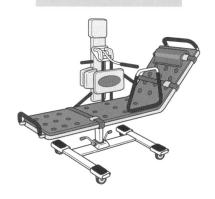

入浴介助用ベルト

入浴介助

- 介護福祉職の肌で湯の温度を確認する。
- 利用者の手で適温かどうか確認してもらい、その後、利用者の足元からゆっくりシャワーをかける。
- 老人性搔痒症（そうようしょう）や乾燥性皮膚疾患がある人は、弱酸性の石けんでからだを洗う。
- 洗身は、利用者ができるところは見守り、洗い残しがあれば介助する。
- 利用者が陰部を洗うときは、介護福祉職は背部に立って見守る。

麻痺側から介助

健側から入る

- 浴室内では、介護職は利用者の麻痺側につき、腕と腰を支えながら一緒に移動する。
- 片麻痺の場合は健側から浴槽に入るとよい。
- 浴槽からの立ち上がりは、ゆっくり行う。
- 浴槽から出るときは、浴槽の縁やバスボードにいったん座る。
- 浴室の出入り口に一段の段差がある場合は、麻痺側から下がり、健側から上がる。

- 片麻痺のある利用者が、浴槽内から立ち上がるときは、健側の手で手すりをつかんで前傾姿勢をとり、臀部を浮かしてもらう。

手浴

足浴

● 入浴ができない場合でも、爽快感や清潔保持のため、手浴や足浴をするとよい。

● 手浴は、温めて手指を動かすことで拘縮の予防につながる。

● 就寝前の足浴は、安眠を促す効果がある。

● 四肢に麻痺がある場合は、手関節、足関節を支えながら洗う。

〈ベッド上での足浴〉

● 膝から下のみを露出させ、皮膚や爪の状態を観察する。

● 膝下にクッション等を挿入し、下肢の位置を安定させる。

● 洗う側の足関節を片足ずつ保持しながら洗う。

〈ベッド上での洗髪〉

● 洗髪前のブラッシングは洗浄効果などを高める。

● シャンプーを泡立て、指の腹で頭皮を洗う。

● すすぎ湯を流す前にシャンプーの泡を取り除く。

239

清拭の介助

●目頭から目尻に向けて拭く。
（一度拭いた面で再度目の近くを拭かない）

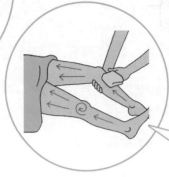

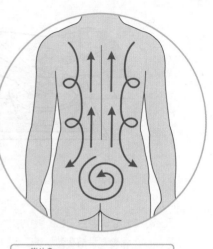

●清拭に使用する湯は、50〜55℃程度。
●清拭は末梢から中枢に向かって拭いていく（求心法）。

〈全身清拭〉

●身体の露出は最小限にする。
●背部を拭くときは、健側を下にする。
●皮膚についた水分は、乾いたタオルでその都度拭きとる。

〈耳掃除〉

●耳垢（耳あか）は、外耳道のアポクリン腺から出た脂性の分泌物に、剥離した表皮やほこりなどが混ざって生じる。
●耳の内側にたまった耳垢は無理に除去せず、綿棒でやさしく拭き取るようにする。
●乾燥した耳垢は綿棒で湿らせてから取る。

●介護福祉職に許されているのは、「耳垢塞栓の除去以外」の耳垢の除去

電気カミソリ

- ひげの生えている向きと逆方向に向かって剃る。
- 電気カミソリを皮膚に対して直角に当てる。
- 湾曲した部分は、皮膚をのばすようにして剃る。

ドライヤー

20cm

- ドライヤーは、頭皮から20cm程度離して使用し、同じ場所に長時間あてないようにする。

爪切り

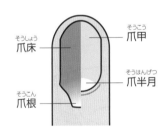

そうこう
爪甲

そうしょう
爪床

そうはんげつ
爪半月

そうこん
爪根

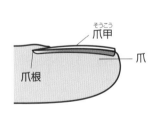

そうこう
爪甲

爪

爪根

- 爪は皮膚の付属器官で、皮膚の成分のたんぱく質がケラチンという固い組織に変化したもの。
- 1日に約0.1mm伸びる。

- 爪切り前には手浴や足浴をし、爪周囲の角質を取り除いておく。
- 足の爪は一般に、深爪やバイアス切りを避け、スクエアオフという切り方にするとよい。
- 爪を切るときは、少しずつ切る。
- 爪の先端の白い部分を1mmぐらい残して切る。
- 爪やすりは、端から中央に向かってかける。

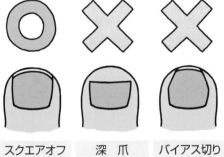

スクエアオフ　深　爪　バイアス切り

介護職員は、以下の条件をすべて満たした場合に爪切りを実施できる。
①爪に異常がない
②爪の周囲の皮膚に化膿（かのう）や炎症がない
③糖尿病等の疾患に伴う専門的な管理が必要でない

241

排泄用具

トイレ

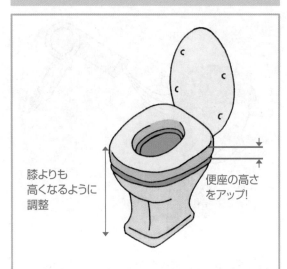

膝よりも
高くなるように
調整

便座の高さ
をアップ!

- 股関節やひざが曲がりにくい場合、補高便座を用いると、動作が楽になることがある。

ポータブルトイレ

蹴こみのスペース

- トイレに行くのに不安がある場合や尿意を我慢できない場合などに利用。
- ポータブルトイレに蹴こみがあると、立ち上がりやすい。

自動吸引式集尿器　　尿　器　　便　器

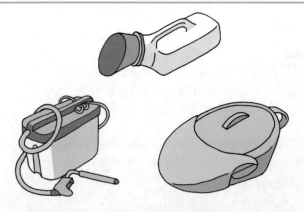

- 尿意はあるが介助しても座位保持できない場合など、ベッド上などで利用することができる。
- 男性用尿器は、側臥位のほうが排尿しやすい。

おむつ

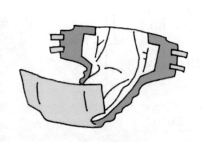

- 自分の意思とは無関係に尿漏れしてしまう場合などに利用。

利用者の身体状況や介護環境に応じて、適切に排泄の方法を選択することが大切です。

トイレでの排泄

トイレで排泄するときの介護

便座に移乗する前に、なるべく浅く腰掛けてもらう。

便座から立ち上がる前に、下着とズボンを大腿部まで上げておく。

ポータブルトイレでの排泄

福祉用具等を活用し自立して行う場合

片麻痺のある利用者にポータブルトイレを設置する場所としては健側足部が原則

アームスイングバー

ポータブルトイレ（ベッドと同じ高さ）

滑り止めマット

尿器を使った排泄

尿器による排尿（男性）

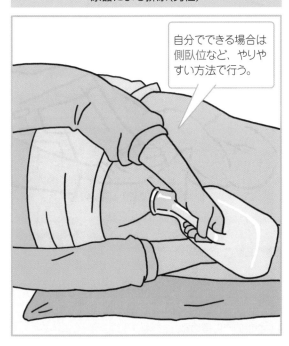

自分でできる場合は側臥位など、やりやすい方法で行う。

尿器による排尿（女性）

トイレットペーパー等をかけて飛び散らないように工夫する。

尿が飛び散らないように、両膝を閉じる。

差しこみ便器の介助

- 使用前の便器は温めておく。
- 腰を上げることができない場合は、側臥位にして便器を挿入する。
- ベッドをギャッチアップする。
- 便器の中にトイレットペーパーを敷く。
- 男性の場合は、尿器を同時に準備する。
- 女性の場合は、トイレットペーパーを陰部にかけて尿の飛び散りを防ぐ。
- 気兼ねなく排便できる環境をつくる。

おむつ交換

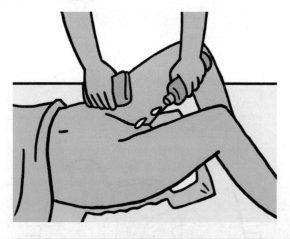

- プライバシーや保温に注意する。
- 女性の場合、陰部洗浄（ぬるま湯を使う）、陰部清拭（せいしき）は、尿道から肛門の方向へ行う。
- おむつ交換は側臥位にして実施する。
- おむつは汚れを内側に丸め片づける。
- 使い捨て手袋は、汚れたおむつの処理が終わったときに外す。
- 紙おむつの腹部のテープは、上側はやや下向きに、下側はやや上向きに留める。
- 腹部とおむつの間には、指2本分程度の余裕があるようにする。
- 腸管出血性大腸菌（ちょうかんしゅっけつせいだいちょうきん）で下痢（げり）が続いているときは、汚れたおむつをビニール袋に入れて、袋の口を固く縛（しば）る。

尿路ストーマ

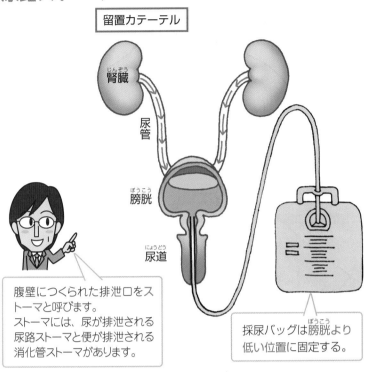

留置カテーテル

腎臓

尿管

膀胱（ぼうこう）

尿道（にょうどう）

腹壁につくられた排泄口をストーマと呼びます。
ストーマには、尿が排泄される尿路ストーマと便が排泄される消化管ストーマがあります。

採尿バッグは膀胱（ぼうこう）より低い位置に固定する。

● 尿路ストーマ（ウロストーマ）は、尿路変更術の種類により膀胱（ぼうこう）ろう、回腸導管、腎ろうなどがある。
● 膀胱（ぼうこう）ろう
  腹部から膀胱に直接カテーテルを入れる。
● 留置カテーテル
  カテーテルを尿道から挿入して留置すること。
● 自己導尿
  自分で尿道から膀胱（ぼうこう）内にカテーテルを挿入し、尿を体外に排泄する方法。
● 尿路感染を防ぐために水分を十分に（1500mL以上）補給することが大切。
● 適切な装具を使って入浴をすることは可能。

消化管ストーマ

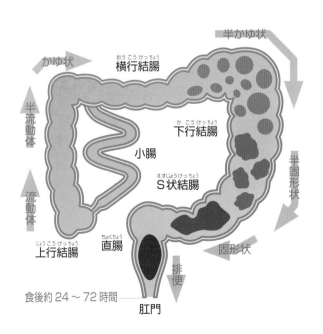

半かゆ状

かゆ状

横行結腸（おうこうけっちょう）

半流動体

下行結腸（かこうけっちょう）

小腸

S状結腸（えすじょうけっちょう）

半固形状

流動体

上行結腸（じょうこうけっちょう）

直腸（ちょくちょう）

固形状

排便

食後約24〜72時間

肛門

● 消化管ストーマには結腸（けっちょう）ストーマ（コロストミー）と回腸（かいちょう）ストーマ（イレオストミー）がある。
● 本来の肛門に遠い位置にあるほど水様便になりやすい。
● 腹部をマッサージするときは、時計回りにする。
● 装具を外して入浴をすることも可能。
● 石けんをよく泡立て、ストーマ周囲の皮膚をやさしく洗う。

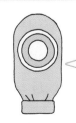

ストーマ装具
排泄物がパウチの3分の1から2分の1程度たまったら処理する。

回腸（かいちょう）ストーマは、消化の悪い食事（れんこん・ごぼう・きのこ・海草など）はストーマの出口で便がつまることがあるので注意する。

245

衣 服

袖ぐり

利用者の生活場面や好みに応じて適切に選択します。

衣服の素材	●木綿やガーゼは、吸湿性や通気性に優れ安価なので、肌着に適している。
衣服の形態	●臥床したままの着脱の介助では、前開きの上衣が適している。
	●手指の細かな動作が難しい利用者には、マグネット式のボタンを勧める。
	●片麻痺のある利用者に、伸縮性のある素材で袖ぐりの大きい上衣を勧める。
衣服の着用	●生活のリズムを保つために、昼と夜で衣服を着替えるようにする。
	●保温効果を高めるため、衣類の間に薄手の衣類を重ねて着るように勧める。
	●購入したばかりの肌着は、一度洗ってから使用する。

着　脱　麻痺や痛みがある場合の着脱方法

前開きの上衣の場合

着　る

麻痺側（患側）を着る

次いで健側を着る

脱　ぐ

健側を脱ぐ

麻痺側（患側）を脱ぐ

「脱健着患」

と覚えましょう!

かぶりの上衣の場合

着　る

麻痺側（患側）を着る

健側を着る

頭を通す

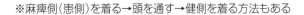

※麻痺側（患側）を着る→頭を通す→健側を着る方法もある

ズボンの着脱

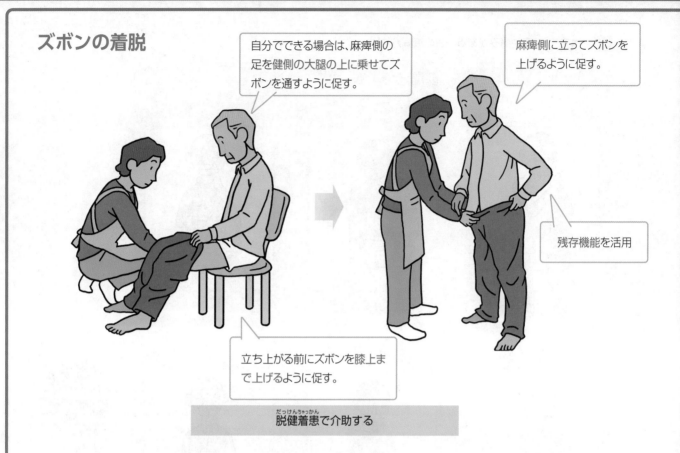

自分でできる場合は、麻痺側の足を健側の大腿の上に乗せてズボンを通すように促す。

麻痺側に立ってズボンを上げるように促す。

残存機能を活用

立ち上がる前にズボンを膝上まで上げるように促す。

脱健着患（だっけんちゃっかん）で介助する

ベッド上での着脱

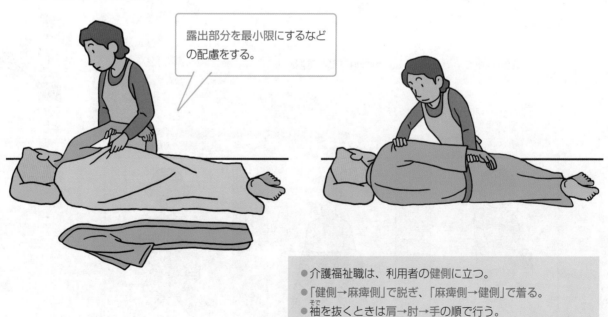

露出部分を最小限にするなどの配慮をする。

- 介護福祉職は、利用者の健側に立つ。
- 「健側→麻痺側」で脱ぎ、「麻痺側→健側」で着る。
- 袖（そで）を抜くときは肩→肘→手の順で行う。
- 利用者の脊柱と新しい寝衣の背縫いの部分を合わせる。
- 和式寝衣の場合は、右前身頃の上に、左前身頃を重ねる。

ベッドメイキング

ベッドメイキングは、単に見た目がきれいな
ベッドに整えるだけでなく、利用者の生活環
境を整える視点をもって行うことが大切です。

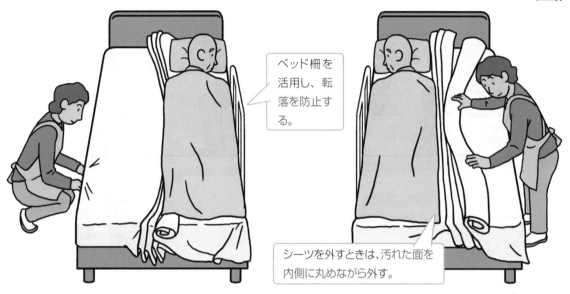

ベッド柵を
活用し、転
落を防止す
る。

シーツを外すときは、汚れた面を
内側に丸めながら外す。

利用者がベッド上にいる場合は塵や埃に配慮し、また、利用者の安全や体調に留意する

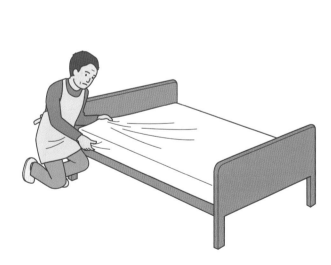

しわを作らないために、シーツの角を
対角線の方向に伸ばして整える

三角コーナーを作る

立ち上がり

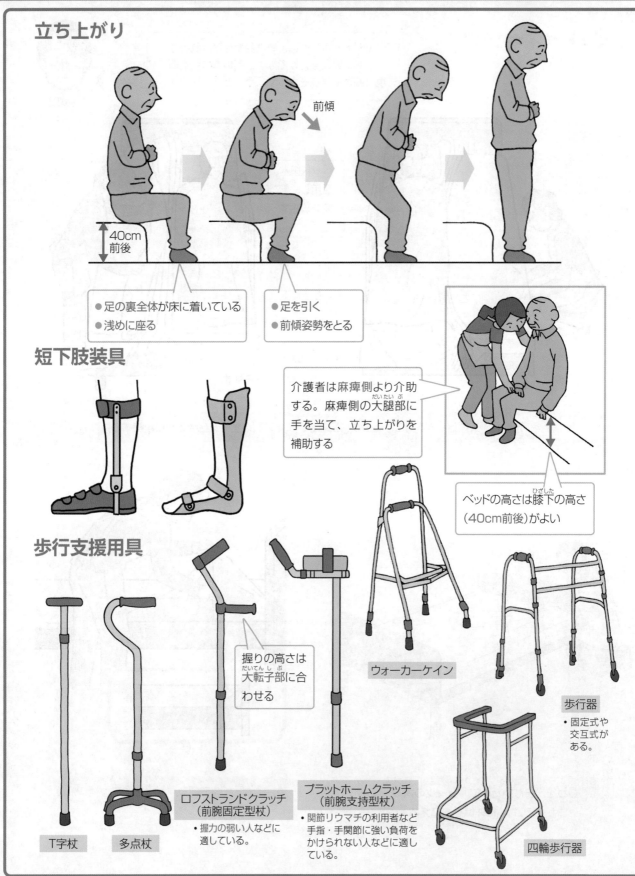

40cm
前後

前傾

● 足の裏全体が床に着いている
● 浅めに座る

● 足を引く
● 前傾姿勢をとる

短下肢装具

介護者は麻痺側より介助
する。麻痺側の大腿部（だいたいぶ）に
手を当て、立ち上がりを
補助する

ベッドの高さは膝下（ひざした）の高さ
（40cm前後）がよい

歩行支援用具

握りの高さは
大転子部（だいてんしぶ）に合
わせる

ウォーカーケイン

歩行器
• 固定式や
交互式が
ある。

T字杖

多点杖

ロフストランドクラッチ
（前腕固定型杖）
• 握力の弱い人などに
適している。

プラットホームクラッチ
（前腕支持型杖）
• 関節リウマチの利用者など
手指・手関節に強い負荷を
かけられない人などに適し
ている。

四輪歩行器

歩行支援

杖の高さ

30度
大転子部
15cm

3動作歩行

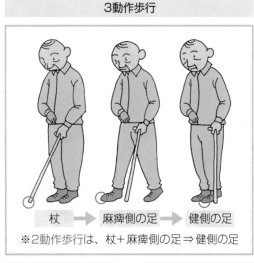

| 杖 | ➡ | 麻痺側の足 | ➡ | 健側の足 |

※2動作歩行は、杖＋麻痺側の足 ⇒ 健側の足

歩行介助

介護者は麻痺側後方より介助する

階段昇り

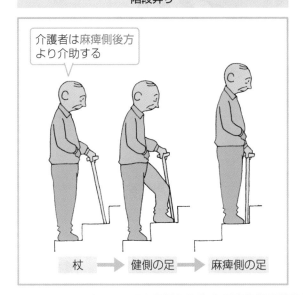

介護者は麻痺側後方より介助する

| 杖 | ➡ | 健側の足 | ➡ | 麻痺側の足 |

階段下り

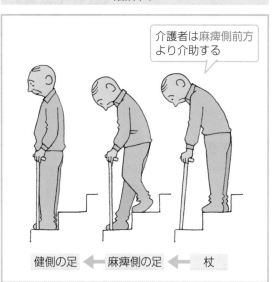

介護者は麻痺側前方より介助する

| 健側の足 | ⬅ | 麻痺側の足 | ⬅ | 杖 |

段差越えの介助

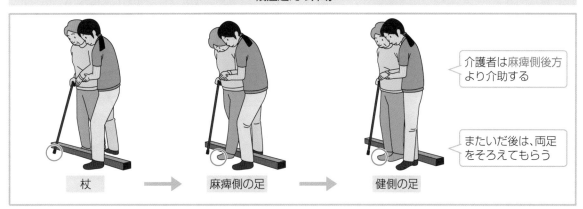

| 杖 | ➡ | 麻痺側の足 | ➡ | 健側の足 |

介護者は麻痺側後方より介助する

またいだ後は、両足をそろえてもらう

車いす

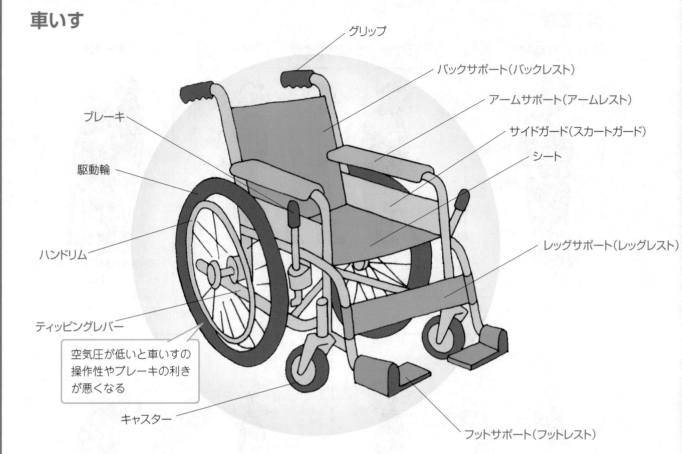

- グリップ
- バックサポート（バックレスト）
- アームサポート（アームレスト）
- サイドガード（スカートガード）
- シート
- ブレーキ
- 駆動輪
- ハンドリム
- ティッピングレバー
- レッグサポート（レッグレスト）
- 空気圧が低いと車いすの操作性やブレーキの利きが悪くなる
- キャスター
- フットサポート（フットレスト）

車いすの移乗

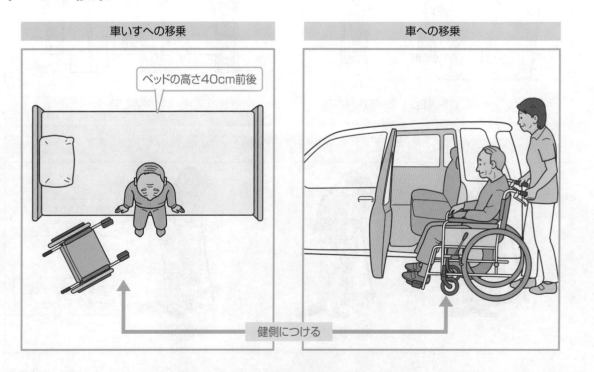

車いすへの移乗	車への移乗

ベッドの高さ40cm前後

健側につける

自立での移乗をサポートする

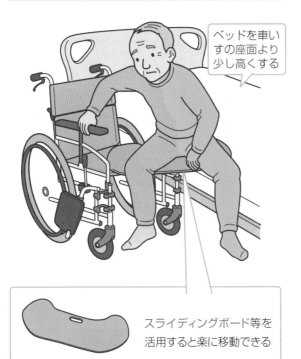

ベッドを車いすの座面より少し高くする

利用者の心身の状況に応じた適切な介護方法を選択することが大切です。

スライディングボード等を活用すると楽に移動できる

一部介助で移乗をサポートする

全介助で移乗をサポートする

重心を近づける

移動用リフトを活用して移乗をサポートする

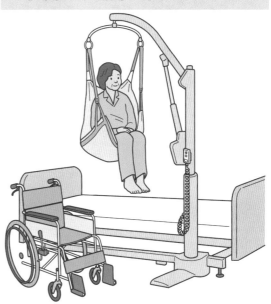

支持基底面積を広くすると身体は安定します。

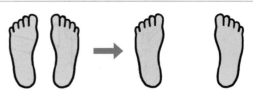

車いす走行

砂利道・踏切

キャスターを上げて走行

段差

坂道

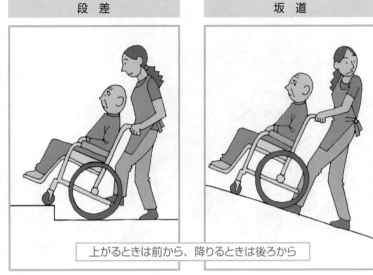

上がるときは前から、降りるときは後ろから

片麻痺の人の車いす自走

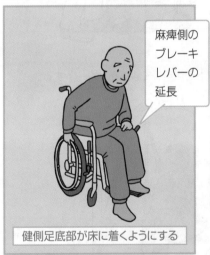

麻痺側のブレーキレバーの延長

健側足底部が床に着くようにする

電車

電車と直角になるように

エレベーター

エレベーターの溝にキャスターがはまらないように気をつける

介護保険の福祉用具貸与の対象

段差解消機

簡易スロープ

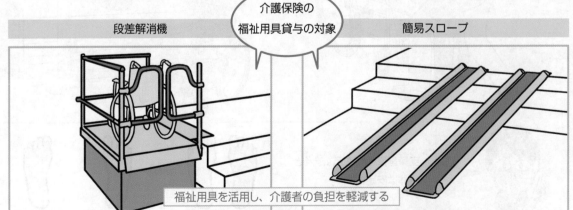

福祉用具を活用し、介護者の負担を軽減する

ベッドの上での介護

側臥位

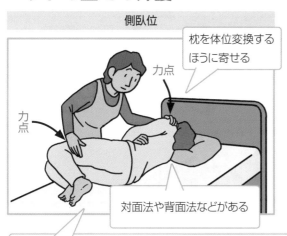

力点

力点

枕を体位変換する
ほうに寄せる

対面法や背面法などがある

トルクの原理

回転軸から距離が遠いほど小さい力で回転させること
ができる原理

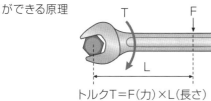

T　　　　　F

L

トルクT＝F（力）×L（長さ）

テコの原理

小さな力で大きな力を生み出すことができる原理

力点　　　　　　　　　　作用点
少ない力で　　　　　　大きな力を生み出す

支点

上方移動

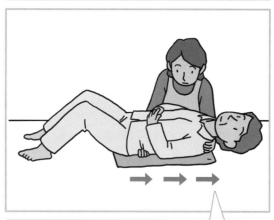

➡ ➡ ➡

スライディングシート
を活用すると楽に移
動できる

起き上がり

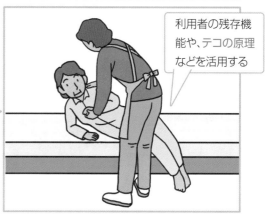

利用者の残存機
能や、テコの原理
などを活用する

水平移動

テコの原理の応用

利用者の身体とベッドの
接する面を狭くする

介護者の両膝をベッ
ド脇につけ、介護者
の腰を後方におろす

水平移動（上半身と下半身に分けて移動する方法）

補装具と日常生活用具

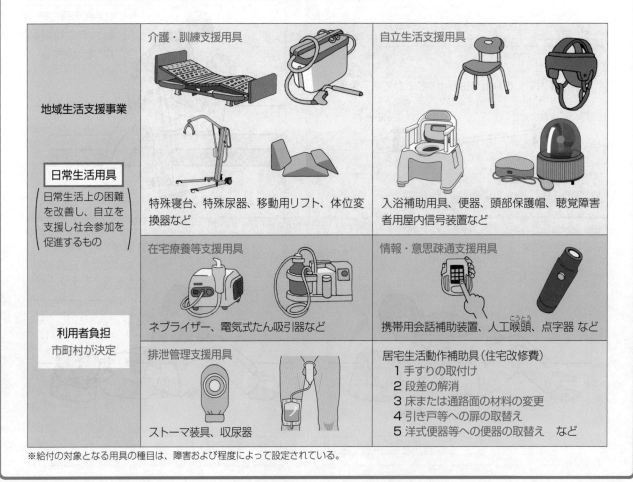

自立支援給付	義肢	装具	姿勢保持装置	車いす・電動車いす
補装具 身体の欠損または損なわれた身体機能を補完、代替するもの	歩行器	歩行補助つえ ※1本つえを除く	義眼・眼鏡	視覚障害者安全つえ
利用者負担 応能負担	補聴器	人工内耳（人工内耳用音声信号処理装置修理）	重度障害者用意思伝達装置	（障害児のみ） ●座位保持いす ●頭部保持具 ●起立保持具 ●排便補助具

※市町村は、支給決定にあたり、必要に応じて、身体障害者更生相談所などに判定依頼を行う。

地域生活支援事業	介護・訓練支援用具	自立生活支援用具
日常生活用具 日常生活上の困難を改善し、自立を支援し社会参加を促進するもの	特殊寝台、特殊尿器、移動用リフト、体位変換器など	入浴補助用具、便器、頭部保護帽、聴覚障害者用屋内信号装置など
	在宅療養等支援用具	情報・意思疎通支援用具
利用者負担 市町村が決定	ネブライザー、電気式たん吸引器など	携帯用会話補助装置、人工喉頭、点字器 など
	排泄管理支援用具	居宅生活動作補助具（住宅改修費） 1 手すりの取付け 2 段差の解消 3 床または通路面の材料の変更 4 引き戸等への扉の取替え 5 洋式便器等への便器の取替え　など
	ストーマ装具、収尿器	

※給付の対象となる用具の種目は、障害および程度によって設定されている。

福祉用具貸与・購入（介護保険）

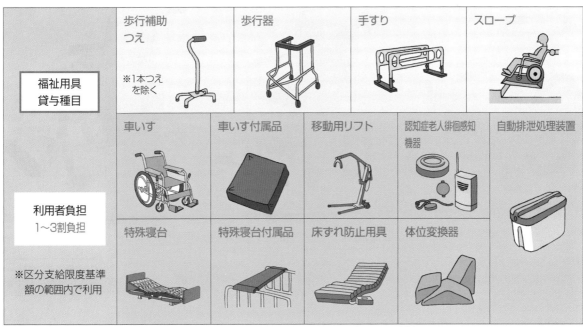

福祉用具貸与種目	歩行補助つえ ※1本つえを除く	歩行器	手すり	スロープ
	車いす	車いす付属品	移動用リフト	認知症老人徘徊感知機器	自動排泄処理装置
利用者負担 1〜3割負担	特殊寝台	特殊寝台付属品	床ずれ防止用具	体位変換器
※区分支給限度基準額の範囲内で利用				

※要支援、要介護1の利用者は、原則として歩行補助つえ、歩行器、手すり、スロープの4品目が貸与できる。

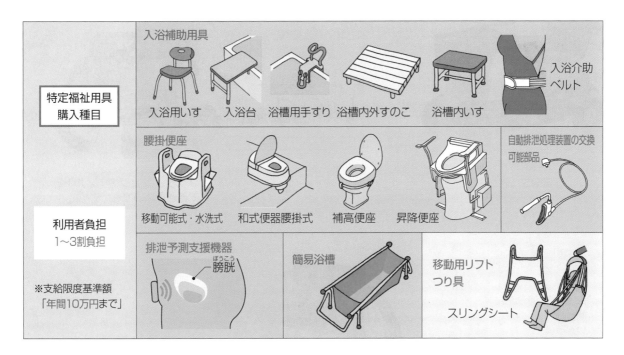

特定福祉用具購入種目	入浴補助用具 入浴用いす 入浴台 浴槽用手すり 浴槽内外すのこ 浴槽内いす 入浴介助ベルト
利用者負担 1〜3割負担	腰掛便座 移動可能式・水洗式 和式便器腰掛式 補高便座 昇降便座 自動排泄処理装置の交換可能部品
※支給限度基準額「年間10万円まで」	排泄予測支援機器 膀胱 / 簡易浴槽 / 移動用リフトつり具 スリングシート

2024（令和6）年4月より、それまで貸与の対象であった**固定用スロープ**、**歩行器（歩行車を除く）**、**単点杖（松葉づえを除く）**、**多点杖**について、**貸与にするか販売にするか、利用者が選択できる**ようになりました。

車いすの種類

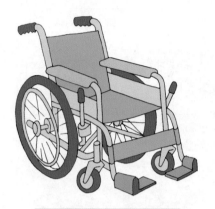

普通型車いす

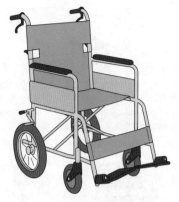

介助型車いす

普通型電動車いす

電動シニアカート

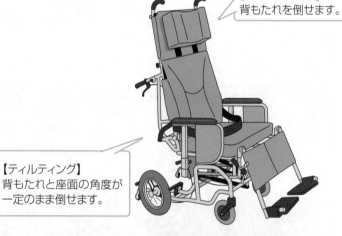

【リクライニング】
背もたれを倒せます。

【ティルティング】
背もたれと座面の角度が
一定のまま倒せます。

リクライニング・ティルト
式普通型車いす

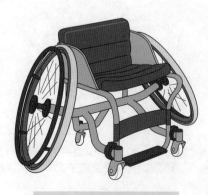

競技用車いす

情報・意思疎通支援用具

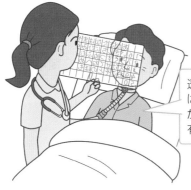

透明文字盤は、運動障害は重度であるが眼球運動が保たれている人などに有効

透明文字盤

拡大鏡

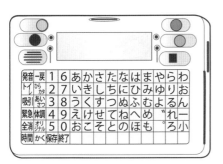

携帯用会話補助装置

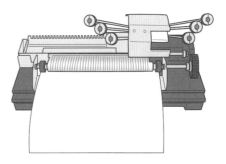

点字タイプライター

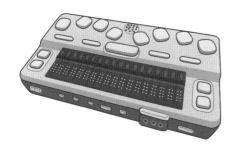

点字電子手帳

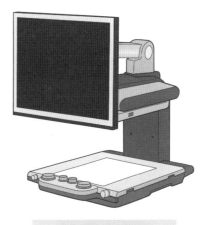

視覚障害者用読書器

自助具

自助具は、日常生活を自立して送れるように、特別に工夫された道具です。自助具を活用して、できるだけ自分でできるように支援することが大切です。

食事関連

スプーン・はし

ホルダー

皿

整容関連

長柄ブラシ

ストッキングエイド

爪切り

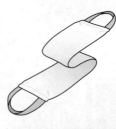

ループつきタオル

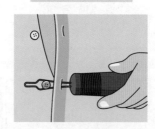

ボタンエイド

靴べら

ループを2つつけた靴下

ループつき靴下

調 理 関 連

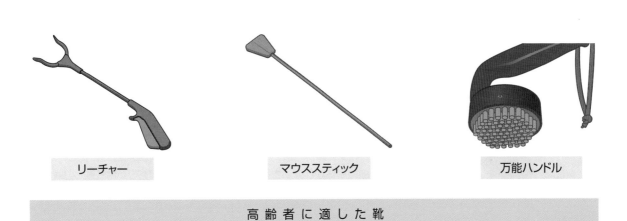

L型包丁

釘つきまな板

キッチンバサミ

万能ふた開け

そ の 他

リーチャー

マウススティック

万能ハンドル

高 齢 者 に 適 し た 靴

足の甲まで
覆っている

かかと全体を
包みこんでいる

先端部に0.5〜1cmの
余裕がある

重要度
A
★★★

睡眠のしくみ

レム睡眠と ノンレム睡眠	●睡眠は大きく、レム睡眠とノンレム睡眠に分けられる。	
	レム睡眠	●急速眼球運動(Rapid Eye Movement)の頭文字をとっている。 ●身体は眠っているのに、脳が活動している状態。夢を見ることが多い。
	ノンレム睡眠	●レム睡眠以外の比較的深い眠りの状態
睡眠周期	●眠りにつくとすぐにノンレム睡眠が訪れ、眠りが深くなった後に浅い眠りのレム睡眠が続き、再びノンレム睡眠が訪れる。 ●この睡眠周期は個人差があり、おおむね90分〜120分の周期で繰り返される。	
	●生物には、およそ1日の周期でリズムを刻む体内時計が備わっており、人間の体内時計は視床下部にある視交叉上核にある。 ●朝になると目覚めて活動を始め、夜になると眠くなる概日リズム(サーカディアンリズム)を作り出している。 ●体内時計の周期は、毎朝日光を浴びることで1日の24時間周期にリセットされる。 ●日光を浴びてから14〜16時間後、メラトニンが分泌されると体は睡眠に適した状態に切り替わる。	
睡眠に関連した 体の器官	視床下部	●脳の間脳に位置し、内分泌や自律機能の調節を行う中枢
	メラトニン	●脳の松果体から分泌されるホルモンで、季節のリズムや概日リズム(サーカディアンリズム)の調節作用をもつ。

睡眠周期のグラフ（縦軸：覚醒、睡眠段階 1, 2, 3, 4／横軸：入眠後経過時間（時）1〜7）　レム睡眠、ノンレム睡眠

加齢による睡眠の変化

睡眠時間	●一般的に、加齢により必要な睡眠時間は短くなる傾向がある。
睡眠比率	●睡眠比率(布団に入っていた時間のうち、実際に眠っていた時間の比率)は、加齢とともに低下する傾向がある。
睡眠リズム	●加齢によりメラトニンの分泌が減少し、睡眠・覚醒のリズムが乱れて、眠りが浅くなり、早朝覚醒など睡眠障害の原因となる。
睡眠障害	●中途覚醒や早朝覚醒などの睡眠障害が多くなる。

睡眠障害

不眠症	●不眠症は、睡眠時間が量的あるいは質的に不足し、社会生活に支障をきたしている状態	
	入眠障害	●布団に入ってもなかなか寝つけずに、眠るまで30～60分以上かかる状態が慢性的に続く。入眠困難ともいう。
	中途覚醒	●夜中に何度も目が覚める状態が続く。睡眠中に何度もトイレに行きたくなるなどの症状を訴える人も多い。
	熟眠障害	●睡眠の時間は十分にとれているが、ぐっすり眠れた感じがしない状態
	早朝覚醒	●早朝(午前3時や4時)に目が覚めてしまい、それ以降眠れなくなる症状が続く。
過眠症	●夜間に十分な睡眠をとっているにもかかわらず、日中に強い眠気に襲われて日常生活に支障をきたす。	
レストレスレッグス症候群	●「むずむず脚症候群」とも呼ばれている。脚がむずむずしたり火照ったり、脚をじっとさせていられなくなる。 ●下肢を動かすと症状が軽快するため、脚を動かし続けたりして不眠になる。	
睡眠時無呼吸症候群	●睡眠中に何度も呼吸が止まる状態が繰り返される。 ●肥満体型の男性に多い特徴があり、高齢者の発生頻度は若年者よりも高い。	

安眠のための支援

環境を整える	●寝室の温度や湿度、光、音などに配慮する。 ●冷房は直接体に当たらないように注意する。 ●臭気がこもらないように、寝室の換気をする。
寝具・寝衣	●清潔で乾燥した寝具を整える。 ●寝衣なども保温性、吸湿性、着心地のよいものにする。
日中の運動	●日中、適度な疲労が得られる運動をするように勧める。 ●就寝前に、軽いストレッチを行う。
入浴	●就寝前にぬるめのお風呂に入る。 ●手浴・足浴をする。
昼寝	●長時間の昼寝をしないようにする。
日光	●朝目覚めたら、カーテンを開け日光を浴びる(体内時計をリセットする)。
食事	●寝る直前の食事は控える。
嗜好品	●寝る前にコーヒー、緑茶などカフェインのとりすぎに注意する。
湯たんぽ	●湯たんぽを使用するときは、皮膚に直接触れないようにする。

視覚障害者の介護

基本姿勢

- 介護者は、利用者の斜め半歩前に立つ。
- 利用者は、ひじの角度が約90度になるように、介護者の上腕を軽く握る。
- 狭い通路を通るときは、介護者が腕を自分の背中に回して、利用者の前から誘導する。

ドアの通過

- 介護者はドアのノブ側、利用者は蝶番側に立つ。
- ドアの通過時、利用者は裏のノブに持ちかえ、ドアを閉める。

階段昇降

- 最初のステップの手前で立ち止まり、階段であることを伝える。

白杖は、杖の先にある障害物を検索・確認するためのもの

いすに座る

- 手を座面や背もたれに誘導して触れてもらいながら説明する。

バスに乗る

介護者が先に乗る

タクシーに乗る

頭をぶつけないように気をつける

●開いているドア、屋根のところ、座席に触れてもらい、利用者が先に乗る。

テーブルオリエンテーション

●テーブル上の位置関係を説明する方法に、クロックポジションがある。

視覚障害者誘導用ブロック

線状ブロック	点状ブロック
●方向を表示。	●位置を表示。
●誘導する。	●注意を促す。

点字

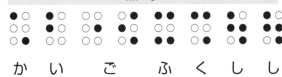

か　い　　ご　　ふ　く　し　し

左から右に読んでいく

点字は6個の点で表されます。

その他

●視覚障害者とのコミュニケーションでは、聴覚、触覚、嗅覚を活用する。
●利用者から離れるときは、柱や壁に触れる位置まで誘導する。
●バスに乗る場合は、基本的に介護者は先に乗る。
●エスカレーターに乗るときは同時にステップに乗り、降りるときは、介護者は先に降りる。
●ホームで電車を待つ場合、プラットホームの端から十分に離れた点字ブロックの後ろで待つ。
●溝をまたいで越えるときは、介護者が先に渡る。

聴覚障害者の介護

聴覚障害	ろう者	●一般的には、手話を用いてコミュニケーションを行う人をいう。 ●音声言語を獲得する前から聞こえの障害がある人が多い。 ●言語発達に遅れが生じる。
	中途失聴者	●音声言語を獲得した後で聞こえなくなった人。 ●全く聞こえない人でも比較的明瞭に話をすることができる。
	難聴者	●聞こえにくいが、聴力は残っている人。 ●補聴器を使用している人もいる。
コミュニケーション手段	口話・読話	●話をするときは相手の正面に立ってなるべく目線を合わせて、口をゆっくりと大きく動かす。 ●同口型異義語に注意する。
	筆談	●中途失聴者が用いることが多い。 ●キーワードを活用して内容を伝達する。
	空書 （そらがき）	●相手との距離を通常1～1.5mくらいにし、楷書（かいしょ）でゆっくり、はっきり書く。
	指文字	●「あいうえお」の五十音を指の形で表現するもの。 ●手話の補完的な意味で使用することが多い。
	手話	●特に言語獲得前の失聴の場合に活用されている。 ●中途失聴者は、改めて手話を身につけることが困難なことが多い。
	触手話 （しょくしゅわ）	●話し手が手話を表し、盲ろう者がその手に触れて伝える方法。
補聴器		●聴覚障害のある人の補聴器は，専門家による調整が必要。 ●補聴器は、伝音性難聴（でんおんせいなんちょう）で有効であることが多い。 ●平均聴力レベルが50dB以上の場合、補聴器を使用したほうがよいといわれている。 ●比較的聞こえる側の耳にイヤホンを装着する。

箱型　　　耳掛け型

あ　い　う　え　お

指文字は、五十音を指の形で表現します。

重要度
A
★★★

死亡場所の推移	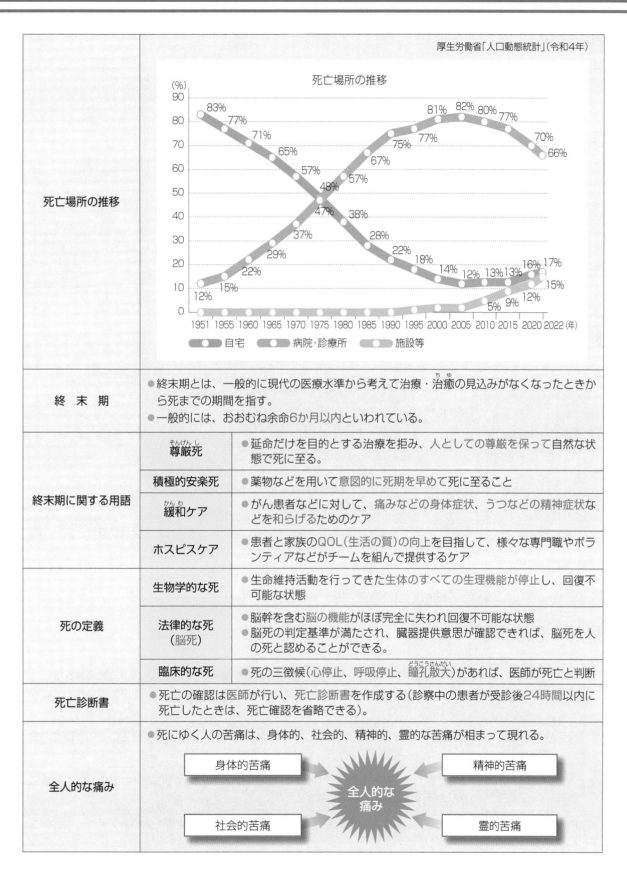
終末期	●終末期とは、一般的に現代の医療水準から考えて治療・治癒（ちゆ）の見込みがなくなったときから死までの期間を指す。 ●一般的には、おおむね余命6か月以内といわれている。

厚生労働省「人口動態統計」（令和4年）

終末期に関する用語	尊厳死（そんげんし）	●延命だけを目的とする治療を拒み、人としての尊厳を保って自然な状態で死に至る。
	積極的安楽死	●薬物などを用いて意図的に死期を早めて死に至ること
	緩和ケア（かんわ）	●がん患者などに対して、痛みなどの身体症状、うつなどの精神症状などを和らげるためのケア
	ホスピスケア	●患者と家族のQOL（生活の質）の向上を目指して、様々な専門職やボランティアなどがチームを組んで提供するケア

死の定義	生物学的な死	●生命維持活動を行ってきた生体のすべての生理機能が停止し、回復不可能な状態
	法律的な死（脳死）	●脳幹を含む脳の機能がほぼ完全に失われ回復不可能な状態 ●脳死の判定基準が満たされ、臓器提供意思が確認できれば、脳死を人の死と認めることができる。
	臨床的な死	●死の三徴候（心停止、呼吸停止、瞳孔散大（どうこうさんだい））があれば、医師が死亡と判断

死亡診断書	●死亡の確認は医師が行い、死亡診断書を作成する（診察中の患者が受診後24時間以内に死亡したときは、死亡確認を省略できる）。
全人的な痛み	●死にゆく人の苦痛は、身体的、社会的、精神的、霊的な苦痛が相まって現れる。 身体的苦痛　精神的苦痛 全人的な痛み 社会的苦痛　霊的苦痛

第4章 介護

267

死の受容

キューブラー・ロスの死の受容	●キューブラー・ロスは、終末期の患者の心理を5つの段階に分けて示した。 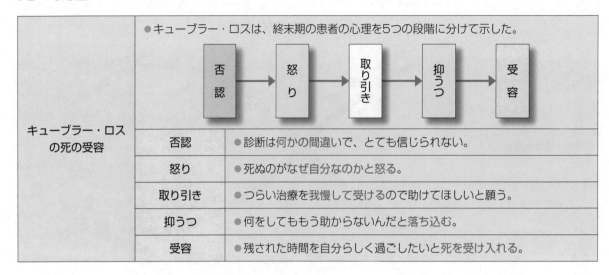	
	否認	●診断は何かの間違いで、とても信じられない。
	怒り	●死ぬのがなぜ自分なのかと怒る。
	取り引き	●つらい治療を我慢して受けるので助けてほしいと願う。
	抑うつ	●何をしてももう助からないんだと落ち込む。
	受容	●残された時間を自分らしく過ごしたいと死を受け入れる。

終末期からの身体機能の変化

終末期の身体機能の特徴	バイタルサイン	●呼吸(チェーンストークス呼吸・肩呼吸・下顎呼吸がみられる。) ●死前喘鳴(喉からゴロゴロする音が聞かれる。) ●体温(四肢冷感がみられる。) ●血圧が低下してくる。 ●口唇や爪などでチアノーゼが目立つ。
	その他	●食欲がなくなり、かむ力・飲み込む力が弱くなる。 ●脱水や腎機能が衰えると、尿量が減少する。 ●褥瘡ができやすくなる。
死後の体の変化	死後硬直・死斑	●死後硬直(通常2～4時間で始まり、半日程度で全身に及び、30～40時間で解け始める。) ●死斑(通常死後20～30分で始まり、8～12時間で最も強くなる。)
	その他	●角膜混濁、体温低下、皮膚が暗紫色に変化するなど

事前の意思表示

事前指示書		●自身が治療の選択について判断できなくなった場合に備えて、どのような治療を受けたいかあるいは受けたくないか、代わりに誰に判断してもらいたいかをあらかじめ記載する書面
	医療判断代理委任状	●本人が自分で意思を決定できない状態になった場合に、本人が受ける医療について、本人に代わって意思決定を行う人を指名する書面
	リビングウィル	●自分で意思を決定・表明できない状態になったときに受ける医療・ケアについて、あらかじめ要望を明記しておく書面
アドバンス・ケア・プランニング(ACP)		●人生の最終段階における医療・ケアについて、本人が家族等や医療・ケアチームと繰り返し話し合う取り組み

終末期における介護

終末期における介護	●利用者や家族の生命、QOL(生活の質)を最優先する。 ●医療職など他の専門職と密接な連携を図る。 ●利用者や家族の意向に沿った介護を行うようにする。 ●最後まで一人の人格体として扱う。 ●身体的、精神的な痛み・苦しみを和らげる。 ●聴覚は最後まで残っているため、利用者に安心感をもたらすための声かけを行う。 ●マッサージや好きな音楽の鑑賞は、疼痛や不安の緩和に有効である。

看取り介護加算	●介護老人福祉施設、認知症対応型共同生活介護、特定施設入居者生活介護等で算定	
	主な算定要件	●施設の看護職員により、または病院、診療所、指定訪問看護ステーションのいずれかの看護職員との連携により24時間連絡できる体制をとること ●看取りに関する指針を定め、施設入所の際に、入所者またはその家族に説明を行い、同意を得ること ●看取りに関しての職員研修を行うこと　など

グリーフケア

悲嘆、受容プロセス	●十分に悲しむことが、悲嘆を乗り越えるために有効である。 ●利用者の死後、混乱・動揺、探索行動などの反応がみられることがある。
家族への支援	●家族の悲嘆に対するケアは、終末期ケアとともに行う。 ●家族を単に介護する者としてみるのではなく、ケアの対象者として位置づける。 ●十分な死の教育を行い、不安なく最期を看取ることができるように支援する。 ●家族支援には、利用者が亡くなった後の遺族ケア(グリーフケア)も含まれる。
デスカンファレンス	●デスカンファレンスの目的は、かかわったスタッフが、終末期ケアを振り返って今後のケアに活かすこと、および悲しみを共有し、スタッフの精神的な健康を保つことである。

死後のケア

死後のケア (エンゼルケア)	●死後のケアは、医師の死亡確認後、通常、死後硬直が始まる前に行う。 ●家族に、死亡後の介護を一緒に行うかどうかを確認する。 ●生前と同じように利用者に声をかけながら介護を行う。	
	身体の清潔	●鼻、口、耳、肛門に青梅綿を詰め、肛門部にはT字帯やパッドを当てたりする。 ●清拭には逆さ水(水にお湯を注いだもの)を使用する。
	外見を整える	●顔を白い布で覆う。 ●口が閉じない場合は顎の下をタオルなどで固定する。 ●着物の場合は左前に合わせ、帯紐を縦結びにする。

介 護

3節 生活援助

「生活援助」では、「家計管理」「調理」「洗濯」「環境整備」など、家事に関することを中心に整理していきます。

	単　元	重要度	出題実績					最近の出題内容
			32回	33回	34回	35回	36回	
55	家庭生活の経営	C	1				2	家計における収入と支出、エンゲル係数、可処分所得、消費生活、クーリングオフ
56	食生活	B	4	2	1			五大栄養素、栄養素の働き、食品、調理、食中毒の種類と予防
57	被服・洗濯	C		2	2			被服の汚れ、手縫いの方法、布団、防虫剤、洗濯、漂白剤
58	住生活	B	2	4	1	1	1	転倒の統計、住居環境整備、手すり、トイレ・浴室の環境、住宅改修

重要度 C ★☆☆

高齢単身無職世帯の家計収支

高齢者(65歳以上)単身無職世帯の家計収支は、実収入は年金等の社会保障給付が9割近くを占め、消費支出は食費が占める割合が最も多くなっています。また、消費支出が可処分所得を上回っています。

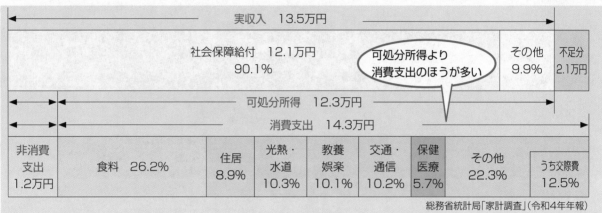

実収入 13.5万円

| 社会保障給付 12.1万円 90.1% | 可処分所得より消費支出のほうが多い | その他 9.9% | 不足分 2.1万円 |

可処分所得 12.3万円

消費支出 14.3万円

| 非消費支出 1.2万円 | 食料 26.2% | 住居 8.9% | 光熱・水道 10.3% | 教養娯楽 10.1% | 交通・通信 10.2% | 保健医療 5.7% | その他 22.3% | うち交際費 12.5% |

総務省統計局「家計調査」(令和4年年報)

家計における収入と支出

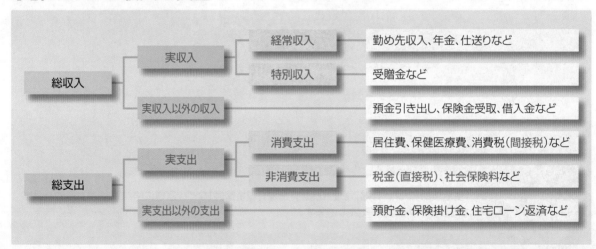

総収入	実収入	経常収入	勤め先収入、年金、仕送りなど
		特別収入	受贈金など
	実収入以外の収入		預金引き出し、保険金受取、借入金など
総支出	実支出	消費支出	居住費、保健医療費、消費税(間接税)など
		非消費支出	税金(直接税)、社会保険料など
	実支出以外の支出		預貯金、保険掛け金、住宅ローン返済など

可処分所得	●「実収入」から「非消費支出」を差し引いた、いわゆる手取り収入。
エンゲル係数	●「消費支出」に占める「食料費」の割合。 ●1965(昭和40)年は38.1%であったが、2022(令和4)年(年報)は26.6%。 ●一般的に、エンゲル係数が低いほど生活水準が高いとされている。

70歳以上の世帯が最も高い

世帯主の年齢階級別エンゲル係数(2人以上の世帯)	30歳未満	30～39歳	40～49歳	50～59歳	60～69歳	70歳以上
	22.4%	26.8%	26.0%	23.3%	27.0%	29.8%

総務省統計局「家計調査」(令和4年年報)

消費者保護制度

消費者基本法	● 消費者の利益の擁護、権利の尊重、自立の支援など基本理念を定め、施策の基本となる事項を定め、総合的な施策の推進を図る。
消費者教育の推進に関する法律	● 消費者教育の総合的・一体的な推進、国民の消費生活の安定・向上に寄与することを目的とし、学校、大学等、地域における消費者教育の推進などについて定めている。
消費者契約法	● 事業者の行為により消費者が誤認・困惑した場合について契約の意思表示を取り消すこと、消費者の利益を不当に害することとなる条項を無効とすることができる規定などを定めることにより、消費者の利益の擁護を図る。

取消	次の行為により誤認、困惑をして契約をしたときは取り消すことができる。 ● 過量契約（通常の分量等を著しく超えることを知りつつ勧誘） ● 不実告知（重要な項目について事実と異なることを告げる） ● 断定的判断（将来が不確実なことを断定的にいう） ● 不利益事実の不告知（不利益になることを故意にいわない） ● 不退去・監禁（退去しない、退去させない） ● 困惑（加齢等による判断力の低下の不当な利用）　　　など

特定商取引に関する法律	● 特定商取引（訪問販売、通信販売、電話勧誘販売、連鎖販売など）の勧誘行為の規制、紛争を回避するための規制、クーリング・オフ制度などの紛争解決手続を設けた法律。

クーリング・オフ	● 訪問販売など（通信販売は除く）で契約をした場合でも、契約書面受領日から一定期間内であれば、書面または電磁的記録によって無条件で申込の撤回や契約の解除ができる。 ● 書面または電磁的記録を発信した日に効力を生じる。 ● 役務が提供されている場合でも、その対価、損害賠償、違約金などを支払う必要はない。		

クーリング・オフ期間	8日	● 訪問販売（キャッチセールスなどを含む）　通信販売はない ● 電話勧誘販売 ● 特定継続的役務提供（エステ、語学教室、学習塾など）
	20日	● 連鎖販売取引（マルチ商法） ● 業務提供誘引販売取引（内職商法、モニター商法など）

家庭用品品質表示法	● 指定された「家庭用品」は、「表示すべき事項」などが定められ、「家庭用品」の製造業者、販売業者などは、適正に表示をしなければならない。
製造物責任法（PL法）	● 商品の欠陥によって、人の生命・身体・財産に被害を受けた場合、製造物の欠陥が証明されれば、製造業者は損害賠償の責任を負う。
国民生活センター	● 国の機関で、独立行政法人国民生活センター法に基づき、消費者相談、消費者情報の提供、商品テストなどの事業を行っている。
消費生活センター	● 地方自治体の機関で、消費者情報の提供、消費者教育、商品テスト、消費者相談の受付・苦情処理などを行っている。

重要度
B
★★☆

五大栄養素

			エネルギー	生体組織を構成	生体機能を調節	特記事項
五大栄養素	三大栄養素	炭水化物（糖質＋食物繊維）	4kcal/g			● 食物繊維は人の消化酵素では消化されない難消化性多糖類に属する。整腸作用、コレステロール吸収抑制などの働きがある。
		脂質	9kcal/g	○		● 脂肪からのエネルギー摂取は、総エネルギーの20～25％がよい。 ● 脂質は、ホルモンの原料となる。
		たんぱく質	4kcal/g	○	○	● 筋肉・内臓などの生体組織や、酵素・血液・ホルモンなどを形成している。たんぱく質は約20種類ある（うち9種類が必須アミノ酸（※））。
	ビタミン				○	● エネルギー源にはならないが、生体の機能を調節する働きがある。 ● 脂溶性ビタミン、水溶性ビタミンに分かれる。
	無機質（ミネラル）			○	○	● エネルギー源にはならないが、骨や歯を形成し、たんぱく質などとともに人体を構成し、血液や体液の浸透圧やpHを調節する働きがある。

（※）必須アミノ酸（①バリン ②ロイシン ③イソロイシン ④スレオニン ⑤メチオニン ⑥フェニールアラニン ⑦トリプトファン ⑧リジン ⑨ヒスチジン）

ビタミン

	ビタミン	作用	欠乏症	多く含まれる食品
脂溶性	ビタミンD	カルシウムの吸収促進	骨粗鬆症、くる病、骨軟化症	干ししいたけ、肝油、魚、きくらげ
	ビタミンA	目や肌の健康維持	夜盲症、角膜乾燥症	レバー、卵、緑黄色野菜
	ビタミンK	血液の凝固、骨の健康維持	血液凝固の不良	納豆、緑黄色野菜
	ビタミンE	老化防止、貧血予防、血行をよくする。	脂肪吸収障害	胚芽油、大豆、穀類、緑黄色野菜
水溶性	ビタミンB₁	糖質の代謝、神経の働きを整える。	脚気、多発性神経炎	肉、豆、玄米、チーズ、牛乳、緑黄色野菜
	ビタミンB₂	皮膚や粘膜の健康維持 糖質・脂質の代謝	口内炎、口角炎	肉、卵黄、緑黄色野菜
	ビタミンB₆	たんぱく質・脂質の代謝 皮膚や粘膜の健康維持	皮膚炎、口内炎	レバー、肉、卵、乳、魚、豆
	ビタミンB₁₂	貧血の予防、神経系の働きを整える。	巨赤芽球性貧血	レバー、肉、魚、チーズ、卵
	ビタミンC	コラーゲンの生成、抗酸化作用、鉄の吸収促進	貧血、壊血病、骨形成不全	緑黄色野菜、果物
	ナイアシン	糖質・脂質・たんぱく質の代謝	ペラグラ、口角炎	魚介類、肉類、海藻類、種実類
	葉酸	貧血の予防、胎児の健康維持	巨赤芽球性貧血	レバー、豆類、葉もの野菜、果物

無機質（ミネラル）

ミネラル	作　　用	欠　乏　症	多く含まれる食品
カルシウム	骨や歯などの組織をつくる。神経系の働きを整える。	骨粗鬆症	乳製品(牛乳、チーズ、ヨーグルト)、豆類、卵黄、海藻など
リン	骨や歯などの組織をつくる。疲労を回復する。	新陳代謝の低下、けん怠感、筋力の低下	魚類、肉類、チーズ、ごま、穀類、そばなど
カリウム	心臓の働きを正常に保つ。疲労感・脱力感を防ぐ。	高血圧、不整脈、筋力低下	サツマイモ、大豆、いわし、バナナ、トマト、スイカなど
マグネシウム	心臓や筋肉の働きを正常に保つ。便通をよくする。	虚血性心疾患、骨や歯の形成障害	豆腐、ナッツ、玄米、緑の葉菜、ひじき、納豆、大豆など
ナトリウム	血圧の調節、浸透圧や生体機能を調節する。	食欲不振、めまい	梅干、あさり、しらす干しなど
亜鉛	味覚、嗅覚、聴覚を正常に保つ。	味覚障害、皮膚炎	カキ(貝)、小麦胚芽、ごまなど
鉄	貧血を予防する。免疫力を高める。	鉄欠乏性貧血	レバー、煮干、スッポンの血、鶏肉・卵、ごまなど
ヨウ素	甲状腺ホルモンの調節・基礎代謝の促進など。	甲状腺腫、甲状腺機能低下症	昆布、わかめ、ひじきなど
銅	貧血を予防する。鉄の生成をサポートする。	貧血、骨粗鬆症	ごま、アーモンド、そらまめなど

食事摂取基準（2020年版）

● 食事摂取基準は、国民の健康の維持・増進などを目的とし、栄養素などの摂取量の基準を示すもの(2020年版は2020(令和2)年度から5年間使用される)。

【主な栄養素の食事摂取基準（一部を抜粋）】

	75歳以上（1日あたりの値）	
	男	女
推定エネルギー必要量	1800～2100kcal	1400～1650kcal
たんぱく質(推奨量)	60g	50g
n-3系脂肪酸(目安量)	2.1g以上	1.8g以上
ビタミンD(目安量)	8.5μg以上	8.5μg以上
食塩(目標量)	7.5g未満	6.5g未満
食物繊維(目標量)	20g以上	17g以上
カルシウム(推奨量)	700mg	600mg
カリウム(目標量)	3000mg以上	2600mg以上

食品

食事バランスガイド	●食事バランスガイドは毎日の食事を「主食」「副菜」「主菜」「牛乳・乳製品」「果物」の5つの料理グループに区分し、区分ごとに「つ(SV)」という単位を用いて1日の目安が示されている。	
	料理グループ	1日の目安(想定エネルギー2200±200kcal)
	主　食	●5〜7つ(SV)　ごはん(中盛り)だったら4杯程度
	副　菜	●5〜6つ(SV)　野菜料理5皿程度
	主　菜	●3〜5つ(SV)　肉・魚・卵・大豆料理から3皿程度
	牛乳・乳製品	●2つ(SV)　牛乳だったら1本程度
	果　物	●2つ(SV)　みかんだったら2個程度

主な食品	米	●化学成分の違いにより、もち米とうるち米に分けられる。うるち米はもち米に比べ粘りが少ない。白玉粉は、原料のもち米を水浸後、細かく砕き、水にさらしてつくったもの。
	小　麦	●小麦粉は含まれるたんぱく質の割合と、形成されるグルテンの性質によって、薄力粉、中力粉、強力粉に分類される。
	さつまいも	●ビタミンCを多く含む。じゃがいもと比較して糖分や繊維が多く便秘予防に効果がある。
	じゃがいも	●褐変防止のために切ってすぐに水につける。発芽部分や緑色の皮の部分には有害物質ソラニンが含まれているので取り除く。 ●メークインは男爵いもよりも煮くずれしにくい。
	魚介類	●魚類には脂溶性ビタミンが多く含まれ、骨ごと食べられる小魚や貝類には、無機質が多い。 ●いわしやさばなどは、EPAやDHAを多く含み、血中コレステロールを低下させる作用をもつ。
	牛　乳	●カルシウムの吸収率は、一般に野菜類や小魚に比べ高いといわれている。 ●牛乳は殺菌後10℃以下で保存することが定められている。
	寒　天	●寒天は海藻からつくられ、多糖類を含むが、消化しにくいので低カロリーである。固まる温度は30〜40℃以下で、常温でも固まる。
	ゼラチン	●ゼラチンは、動物の骨や皮などに含まれているコラーゲンが変性したもので、成分はたんぱく質である。溶かす温度は50〜60℃程度がよい。固まる温度は15〜20℃。

食品の安全性	アレルギー物質表示	●えび、かに、くるみ、小麦、そば、卵、乳、落花生の8品目は、容器包装された加工食品に含まれるアレルギー物質の表示が食品表示法によって義務づけられている。	
	加工食品の期限表示	消費期限	●品質が劣化しやすく、おおむね5日以内で品質が劣化する食品に表示。
		賞味期限	●「消費期限」に比べ、品質が比較的劣化しにくい食品などに表示。

季節や行事と、食事	●正月(お節料理、お雑煮)、節分(恵方巻き)、桃の節句(ちらし寿司、はまぐりのお吸い物)、七夕(そうめん)、土用の丑の日(うなぎのかば焼き)、冬至(かぼちゃ)など。

調　理

調理方法		● 調理方法には加熱操作と非加熱操作がある。 ● 加熱操作には、湿式加熱（ゆでる、蒸す、煮る）、乾式加熱（焼く、揚げる、炒める）、誘電加熱、誘導加熱がある。
	ゆでる	● 青菜の緑色色素を保持させるには、水量をできるだけ多くし、食塩を加え、ふたをせずにゆでる。ゆでた後は、直ちに冷水で冷やしてから、水を絞る。
	蒸　す	● 煮くずれしにくく大量調理に適している。水溶性栄養素の損失が少ない。 ● 茶碗蒸しは、卵とだし汁150〜200mLに食塩（液卵の1%）を加えて蒸す。100℃で3〜4分。
調　味		● 食品に調味料や香辛料を加えて、味の調整をすること。 ● 調味料は、さ（砂糖）→し（塩）→す（酢）→せ（しょうゆ）→そ（みそ）の順番で入れる。
	酢	● 酢の量は材料に対して、10%程度がよい。酢は、殺菌、防腐作用がある。
	しょうゆ	● 濃口しょうゆ、薄口しょうゆ、たまりしょうゆ、しろしょうゆなどがある。 ● 薄口しょうゆと濃口しょうゆを比べたとき、塩分量が多いのは薄口しょうゆである。
	み　そ	● 甘みそ、淡色辛みそ、赤色辛みそ、麦みそ、豆みそなどがある。 ● みそとしょうゆを比べたとき、塩分量が多いのはしょうゆである。
電子レンジ		● マイクロ波を照射（しょうしゃ）させることにより、食品を加熱する（誘電加熱）。 ● 金属性の容器はマイクロ波を反射するので適さない。 ● 食品の温度が急速に上昇するので、ゆっくり加熱したい調理には向かない。
電磁調理器（でんじちょうりき） （IH調理器）		● 火を使わずに加熱でき、電磁誘導により発生した熱により加熱される（誘導加熱）。 ● ガスコンロや電気コンロに比較して、熱効率が高い。 ● ガスコンロに比較して、発熱や引火に対する安全性が高い。 ● 使用できる鍋は金属製で、平らな底の鍋などに限定される。
和食の基本的配膳		● 一汁三菜（いちじゅうさんさい）の和食の器の並べ方は、向かって、左手前にご飯、右手前に汁物、右奥に主菜、左奥と中央に副菜。 ● 箸（はし）は持つ部分を右側にして手前に横一文字に置く。お茶は、右側に置く。

「食中毒発生状況」（令和5年）

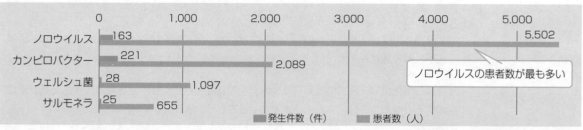

厚生労働省「食中毒発生状況」（令和5年）

		名前	おもな原因食品	予防法など
ウイルス性		ノロウイルス	牡蠣（かき）などの二枚貝	加熱調理、二次感染に注意する
細菌性	感染型	カンピロバクター	鶏肉、牛レバーなど	加熱調理
		サルモネラ	鶏肉、鶏卵など	加熱調理
		腸炎ビブリオ	魚介類の生食	流水で洗浄、加熱調理
		腸管出血性大腸菌（ちょうかんしゅっけつせいだいちょうきん）	食肉、生食用野菜など	加熱調理
	毒素型	ブドウ球菌（黄色ブドウ球菌など）	手づくりの食品など	手指に傷がある人などは直接調理にたずさわらない
		ウェルシュ菌	食肉や魚介類の「煮込み料理」「カレー」「スープ」「シチュー」など	室温で放置しない
		ボツリヌス菌	真空パックされた食品	加熱調理
自然毒	動物性	例）テトロドトキシン	ふぐ	ふぐ調理師免許所持者が調理する
	植物性	例）ソラニン	じゃがいもの芽	じゃがいもの芽を除去する
化学物質			農薬、消毒薬など	取扱いに注意する

食中毒予防

食中毒予防の3原則	つけない	●細菌などを食べ物につけないために、調理を始める前は手洗いをする。 ●肉や魚などを切ったまな板は使用の都度きれいに洗い殺菌する。
	増やさない	●食べ物に付着した細菌を増やさないために、食品は低温で保存する（細菌の多くは10℃以下で増殖がゆっくりになり、マイナス15℃以下では増殖が停止する）。
	やっつける	●食べ物に付着した細菌やウイルスをやっつけるために加熱する（特に肉料理は、中心部を75℃で1分以上加熱する）。 ●肉・魚・卵などを使った後の調理器具は、洗浄後、熱湯殺菌や台所用殺菌剤でやっつける。 ●包丁は、刃と持ち手の境目の部分も洗浄して消毒する。
食中毒をふせぐ6つのポイント	買い物	●消費期限を確認する。 ●生鮮食品や冷凍食品は最後に買う。 ●肉や魚などはビニール袋に入れる　など
	家庭での保存	●持ち帰ったらすぐに冷蔵庫や冷凍庫に保管する。 ●作って保存しておく食品は、広く浅い容器に入れてすばやく冷ます。 ●冷蔵庫は10℃以下、冷凍庫はマイナス15℃以下に保つ　など
	下準備	●調理の前に手を洗う。 ●食材を流水でよく洗う。 ●生肉や魚などの汁が他の食材にかからないようにする　など
	調理	●調理の前に手を洗う。 ●肉や魚は中心部を75℃で1分以上加熱する。
	食事	●食べる前に石けんで手を洗う。 ●作った料理は長時間室温に放置しない。
	残った食品	●残った食品を扱う前にも手を洗う。 ●解凍した食品は再冷凍しない。 ●温め直すときも十分に加熱する　など
手の洗い方		●手に付着した細菌やウイルスを取り除くために、指の間や爪の中まで、石けんを使って正しい方法で手を洗う。

① 流水でよく手をぬらした後、石けんをつけ、手のひらをよくこする。

② 手の甲をのばすようにこする。

③ 指先・爪の間を念入りにこする。

④ 指の間を洗う。

⑤ 親指と手のひらをねじり洗いする。

⑥ 手首も忘れずに洗う。

被 服

被服の素材	●被服の素材の種類は、繊維 → 糸 → 布 → 被服に大別される。 ※被服素材には、吸水性、吸湿性、透湿性、保温性、通気性、弾力性、撥水性などの性能がある。	
	天然繊維	●植物繊維(綿・麻)、 動物繊維(毛・絹)
	化学繊維	●再生繊維(レーヨン・キュプラ)、合成繊維(ナイロン・ポリエステル・アクリル)

手縫いの方法	なみ縫い	本返し縫い	コの字縫い (コの字とじ)	まつり縫い

	同じ針目で等間隔にまっすぐに縫う。	ひと針縫ったら、ひと針戻るを繰り返す。	2枚の布を折り山で縫い合わせる。	ズボンの裾上げなど縫い目が表から見えないようにする縫い方。

布 団	木綿わた	●吸湿性に優れ、打ち直しができて安定性がある。透湿性が弱く湿気がたまりやすい。
	羽毛わた	●保湿性、透湿性、圧縮回復性がよい。掛け布団に適している。
	羊毛わた	●保湿性、透湿性、弾力性がよい。敷き布団に適している。
	●布団についた、ダニの死骸や糞などのダニアレルゲンを除去するために、丸洗いできるものは洗濯で洗い流し、丸洗いできないものは掃除機で吸い取る。	

防虫剤の種類	有臭	パラジクロルベンゼン	●揮散が早く、効き目が早い。	他の薬剤と併用できない
		ナフタリン	●効き目がゆっくりと持続。ひな人形などの防虫にも適している。	
		しょうのう	●すべての衣類に使用できる。着物の保管に適している。	
	無臭	ピレスロイド系	●他の防虫剤と併用できる。洋服タンス・衣装ケースに適している。	併用できる

汚 れ	●汚れは水溶性(血液、果物など)、油溶性(皮脂、化粧品など)、不溶性(スス、泥など)に分類される。 ●血液などのたんぱく質は、水溶性でも、温湯では凝固して落ちなくなるので水かぬるま湯で洗う。 ●ベンジンは、チョコレート、口紅などの油性のしみの処理に適している。 ●衣服についたバターのしみは、しみに洗剤を浸み込ませて、布の上に置いて叩く。

洗 濯

洗濯表示	家庭洗濯	⌂30	洗濯機（標準）30℃限度	30	洗濯機（弱い）30℃限度	30	洗濯機（非常に弱い）30℃限度	手洗い 40℃限度		家庭洗濯NG
	漂白（ひょうはく）	△	漂白OK	斜線付き△	酸素系OK 塩素系NG	✕付き△	漂白NG			
	タンブル乾燥	⊡（点2つ）	高温80℃まで	⊡（点1つ）	低温60℃まで	✕付き	タンブル乾燥NG			
	自然乾燥			つり干し	濡れつり干し	平干し	濡れ平干し			
		日なた		｜	‖	−	＝			
		日陰		／｜	／‖	／−	／＝			
	アイロン	アイロン（点3つ）	高温200℃まで	アイロン（点2つ）	中温150℃まで	アイロン（点1つ）	低温110℃まで(スチームなし)	✕付きアイロン		アイロンNG
	クリーニング	Ⓟ	パークロロエチレンおよび石油系溶剤によるドライクリーニングができる	Ⓕ	石油系溶剤によるドライクリーニングができる	Ⓦ	ウエットクリーニングができる	⊗		ドライクリーニングNG

洗濯の仕方	●色が移るのを防ぐために、色物と白物に分けて洗濯する。 ●ほころびや破れがあるものは、修理してから洗濯する。 ●ファスナーは閉じた状態、マジックテープは止めた状態で洗濯する。
ドライクリーニング	●乾式洗濯という。有機溶剤で洗濯するもので、毛や絹・レーヨンなど水分を含むと型くずれするものや、油脂性の汚れの洗濯に適する。

漂白剤（ひょうはくざい）				成 分 例	毛・絹製品	色柄物
	酸化型（さんかがた）	塩素系		次亜塩素酸ナトリウム	✕	✕
		酸素系	粉末	過炭酸ナトリウム	✕	○
			液体	過酸化水素	○	
	還元型（かんげんがた）			ハイドロサルファイト	○	✕

家庭における主な不慮の事故による死亡数

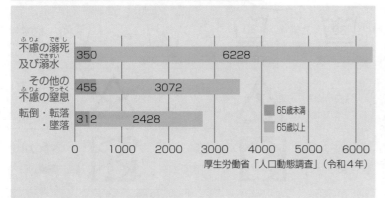

不慮の溺死及び溺水 350 / 6228
その他の不慮の窒息 455 / 3072
転倒・転落・墜落 312 / 2428

■ 65歳未満
■ 65歳以上

厚生労働省「人口動態調査」（令和4年）

65歳以上の家庭内事故の発生場所（屋内）

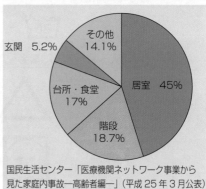

玄関 5.2%　その他 14.1%　居室 45%　台所・食堂 17%　階段 18.7%

国民生活センター「医療機関ネットワーク事業から見た家庭内事故―高齢者編―」（平成25年3月公表）

屋内管理

温度・湿度	●温度　22±2℃　（冷房は外気との温度差を5℃以内） ●湿度　50〜60% ●冷房の冷気は床面に溜まるので、足元が冷えないように注意する。
照明	●JIS規格の住宅照度基準では、居間での団らんには150〜300ルクス程度の光が必要とされる。 ●手元、足元照明などの局部照明も重要であるが、目が疲労しにくいように室内全体を局部照明の10分の1程度以上にすることが望ましい。
色への配慮	●加齢とともに眼の水晶体の黄濁化や視力低下に伴い、色彩の弁別能力が低下するため、明暗差の大きい配色を心がける。特に青系統の微妙な色彩の区別がつきにくくなるため留意する。
換気	●最低でも2箇所の窓を、空気の「取り入れ口」と「逃げ口」ができるだけ対極もしくは対角線上になるように開ける。
転倒予防	●玄関マットやバスマットは滑り止めのついたものを使う。 ●コード類は動線上に這わせないようにする。 ●夜間の移動に配慮して、足元に光源を設ける。 ●寝室はトイレに近い場所が望ましい。
住環境と健康	シックハウス症候群：●建材等から発生する化学物質などによる室内空気汚染等による健康障害 ヒートショック現象：●急激な温度変化によって身体が受ける影響 熱中症：●暑熱から起こる体の障害。屋内でも発生する。
清掃の仕方	●畳は畳の目に沿って拭く。 ●はたきを使った掃除は高い所から始める。 ●玄関は湿った日本茶や紅茶の茶殻を床にまいて掃く。 ●窓ガラスは最初に濡らした雑巾で拭いてから、乾いた雑巾で拭き取る。 ●ハウスダストが空中に巻き上げられてしまうので、掃除機をかける前に吸着率の高いモップで床を拭く。

浴　室	### 浴室の環境 ● 浴槽は和洋折衷型で、底辺の長さが100cmくらい。 ● 浴槽の高さは、浴室の床から40cmくらいがよい。 ● 浴槽の深さは50cmくらい。 ● 浴槽壁や浴室内に手すりを設置する。 ● 安全と自立を支援するため、シャワーチェアやバスボード、滑り止めマットなどの福祉用具を活用する。 ● 湯温は40℃くらいがよい。 ● 室温は22±2℃。ヒートショック予防として脱衣室と浴室との温度差を小さくする。
ト　イ　レ	● 片麻痺のある利用者が使用するトイレには、L字型の手すりを利用者の健側に設けると、排泄姿勢が楽にとれる。 ● 車いすを利用している場合、トイレ内の横手すりはアームサポート（アームレスト）の高さに設置する。 ● ペーパーホルダーの一般的な取り付け位置は、10～15cm程度前方で、便座面から25～30cm程度上方。（座位の状態で肘の高さくらい） 縦手すりは立ち上がり時などに使用 横手すりは座位姿勢を保持する時などに使用
扉	● 浴室やトイレの扉は、「引き戸 ＞ 外開き戸 ＞ 内開き戸」の順によい。 ※引き戸は、開ける動作の際、姿勢が安定するので、最も適切。 ● 引き戸の取っ手は棒型にする。 引き戸　　　外開き戸　　　内開き戸

居室・玄関	●玄関などに、マットを敷く場合は、滑らないような配慮が必要。 ●転倒予防のため、目の粗いじゅうたんは避けるようにする。 ●高低差が大きい段差より、むしろ小さい段差のほうが転倒しやすい。 ●加齢とともに、色彩の判断能力が低下するので、明暗差の大きい配色を心がける。
廊下（ろうか）	●車いすで廊下（ろうか）を通過するには、80cm程度の幅が必要。 ●車いすで直角に曲がって部屋の出入りを行うときは、廊下（ろうか）の幅が80cmの場合、入口の幅は自走用車いすで90cm程度（介助用車いすの場合は75cm程度）必要。
手 す り	●手すりの太さは、3.2〜3.6cm程度。軽く握って親指と他の指が軽く触れる程度の太さ。 ●歩きながら使う手すりの高さは、75〜80cmで、大腿骨大転子部（だいたいこつだいてんしぶ）（杖の高さと同じくらい）がよい。
階 段	●手すりの先端部は、湾曲（わんきょく）している方が安全。 ●階段の手すりは、階段の手前30cm以上余裕をみて取り付ける。 ●階段の片側に手すりを設置する場合は、降りるときに利き手で持てる側に設置する。 勾配（こうばい）：蹴上げ（けあ）/踏面（ふみづら）≧6/7

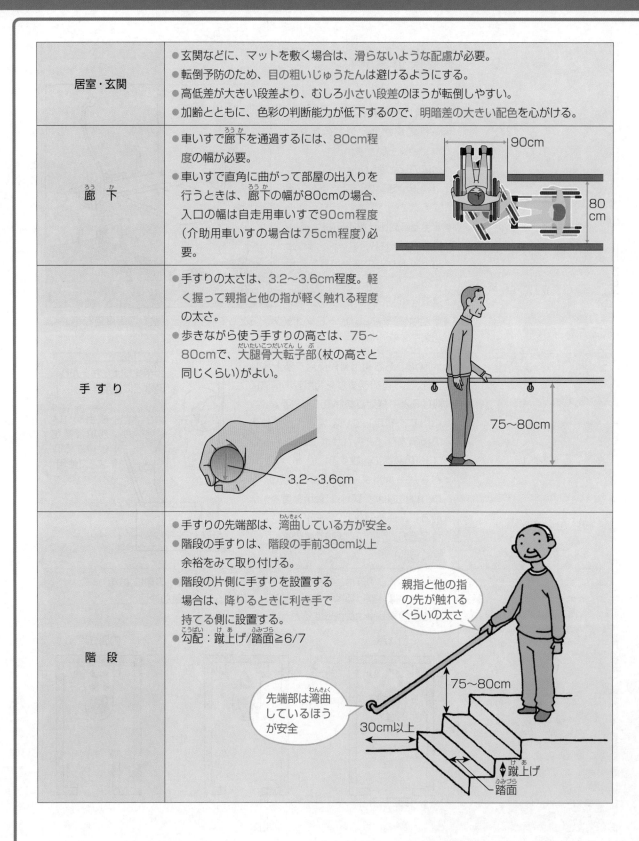

介護保険の住宅改修

改修前

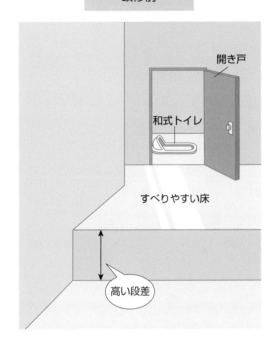

- 開き戸
- 和式トイレ
- すべりやすい床
- 高い段差

介護保険で住宅改修

改修後

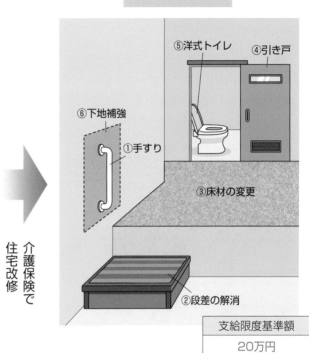

- ⑤洋式トイレ
- ④引き戸
- ⑥下地補強
- ①手すり
- ③床材の変更
- ②段差の解消

支給限度基準額
20万円

	対象工事	内容	
①	手すりの取付け	●廊下、便所、浴室、玄関、玄関から道路までの通路等に、転倒の予防や移動・移乗動作のための手すりの設置	
②	段差の解消	●居室、廊下、便所、浴室、玄関等の各室間の床の段差や、玄関から道路までの通路等の段差または傾斜を解消するための改修	
		例	●敷居を低くする、撤去する、スロープを設置する、浴室の床のかさ上げ等 ●通路等の傾斜の解消、転落防止用柵の設置
③	滑りの防止および移動の円滑化等のための床または通路面の材料の変更	●居室、廊下、階段、便所、浴室、玄関、玄関から道路までの通路等の滑りの防止や移動の円滑化のために床材を変更する改修	
		例	●畳敷きから板製床材などへの変更、浴室の滑りにくい床材への変更 ●階段の滑り止めカーペットの取付け、滑り止めのための表面加工など
④	引き戸等への扉の取替え	●開き戸を引き戸、折戸、アコーディオンカーテン等に取り替える等の改修	
		例	●ドアノブの変更、右開きの戸を左開きに変更する工事 ●引き戸の新設、扉の撤去など
⑤	洋式便器等への便器の取替え	●和式便器から洋式便器への取替え工事、器器の位置・向きの変更	
		例	●和式便器から暖房便座・洗浄機能付きの洋式便器への取替え
⑥	上記に付帯して必要となる工事	●①～⑤の住宅改修に付帯して必要となる改修	
		例	●手すりの取付けのための壁の下地補強 ●浴室の床の段差解消(浴室の床のかさ上げ)に伴う給排水設備工事など

介 護

4節 相談援助

「相談援助」では、「コミュニケーション」「相談援助技術」「ケアマネジメント」「介護過程」「記録」などを中心に整理していきます。

	単 元	重要度	出題実績					最近の出題内容
			32回	33回	34回	35回	36回	
59	コミュニケーション	A	7	6	6	2	6	コミュニケーション技術、質問方法、面接技法、自己開示
60	相談援助技術	C		1			1	バイステックの7原則、スーパービジョン、人材育成と管理
61	ケアマネジメントと介護過程	A	8	7	12	9	10	ケアマネジメントの過程、介護過程の目的、アセスメント、目標の設定、サービス担当者会議、モニタリング
62	チームアプローチと専門職	A	4	1	1	2	3	専門職の役割、チームアプローチ、多職種連携、事業所に配置される専門職
63	記録	A	2	3	4	3	1	記録の種類、SOAP方式、マッピング、報告・連絡・相談、カンファレンス、個人情報保護

コミュニケーション

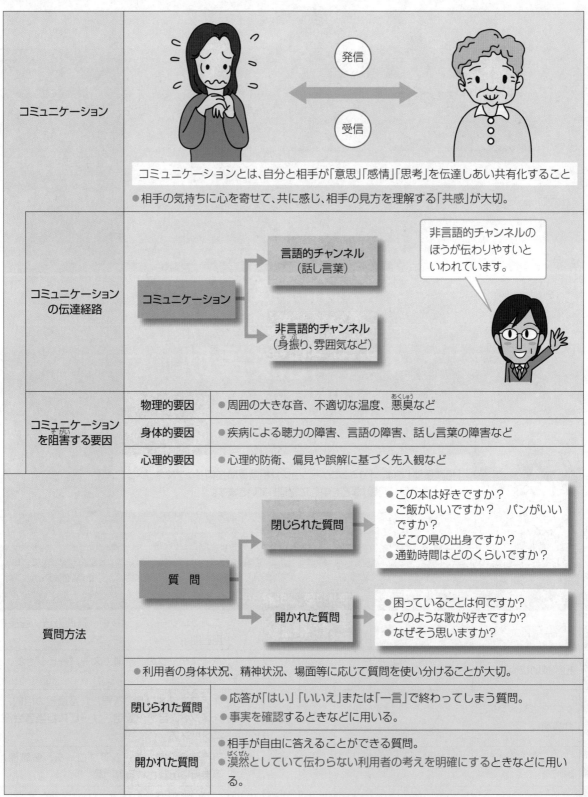

コミュニケーション	コミュニケーションとは、自分と相手が「意思」「感情」「思考」を伝達しあい共有化すること ●相手の気持ちに心を寄せて、共に感じ、相手の見方を理解する「共感」が大切。	
コミュニケーションの伝達経路	コミュニケーション → 言語的チャンネル（話し言葉） / 非言語的チャンネル（身振り、雰囲気など） 非言語的チャンネルのほうが伝わりやすいといわれています。	
コミュニケーションを阻害する要因	物理的要因	●周囲の大きな音、不適切な温度、悪臭など
	身体的要因	●疾病による聴力の障害、言語の障害、話し言葉の障害など
	心理的要因	●心理的防衛、偏見や誤解に基づく先入観など
質問方法	質問 → 閉じられた質問：●この本は好きですか？ ●ご飯がいいですか？ パンがいいですか？ ●どこの県の出身ですか？ ●通勤時間はどのくらいですか？ / 開かれた質問：●困っていることは何ですか？ ●どのような歌が好きですか？ ●なぜそう思いますか？	
	●利用者の身体状況、精神状況、場面等に応じて質問を使い分けることが大切。	
	閉じられた質問	●応答が「はい」「いいえ」または「一言」で終わってしまう質問。 ●事実を確認するときなどに用いる。
	開かれた質問	●相手が自由に答えることができる質問。 ●漠然としていて伝わらない利用者の考えを明確にするときなどに用いる。

主な面接技法

傾聴	●利用者に対し、十分に関心を向け、利用者の心の声に能動的に耳を澄ますこと。
受容	●利用者を評価したりせず、相手をありのままに受け入れること。
共感的理解	●利用者の気持ちに心を寄せて、共に感じ、利用者の見方を理解しようとすること。
明確化	●自分の思いを明確に言語化できない利用者に、利用者の思いや感情を先取りして言葉にして伝えること。
感情の反映	●利用者の感情を受容し、その感情を言語化し、利用者に伝えること。
要約	●利用者が語った経験、行動、感情の経過を要約し、利用者に伝えること。
言い換え	●利用者が話した言葉を、自分の言葉で表現し直すこと。
繰り返し	●利用者が話した言葉の一部をそのまま利用者に返すこと。
直面化	●利用者の感情と行動の矛盾点を指摘し、利用者の内面にある葛藤状態に直面させることで問題の明確化を図る技法。

かかわりを示す基本動作SOLER（ソーラー）

S（Squarely）	●利用者とまっすぐに向き合う。
O（Open）	●開いた姿勢（腕や脚を組まないなど）。
L（Lean）	●相手へ少し身体を傾ける。
E（Eye contact）	●適切に視線を合わせる（上から見下ろさないなど）。
R（Relaxed）	●リラックスして話を聴く。

座り方

利用者との関係性をつくる座り方として、対面法より直角法の方が有効です。対面法で座る場合、視線を向けることのできる花瓶などを机の上に置くとよいとされています。

直角法

対面法

ジョハリの窓

ジョハリの窓は、自分自身が見た自己と、他者から見た自己の情報を分析し、右の4つに区分して自己を理解します。自己開示は開放された部分を広くするために行います。

	自分にわかっている	自分にわかっていない
他人にわかっている	開放の窓	盲点の窓
他人にわかっていない	秘密の窓	未知の窓

アサーティブ・コミュニケーション

アサーティブ・コミュニケーションは、自分の意見を飲み込むことで我慢をしたり、一方的に自分の主張を押し通したりせずに、相手を尊重しながら自分の意見を率直に伝えるコミュニケーションです。

アサーティブであることの「4つの柱」

誠実	●自分自身に正直であることで、相手にも誠実になれる。
率直	●遠回しではなくストレートに相手に伝える。
対等	●相手を見下すでも卑屈でもなく、対等に向き合う。
自己責任	●言った責任、言わなかった責任は自分が引き受ける。

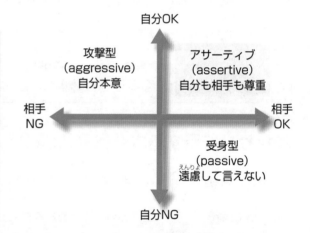

自分OK

攻撃型
（aggressive）
自分本意

アサーティブ
（assertive）
自分も相手も尊重

相手
NG

相手
OK

受身型
（passive）
遠慮して言えない

自分NG

対人距離（パーソナルスペース）

人と話したり活動したりするときの2人の間の物理的距離のことで、相手が誰であるか、話や活動内容によって、適切な距離は異なります。

密接距離	●パートナーや家族など、とても親しい者に許される距離
個人的距離	●相手の表情を読み取りながら、個人的なことを話し合える距離
社会的距離	●一般客や他人と応対する距離
公衆距離	●講演会など、公衆との間にとる距離

密接距離
～45cm

個人的距離
45～120cm

社会的距離
120～360cm

公衆距離
360cm～

重要度
C
★☆☆

バイステックの7原則

利用者と援助関係を結ぶときに活用が求められる
バイステックの7原則を整理しましょう。

	原　則		内　容
1	個別化	主語に注意	● 利用者を個人としてとらえる。
2	意図的な感情表出		● 利用者の感情表現を大切にする。
3	統制された情緒的関与		● 援助者は自分の感情をコントロールしてかかわる。
4	受　容		● 利用者をあるがままに受け入れる。
5	非審判的態度		● 援助者の価値観で評価せずに利用者にかかわる。
6	自己決定		● 利用者の自己決定を促し、尊重する。
7	秘密保持		● 秘密を守り、情報を他者に漏らさない。

集団援助技術

グループワークでは、集団を意図的に形成し、そこで生じるグループダイナミクス（集団力学）
を活用しながら、一人ひとりのメンバーへの援助を行っていきます。

準備期	● グループワークの必要性が生じたときに、メンバーが初めて顔を合わせる前に「準備」をする段階。
	波長あわせ　● 援助者がメンバーの生活状況・感情・ニーズ等をあらかじめ理解すること。
開始期	● 最初の集まりから、グループとして動き出すまでの「契約」の段階。 ● 契約作業では、グループ活動上における基本的な約束事を確認する。
作業期	● 個々のメンバーの問題解決という目的に向かって援助する（メンバーの個別化）。 ● 援助者は、グループ内にできるサブグループを適切に取り扱うことが求められる。
終結期	● グループ援助を終わりにする段階。次の段階に移っていく「移行期」でもある。

感情転移

援助関係において、感情の転移は信頼関係形成に役立つ場合もありますが、通常、逆転移は
避けなければなりません。

転移	● 「利用者」がかつて誰かに抱いていた感情を「援助者」に向けること。
逆転移	● 「援助者」がかつて誰かに抱いていた感情を「利用者」に向けること。

スーパービジョンとコンサルテーション

スーパーバイザー

3つの機能

| 管　理 |
| 教　育 |
| 支　持 |

スーパーバイジー

スーパービジョン	●スーパーバイジー（経験の浅いワーカー）に対して、同一職場などのスーパーバイザー（経験豊富なワーカー）が、助言指導を行うこと。管理機能、教育機能、支持機能などがある。
	グループ・スーパービジョン	●スーパーバイザーと複数のスーパーバイジーによるスーパービジョン。
	ライブ・スーパービジョン	●記録によらず、「なまの」場面で直接経験するスーパービジョン。
	ピア・スーパービジョン	●学生同士、ワーカー同士などが互いに事例検討などを行うこと。
コンサルテーション	●関連機関や関連領域の専門家との相談などにより、援助者が専門的助言や示唆を受けること。

人材育成と管理

職場研修	OJT	●On the Job Trainingのことで、職務を通じて、職場の上司が部下に実技、スキルなどを指導・育成する研修。
	Off-JT	●Off the Job Trainingのことで、職務を離れて行う社員研修（セミナー、教育機関での研修など）。
	SDS	●Self Development Systemのことで、職場内外での自己啓発活動を支援する制度。
	エルダー制度	●エルダー（先輩社員）が新入社員などに対し、マンツーマンで実務の指導や職場生活上の相談を行う制度。
ティーチング		●経験豊富な人が、経験が浅い人を相手に自分の知識やノウハウを伝えるという手法。
コーチング		●対話を通してコーチングの受け手が、自ら答えを導き出せるようにサポートする指導の手法。
ジョブローテーション		●人材育成を目的として、多くの業務を経験させるために一人の人間を計画的に異動させること。

ケアマネジメントの構成要素

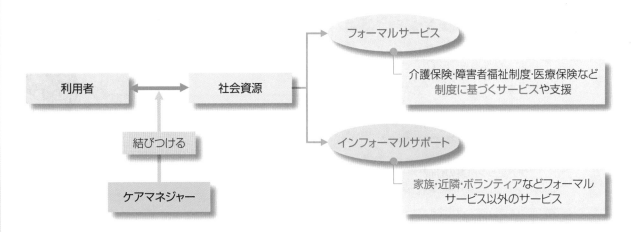

ケアマネジメントの過程

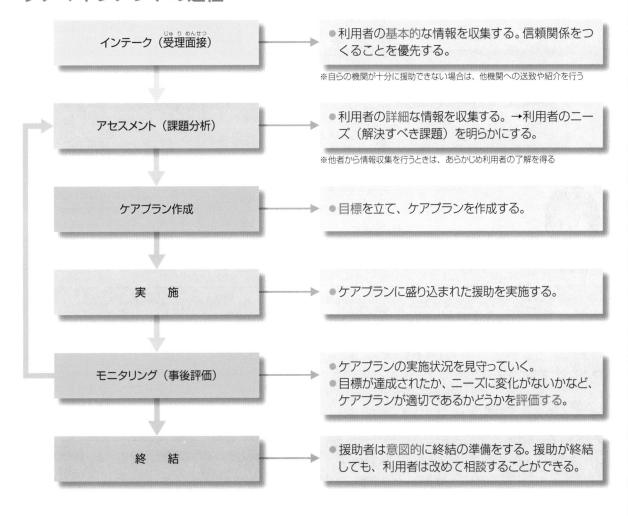

インテーク（受理面接） （じゅりめんせつ）	●利用者の基本的な情報を収集する。信頼関係をつくることを優先する。

※自らの機関が十分に援助できない場合は、他機関への送致や紹介を行う

アセスメント（課題分析）	●利用者の詳細な情報を収集する。→利用者のニーズ（解決すべき課題）を明らかにする。

※他者から情報収集を行うときは、あらかじめ利用者の了解を得る

ケアプラン作成	●目標を立て、ケアプランを作成する。

実施	●ケアプランに盛り込まれた援助を実施する。

モニタリング（事後評価）	●ケアプランの実施状況を見守っていく。 ●目標が達成されたか、ニーズに変化がないかなど、ケアプランが適切であるかどうかを評価する。

終結	●援助者は意図的に終結の準備をする。援助が終結しても、利用者は改めて相談することができる。

第4章　介護

ケアマネジメントと介護過程

介護保険制度におけるケアマネジメント

介護計画（個別サービス計画）とは、ケアプランを踏まえて、その目標を達成するために立案される、より具体的・より専門的な計画です。

```
インテーク（受理面接）
  ↓
アセスメント（課題分析）
  ↓
ケアプラン原案の作成
  ↓
サービス担当者会議
  ↓
ケアプランの確定
  ↓
支援の実施
  ↓
モニタリング（事後評価）
  ↓
終 結
```

サービスの依頼 →

介護過程

```
アセスメント
  ↓
介護計画（個別サービス計画）の立案
  ↓
支援の実施
  ↓
評 価
```

状況の確認・報告

- 介護保険制度では、介護支援専門員などが利用者の生活全体を支えるケアプラン（マスタープラン）を作成します。
- フォーマルサービスだけでなく、インフォーマルサポートも含めてケアプランを作成します。

ケアプラン（マスタープラン）		個別サービス計画
居宅サービス計画	●居宅における「要介護者」に対するサービス計画	●依頼を受けたサービス事業者は「訪問介護計画」「通所介護計画」などの個別サービス計画を作成する。
介護予防サービス計画	●居宅における「要支援者」に対するサービス計画	●依頼を受けたサービス事業者は「介護予防訪問看護計画」「介護予防通所リハビリテーション計画」などの個別サービス計画を作成する。
施設サービス計画	●介護保険施設の入所者に対するサービス計画	●施設内のそれぞれの職種が「介護計画」「看護計画」「栄養ケア計画」「リハビリテーション計画」などの個別サービス計画を作成する。

介護過程の展開

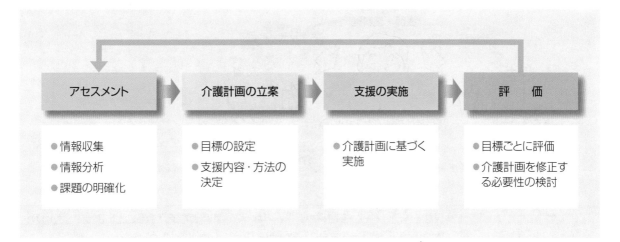

介護過程	●介護過程は、利用者の自己実現を支援するという介護の目的を達成するために、専門知識を活用して行う客観的で科学的な思考過程。 ●介護過程の目的は、利用者の望んでいる、よりよい生活を実現することである。
アセスメント	●アセスメントは、「課題分析」のことで、利用者の情報を収集し、生活課題を明確にすることである。 ●情報収集に際しては、利用者の全体像をとらえるための観察が重要。 ●利用者の状況は主観的情報と客観的情報からとらえる。 ●介護福祉の知識を活用して情報を解釈する。 ●課題（ニーズ）を明らかにするに当たっては、利用者のセルフケア能力を判断することが大切。 ●生活機能は、他職種からの情報も活用する。
介護計画の立案	●介護計画の作成では、抽出されたニーズを踏まえて目標を設定する。 ●介護計画を作成する場合は、利用者の意思を尊重することが重要。 ●介護計画の目標は、実現可能なものであり、具体的に表現されることが望ましい。 ●介護計画は、利用者と家族に説明し、利用者の同意を得る。
支援の実施	●実施においては、自立支援、安全と安心、尊厳の保持の視点を意識する。 ●実施の際の利用者の反応や状況の変化を客観的に把握して記録する。 ●実施に際しては、他職種との連携が重要。
評 価	●介護計画に位置づけられた目標達成の時期に、一つひとつの目標に対して行う。 ●支援の実施状況に関する情報を整理して、評価する。 ●支援の効果についての評価は、日常生活動作（ADL）の改善のみではない。

多職種連携（チームアプローチ）

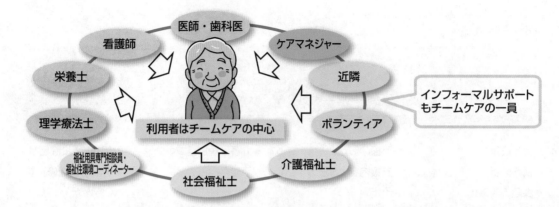

インフォーマルサポートもチームケアの一員

多職種連携 （チームアプローチ）	●異なる専門性をもつ多職種がチームとなって、利用者を支え合うことによって、互いの専門職としての能力を活用して効果的なサービスを提供できる。 ●多職種がそれぞれの専門職の視点で情報収集やアセスメントを行い、目標や方針を共有し、それぞれが自分の専門性を発揮して総合的な援助を行う。 ●多職種が連携するチームを組むためには、互いの専門職能を理解していることが前提となる。
チーム	●目標や方針を共有し、同じ方向に向け互いの専門性を活かしながら協力しあうグループ。 ●メンバーは、専門職だけではなく、家族、近隣の人、ボランティア等も含まれる。

地域連携

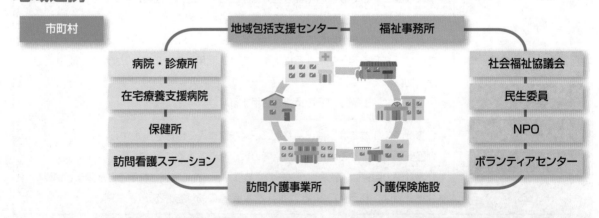

地域連携		●地域連携は、生活している場やその地域で、利用者の求める生活を支援するために行う。 ●地域連携は、チームアプローチを具現化するための方法の一つといえる。 ●地域連携を行うためには、地域にある各種機関について理解することが前提となる。
地域連携に かかわる機関	公的機関	●市町村、福祉事務所、保健所、市町村保健センター、地域包括支援センターなど
	医療機関	●病院、診療所、在宅療養支援病院・診療所、地域医療支援病院など
	福祉施設	●介護保険施設、障害者支援施設、居宅介護支援事業所など
	その他	●民生委員、社会福祉協議会、NPO、ボランティア、地域住民など

国家資格などの専門職

分　野	名　称	概　要	業務独占	名称独占
医療系	医師・歯科医師	●医療（歯科医療）および保健指導を行う。 ●医師（歯科医師）でなければ、医業（歯科医業）をしてはならない。	○	○
	薬剤師	●調剤、医薬品の供給、薬事衛生を行う。 ●薬剤師でない者は、販売または授与の目的で調剤してはならない。	○	○
	保健師	●保健師の名称を用いて、保健指導を行う。		○
	助産師	●助産または妊婦、じょく婦、新生児の保健指導を行う。	○	○
	看護師	●傷病者などに対する療養上の世話または診療の補助を行う。	○	○
	理学療法士 （PT）	●身体に障害のある者に対し、主としてその基本的動作能力の回復を図るため、治療体操その他の運動を行わせ、および電気刺激、マッサージ、温熱その他の物理的手段を加える療法を行う。	※	○
	作業療法士 （OT）	●身体または精神に障害のある者に対し、主としてその応用的動作能力または社会的適応能力の回復を図るために、手芸、工作その他の作業療法を行う。	※	○
	言語聴覚士 （ST）	●音声機能、言語機能または聴覚に障害のある者に、言語訓練、嚥下訓練などや、これに必要な検査および助言、指導その他の援助を行う。	※	○
	視能訓練士 （ORT）	●両眼視機能に障害のある者に対し、その両眼視機能の回復のための矯正訓練およびこれに必要な検査を行う。	※	○
	義肢装具士	●義肢および装具の装着部位の採型、義肢・装具の製作、身体への適合を行う。	※	○
	あん摩マッサージ指圧師、 はり師、きゅう師	●医師以外の者であん摩、マッサージ、指圧、はり、きゅうを行う場合は免許を必要とする。	○	
	救急救命士	●医師の指示の下に、救急救命処置を行う。	※	○
	歯科衛生士	●歯牙および口腔の疾患の予防措置、歯科保健指導を行う。	○	○
	管理栄養士	●療養上、高度の専門的知識を必要とする健康の保持増進のための栄養指導などを行う。		○
	柔道整復師	●柔道整復を業とする。	○	
	公認心理師	●心理支援が必要な人の心理状態を観察・分析、心理に関する相談・助言・指導などを行う。		○
福祉系	社会福祉士	●福祉に関する相談、助言、指導や関係者との連絡・調整などを行う。		○
	精神保健福祉士	●精神障害者の社会復帰に関する相談、助言、指導、日常生活への適応のために必要な訓練などを行う。		○
	保育士	●都道府県知事の登録を受ける。 ●児童の保育、保護者に対する保育指導などを行う。		○

※業務独占は、保健師助産師看護師法第31条第1項および第32条の規定にかかわらず、診療の補助として行う業務

事業所などに配置される専門職

分　野	名　称		概　要
高齢者	介護支援専門員 （ケアマネジャー）		●「指定居宅介護支援事業所」「介護保険施設」などに配置される。 ●ケアプラン作成、介護全般に関する相談援助・関係機関との連絡調整などを行う。 ●介護支援専門員証の有効期間は5年で、申請により更新。
	相談員	主任介護支援 専門員	●介護支援専門員の実務経験が5年以上あり、主任介護支援専門員研修を修了した者。 ●関係機関との連絡調整、他の介護支援専門員に対する助言・指導などを行う。
		生活相談員	●指定通所介護事業所、指定介護老人福祉施設などに配置される。
		支援相談員	●介護老人保健施設に配置される。
	福祉用具専門相談員		●指定福祉用具貸与事業所・指定特定福祉用具販売事業所などに配置される。 ●介護福祉士、社会福祉士、保健師、（准）看護師、義肢装具士、理学療法士、作業療法士なども、福祉用具専門相談員の資格要件として認められる。
障害者 （児）	サービス提供責任者		●介護保険法「指定訪問介護事業所」、障害者総合支援法「指定居宅介護事業所」などに配置される。 ●訪問介護計画・居宅介護計画の作成、助言、指導などを行う。 ●資格要件「介護福祉士」「介護職員基礎研修修了者」「実務者研修修了者」など。
	訪問介護員 （ホームヘルパー）		●指定訪問介護事業所、指定居宅介護事業所などに配置される。 ●2013（平成25）年度から介護職員初任者研修、介護福祉士養成のための実務者研修に統合された。
	サービス管理責任者		●障害福祉サービス事業所（療養介護、生活介護など）に配置される。 ●個別支援計画の作成、相談、助言、連絡調整などを行う。
	生活支援員		●障害福祉サービス事業所（療養介護、生活介護など）に配置される。 ●相談援助、入退所手続き、連絡調整などを行う。
	職業指導員		●就労移行支援、就労継続支援事業所に配置される。 ●職業上の技術を習得させる訓練・指導などを行う。
	児童発達支援 管理責任者		●障害児通所支援事業所や障害児入所施設に配置される。 ●児童発達支援計画の作成、相談、助言、連絡調整などを行う。
	相談支援専門員		●指定一般相談支援事業所、指定特定相談支援事業所等に配置される。 ●サービス等利用計画の作成、関係機関との連絡調整などを行う。

● サービス提供の記録や事故発生の対応の記録などは、2〜5年間の保存義務がある。

● 秘密保持の原則が適用されるので、援助記録の管理などへの細心の注意が求められる。

● 「いろいろ」や「長時間」のような抽象的な表現を避け、具体的に表現する。

● 略語を用いる場合は、事前に、関係する職種間で共通理解をしておく。

● 介護等に関する裁判の際、証拠として採用されることがある。

● 介護を実施したその日のうちに記録する。

● えんぴつなどではなくボールペンなどを用いる。

● 責任の所在を明確にするため記録者名を明示する。

● ICT（情報通信技術）の留意点として、パスワード変更やバックアップは定期的に行う。
● ウイルス対策ソフトを用いても、情報は漏れることがある。

● 要介護者の訴え（主観的情報）と、介護従事者によって観察された事実（客観的情報）とは、区別して記録する。

記録の種類	フェイスシート	● 利用者の「氏名」「年齢」「性別」「家族構成」「健康状態」「生活歴」などの基本情報をまとめた用紙
	アセスメントシート	● 事前評価のための情報を系統的に収集し、それらを分析し、解釈するためのシート
	個別援助計画書	● アセスメントによって明らかになった生活課題に対して、長期目標、短期目標を設定し、目標達成に必要な支援を計画・立案する書式
	経過記録	● 介護を行った日時、内容、結果、担当等を実施者が時系列に記載していくシート
	実施評価表	● 介護実施後に目標の達成状況、計画どおりに支援できたかなどについて評価内容を記載するシート

	S (Subjective)	●利用者・家族等が訴えたことなど主観的な情報。
SOAP方式の 記録	O (Objective)	●介護福祉職が観察した客観的な情報。
	A (Assessment)	●入手した客観的な事実に基づき介護福祉職が判断したこと。
	P (Plan)	●介護福祉職が行う今後の介護計画。
記録の文体	叙述体	●時間の経過に沿って利用者に起こったことをそのまま記録する。
		圧縮叙述体（あっしゅくじょじゅったい）　●全体の支援過程を圧縮して、比較的短く記述する。
		過程叙述体（かていじょじゅったい）　●介護福祉職と利用者の支援過程の詳細を記述する。
		逐語体（ちくごたい）　●介護福祉職と利用者の支援過程のありのままを記述する。
	要約体	●介護福祉職の思考を通して利用者へのかかわりを整理し、要約して記述する。
	説明体	●介護福祉職が解釈や分析、考察結果に説明を加えて記述する。

マッピング技法

マッピング技法は、利用者とその関係する人々や社会資源との関連性などを
図示して理解しようとする実践技法です。

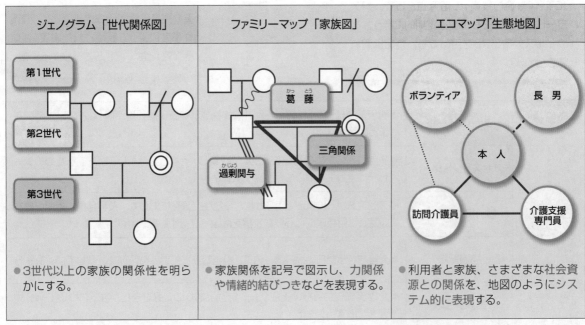

ジェノグラム「世代関係図」	ファミリーマップ「家族図」	エコマップ「生態地図」
第1世代 第2世代 第3世代	葛藤（かっとう） 三角関係 過剰関与（かじょう）	ボランティア　長男 本　人 訪問介護員　介護支援専門員
●3世代以上の家族の関係性を明らかにする。	●家族関係を記号で図示し、力関係や情緒的結びつきなどを表現する。	●利用者と家族、さまざまな社会資源との関係を、地図のようにシステム的に表現する。

「報告・連絡・相談」と「会議」

ホウレンソウ	報 告	●指示を受けた仕事の報告は、指示者へ行う。 ●事実と憶測を区別して行う。結論から報告する。 ●トラブルや事故、苦情はすぐに報告する。		
	連 絡	●報告は義務であるが、連絡は自発的・主体的なものである。 ●連絡するタイミング、誰に連絡するかを考える。 ●状況に応じた適切な連絡方法を確認しておく。		
	相 談	●誰に、いつ相談するかを考える。 ●自分なりの考えや対策を頭に描いてから相談する。 ●自分一人で問題を抱え込まない。		
会 議	目 的	●情報共有や問題解決などを図ることができる。 ●目的を明確にし、時間を決めて効率的に実施することが大切である。		
	種 類	職場内ミーティング	●連絡事項を伝えるための「情報共有型」の会議や、各種委員会などの「問題解決型」の会議がある。	
		ケアカンファレンス	●利用者のケアについて、ケアプランに基づいた個別サービス計画を立案、修正、評価、役割分担などを行う。	
		サービス担当者会議	●介護支援専門員が呼びかけ、サービス事業者の担当者などが集まって開催される。ケアプラン原案の検討が行われる。	
	テレビ電話装置等の活用	●運営基準において実施が求められる各種会議、委員会等について、感染防止や多職種連携の促進の観点から、テレビ電話装置その他の情報通信機器を活用して行うことができる。		

個人情報の保護に関する法律

個人情報とは	●生存する個人の情報であって、①特定の個人を識別できるもの、②個人識別符号が含まれるものをいう。 ●死者の個人情報は含まない。
個人情報取扱事業者の対象	●個人情報を取り扱うすべての事業者が対象。 ●営利法人のみならず、社会福祉法人、NPOなどの非営利法人も適用となる。
利用目的の特定	●個人情報を取り扱うにあたっては、その利用の目的をできる限り特定しなければならない。
第三者提供の制限	●個人情報取扱事業者は、「救急隊員に情報提供」「事故の際の安否情報」「児童虐待情報」などを除き、あらかじめ本人の同意を得ないで、個人データを第三者に提供してはならない。
開示請求	●個人情報取扱事業者は、本人から保有個人データの開示を求められたときは、本人または第三者の生命、身体、財産などを害する恐れがある場合などを除き、遅滞なく開示しなければならない。

1節　介護の基本

単　元		問　題	解　答
42 社会福祉士及び介護福祉士法	1	介護福祉士は、身体上又は精神上の障害があることにより日常生活を営むのに支障がある者につき（＿＿＿＿）に応じた介護を行い、その者及びその介護者に対して（＿＿＿＿）を行うことを業とする者をいう。	心身の状況、介護に関する指導
	2	介護福祉士は、正当な理由がなく、（＿＿＿＿）をした場合、罰則により1年以下の懲役または30万円以下の罰金に処せられる。	秘密保持義務違反
	3	介護福祉士は、介護福祉士の（＿＿＿＿）を傷つけるような行為をしてはならない。	信用
	4	介護福祉士は、その担当する者が個人の尊厳を保持し、常にその者の立場に立って、（＿＿＿＿）にその業務を行わなければならない。	誠実
	5	介護を取り巻く環境の変化による業務の内容の変化に適応するため、介護等に関する（＿＿＿＿）の向上に努めなければならない。	知識及び技能
	6	介護福祉士は、福祉サービス関係者等との（＿＿＿＿）を保たなければならない。	連携
	7	日本介護福祉士会倫理綱領では、介護福祉士は、利用者の真のニーズを受けとめ、それを（＿＿＿＿）していくことも重要な役割であるとしている。	代弁
	8	日本介護福祉士会倫理綱領では、すべての人々が将来にわたり安心して質の高い介護を受けることができるように、（＿＿＿＿）を育成するとしている。	後継者
43 介護の基本的視点	9	レスパイトケアの目的は、（＿＿＿＿）に休息を提供することである。	介護を担う家族
	10	（＿＿＿＿）のために、自分の感情の動きとその背景を洞察する。	自己覚知
	11	同じ課題や悩みを抱える人たちが自発的なつながりで結びついた集団を（＿＿＿＿）という。	セルフヘルプグループ
	12	（＿＿＿＿）の法則は、1つの重大事故の背景には、多くの軽微な事故とヒヤリハットが存在することである。	ハインリッヒ
	13	トラブルの原因そのものに働きかけて解決しようとすることは、（＿＿＿＿）焦点型コーピングに当てはまる。	問題
	14	ボティメカニクスの原則では、支持基底面積を（＿＿＿＿）する。	広く
	15	（＿＿＿＿）は、感染の有無を問わず、すべての利用者を対象に実施される感染予防策である。	スタンダードプリコーション（標準予防策）
	16	切迫性と非代替性と（＿＿＿＿）性の3つの要件を満たせば、身体拘束は認められる。	一時
	17	介護老人福祉施設は、消防法において、年（＿＿＿＿）回以上の消火・避難訓練が義務づけられている。	2
44 国際生活機能分類（ICF）	18	ICIDHは、障害を機能障害、能力障害、（＿＿＿＿）に分類した。	社会的不利
	19	ICFでは、生活機能は、心身機能・身体構造、活動、（＿＿＿＿）に分類される。	参加
	20	ICFにおいて、（＿＿＿＿）とは、課題や行為の個人による遂行のことである。	活動
	21	ICFにおいて、（＿＿＿＿）とは、生活・人生場面へのかかわりのことである。	参加
	22	ICFにおいて、介護を担う娘は、（＿＿＿＿）因子に該当する。	環境
	23	ICFにおいて、「小学校の教員であった」「医者嫌いである」などは、（＿＿＿＿）因子に該当する。	個人

2節　身体介護

単　元		問　題	解　答
⑮ 食事の介護	1	飲み込みにくくなって時間がかかる場合、食前に（　　　）を勧める。	嚥下体操やアイスマッサージ
	2	腸の蠕動運動の低下に対しては、（　　　）の多い食品を取り入れる。	食物繊維や乳酸菌
	3	片麻痺の人には、頸部を（　　　）させて介護する。	前屈
	4	右片麻痺の利用者の食事介護では、口の（　　　）側に食物を入れる。	左
⑯ 口腔ケア	5	歯ブラシを（　　　）に動かしながら磨く。	小刻み
	6	舌の清拭は、（　　　）に向かって行う。	奥から手前
	7	外した義歯は、（　　　）保管する。	水に浸して
	8	全部床義歯（総入れ歯）の場合、（　　　）からはずす。	下顎
⑰ 入浴・清潔保持の介護	9	入浴による（　　　）作用として、下肢のむくみの軽減がある。	静水圧
	10	38 〜 41℃の湯温での入浴は、腸の動きを（　　　）にする。	活発
	11	乾燥性皮膚疾患がある場合、（　　　）性の石鹸で洗う。	弱酸
	12	ベッド上での洗髪では、（　　　）にシャンプーの泡を取り除く。	すすぎ湯を流す前
	13	目のまわりを拭き取るときは、（　　　）から（　　　）に向かって拭く。	目頭、目尻
	14	全身清拭の介護では、（　　　）℃のお湯を準備する。	50 〜 55℃
⑱ 排泄の介護	15	トイレの排泄介助では、便座から立ち上がる前に、下着とズボンを（　　　）まで上げておく。	大腿部
	16	片麻痺のある利用者にポータブルトイレを設置する場所としては（　　　）に置く。	健側足部
	17	女性の陰部洗浄では、（　　　）の方向へ行う。	尿道から肛門
	18	膀胱留置カテーテルの採尿バッグは（　　　）に置く。	膀胱より低い位置
	19	腹部マッサージは、（　　　）の順に行うことが有効である。	上行結腸、横行結腸、下行結腸
⑲ 着脱の介護	20	手指の細かな動作が難しい利用者に、（　　　）式のボタンを勧める。	マグネット
	21	保温効果を高めるため、衣類の間に（　　　）を重ねて着るように勧める。	薄手の衣類
	22	左片麻痺がある場合は、（　　　）半身から脱ぐように勧める。	右
	23	前開きの上着をベッド上で臥床したまま交換するときは、介護福祉職は利用者の（　　　）側に立つ。	健
	24	ベッドメイキングの際、しわを作らないために、シーツの角を（　　　）の方向に伸ばして整える。	対角線
⑳ 移動の介護	25	左片麻痺の利用者の、立ち上がりの介護では、利用者の（　　　）側に立つ。	左
	26	ロフストランドクラッチは、（　　　）に適している。	握力の弱い人
	27	関節リウマチの利用者が、歩行時に使用する杖として、（　　　）が適している。	プラットホームクラッチ
	28	左片麻痺の利用者が階段を上がるときは、（　　　）側の足から出すように促す。	健（右）

単　　元		問　　　題	解　　答
50 移動の介護	29	右片麻痺の利用者が階段を下りるときは、利用者の（　　　　）に立つ。	右前方
	30	車いすの介助で踏切を渡るときは、（　　　　）を上げて（　　　　）でレールを越えて進む。	キャスター、駆動輪
51 福祉用具	31	障害者総合支援法では、車いすは、（　　　　）として支給される。	補装具
	32	介護保険では、簡易浴槽は（　　　　）として支給される。	特定福祉用具購入
	33	介護保険では、床ずれ防止用具は（　　　　）として支給される。	福祉用具貸与
	34	（　　　　）は、尿または便が自動的に吸引される福祉用具である。	自動排泄処理装置
52 睡眠の介護	35	睡眠周期はおおむね（　　　　）分である。	90 〜 120
	36	ヒトは（　　　　）に体内時計がある。	視床下部
	37	レム睡眠では（　　　　）運動がみられる。	急速眼球
	38	深い眠りの段階は、（　　　　）睡眠である。	ノンレム
	39	（　　　　）とは、眠りが浅く途中で何度も目が覚めることである。	中途覚醒
53 視覚・聴覚障害者の介護	40	視覚障害者の介護にあたり、狭い場所を歩くときは、利用者の（　　　　）に立って誘導する。	前
	41	視覚障害者の介護にあたり、電車を待つときは、点字ブロックの（　　　　）で待つように誘導する。	後方
	42	視覚障害者の介護にあたり、タクシーに乗るときは、（　　　　）が先に乗るように誘導する。	利用者
	43	老人性難聴のある人とのコミュニケーションでは、（　　　　）話しかける。	正面に向き合って
	44	高齢になってからの中途失聴者では、一般的に（　　　　）が有効である。	筆談
	45	（　　　　）は、手話が見えないろう者が、手話の形を手で触って読み取る方法である。	触手話
	46	補聴器は、（　　　　）の耳にイヤホンを装着する。	比較的聞こえる側
54 終末期の介護	47	（　　　　）とは、延命だけを目的とする治療を拒み、人としての尊厳を保って自然な状態で死に至ることである。	尊厳死
	48	つらい治療を我慢して受けるので助けてほしいと願うのは、キューブラー・ロスの死の受容過程における（　　　　）である。	取り引き
	49	（　　　　）は、終末期に自分が望む医療・ケアをあらかじめ書面に示しておくことである。	リビングウィル
	50	（　　　　）は、人生の最終段階における医療・ケアについて、家族等や医療・ケアチームと繰り返し話し合う取り組みである。	アドバンス・ケア・プランニング
	51	（　　　　）では、ケアを振り返り、悲しみを共有する。	デスカンファレンス
	52	死後の処置として、着物の場合は帯紐を（　　　　）にする。	縦結び

3節　生活援助

単　元		問　　　　題	解　　答
55 家庭生活の経営	1	実収入から非消費支出を差し引いたものを（　　　　）という。	可処分所得
	2	住民税や社会保険料を（　　　　）支出という。	非消費
	3	エンゲル係数は、消費支出に占める（　　　　）費の割合である。	食料
	4	訪問販売の場合、クーリング・オフできる期間は、書面受領の日から（　　　　）日間である。	8
	5	（　　　　）販売の場合、クーリング・オフできない。	通信
	6	クーリング・オフの手続きを相談する機関として、（　　　　）がある。	消費生活センター
56 食生活	7	三大栄養素とは、炭水化物、脂質、（　　　　）である。	たんぱく質
	8	脂質の1g当たり熱量は（　　　　）kcalである。	9
	9	（　　　　）は、酵素を構成する主要成分である。	たんぱく質
	10	干ししいたけは、ビタミン（　　　　）が多く含まれている。	D
	11	ビタミンAは（　　　　）性である。	脂溶
	12	納豆には、ビタミン（　　　　）が多く含まれている。	K
	13	ノロウイルスが多く発生する季節は、（　　　　）である。	冬
	14	肉入りのカレーを常温で保存し、翌日、加熱調理したときは、（　　　　）に注意が必要である。	ウェルシュ菌
	15	食中毒の予防のため、肉料理は、中心部を（　　　　）℃で1分間以上加熱する。	75
57 被服・洗濯	16	ズボンの裾上げなど縫い目が表から見えないようにする縫い方は、（　　　　）縫いである。	まつり
	17	血液などのたんぱく質の汚れには、（　　　　）での洗濯が効果的である。	水またはぬるま湯
	18	チョコレートや口紅などのしみは、（　　　　）で処理する。	ベンジン
	19	ドライクリーニングは、主に（　　　　）の汚れを落とすのに適している。	油脂性
	20	水洗いできるウール・絹には、（　　　　）漂白剤を用いる。	液体酸素系
58 住生活	21	換気は、（　　　　）上に位置する2か所の窓を開けることで、部屋の中央に空気の通り道ができ、効率的に換気できる。	対角線
	22	床から浴槽の縁までの高さは（　　　　）cm程度にする。	40
	23	浴室の入口は（　　　　）にするほうがよい。	引き戸
	24	片麻痺のある利用者が使用するトイレには、L字型の手すりを利用者の（　　　　）側に設けると、排泄姿勢が楽にとれる。	健
	25	トイレの出入口の扉は、内開きと外開きでは、（　　　　）のほうがよい。	外開き
	26	階段の片側に手すりを設ける場合、（　　　　）に利き手となる側に設置する。	降りる時
	27	手すりの取り付けや段差の解消は、介護保険の（　　　　）の対象に含まれる。	住宅改修

4 節　相談援助

単　　元		問　　　題	解　　答
⑲ コミュニケーション	1	「この本は好きですか」は、（_____）質問である。	閉じられた
	2	（_____）の技法では、利用者の感情と行動の矛盾点を指摘する。	直面化
	3	自己開示は、ジョハリの窓の開放された部分を（_____）するために行う。	広く
	4	（_____）では、相手の思いを尊重しながら、自分の意見を率直に伝える。	アサーティブ・コミュニケーション
⑳ 相談援助技術	5	（_____）は、利用者の感情を利用者自身が自由に表現できるように配慮することである。	意図的な感情表出
	6	（_____）とは、介護福祉職の価値観で評価せずに利用者にかかわることである。	非審判的態度
	7	亡くなった祖母と似ている利用者に、無意識に頻繁にかかわるのは、（_____）が起きている事例である。	逆転移
	8	（_____）は、他領域の専門家から助言や示唆を受けることをいう。	コンサルテーション
	9	（_____）は、職務を通じて、職場の上司が部下に実技、スキルなどを指導・育成する研修である。	OJT
㉑ ケアマネジメントと介護過程	10	一人暮らしの高齢者への見守りを行う地域住民は、（_____）サポートに該当する。	インフォーマル
	11	（_____）は、利用者の生活課題を明確にすることである。	アセスメント
	12	（_____）では、計画どおりに実施できているかどうかを点検する。	モニタリング
㉒ チームアプローチと専門職	13	（_____）は、傷病者などに対する療養上の世話または診療の補助を行う。	看護師
	14	（_____）は、身体に障害のある者に対し、主としてその基本的動作能力の回復を図る訓練を行う。	理学療法士
	15	（_____）は、身体または精神に障害のある者に対し、主としてその応用的動作能力または社会的適応能力の回復を図るための訓練を行う。	作業療法士
	16	（_____）は、音声機能、言語機能または聴覚などに障害のある者に、言語訓練、嚥下訓練などを行う。	言語聴覚士
	17	（_____）は、療養上、高度の専門的知識を必要とする健康の保持増進のための栄養指導などを行う。	管理栄養士
㉓ 記録	18	利用者の生活歴や家族構成などの基本情報の記録を（_____）という。	フェイスシート
	19	「パーキンソン病と診断されている」は、（_____）情報の記録である。	客観的
	20	SOAP 方式の記録の P は（_____）のことである。	介護計画（Plan）
	21	（_____）では、利用者に起こったことをそのまま記録する。	叙述体
	22	（_____）は、社会との相関関係を表す。	エコマップ
	23	サービス担当者会議の招集は（_____）の責務である。	介護支援専門員（ケアマネジャー）
	24	個人情報を第三者に提供するときは、原則として（_____）が必要である。	本人の同意

介護福祉士試験の分析

介護福祉士試験が「どのような形式で、どのように出題されるのか」を理解することで効果的な準備ができます。介護福祉士試験の近年の傾向をつかみましょう。

設問の形式

介護福祉士の出題形式は、五肢択一方式で、設問文は「○」の選択肢を1つ選ぶ問題です。大きく分けて、「（最も）適切なもの」と「正しいもの」に分かれています。最も適切なものを選択する問題は、**他の選択肢と比較しながら**解答する必要があります。

問題○○
Aさんの介護方法として、**（最も）適切なもの**を1つ選びなさい。

>

問題○○
介護保険制度について、**正しいもの**を1つ選びなさい。

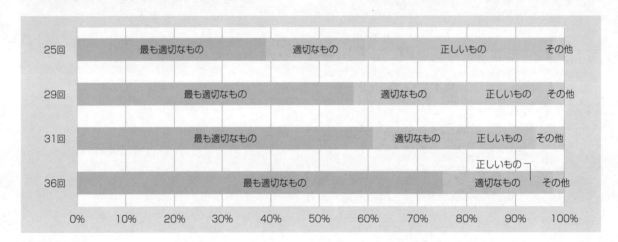

| | 0% | 10% | 20% | 30% | 40% | 50% | 60% | 70% | 80% | 90% | 100% |

25回： 最も適切なもの｜適切なもの｜正しいもの｜その他
29回： 最も適切なもの｜適切なもの｜正しいもの｜その他
31回： 最も適切なもの｜適切なもの｜正しいもの｜その他
36回： 最も適切なもの｜適切なもの｜正しいもの｜その他

選択肢の形式

介護福祉士の選択肢の形式は、「文章」と「単語」に分かれます。**文章形式が約7割、単語形式が約3割**となっています。文章形式は**解きなれる**こと、単語形式は**確実な記憶**が重要となります。

問題○○
1　事実はありのままに記録する。
2　鉛筆で記録する。
3　数日後に記録する。

>

問題○○
1　小刻み歩行
2　嚥下障害
3　尿失禁

種類	試験回	32回	33回	34回	35回	36回
文章	句点「。」で終わる問題	88	92	92	90	77
単語	単語や会話など句点「。」がない問題	37	33	33	35	48

出題形式

介護福祉士試験は、一問一答形式の通常の設問、図表・イラスト問題、事例問題に分けることができます。**事例問題は平均40問（32％）**を占めるので、演習を通じて得点力を高めていきましょう。

出題形式		試験回	32回	33回	34回	35回	36回
一問一答形式	想起型	記憶した知識を単純に思い起こす問題	82	88	83	80	78
	図表・イラスト	図、表、グラフなどを示して解答させる問題	2	2	1	4	2
事例問題		事例の情報を「理解・解釈」してその結果に基づいて解答する問題	41	35	41	41	45

難易度の分析

介護福祉士試験を難易度で振り分けると、262の法則※のとおり一定の割合に振り分けられます。繰り返し出題される「**普通**」と「**易しい**」問題を**確実に解答できる**準備をすると効果的です。

※「262の法則」とは、どんな組織・集団でも「上位層2割、中間層6割、下位層2割」に分かれるという法則

難易度の区分
難しい　20%
普　通　60%
易しい　20%

初めて出題される問題など準備が難しい問題

繰り返し出題されたことのある内容で、過去問演習を行っていたら解答できる問題

適切な対応を問う問題など、準備をしなくても解答できる問題

6割の得点で合格

難易度	試験回	32回	33回	34回	35回	36回
難しい	過去に出題されたことがない問題	20	15	17	12	14
普　通	過去に繰り返し出題されている問題	88	90	87	90	98
易しい	一般常識でも解答できる問題	17	20	21	23	13

図表・イラスト問題は、例年1〜5問出題されます。過去10年間の傾向から、「シンボルマーク」「福祉用具・住宅改修」「こころとからだのしくみ」「身体介護」「生活援助」「統計データ」に分けることができます。この傾向にそって、今年出題される図表・イラストを予想しながら整理していきましょう。

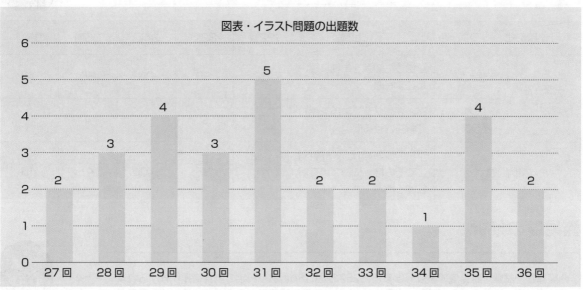

図表・イラスト問題の出題数

シンボルマーク

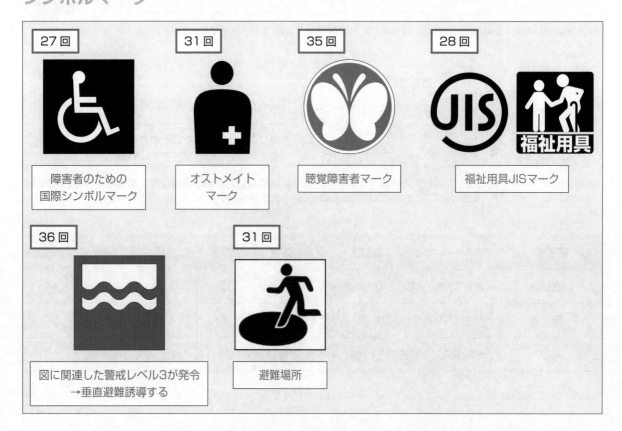

27回	31回	35回	28回
障害者のための国際シンボルマーク	オストメイトマーク	聴覚障害者マーク	福祉用具JISマーク

36回	31回
図に関連した警戒レベル3が発令→垂直避難誘導する	避難場所

福祉用具・住宅改修

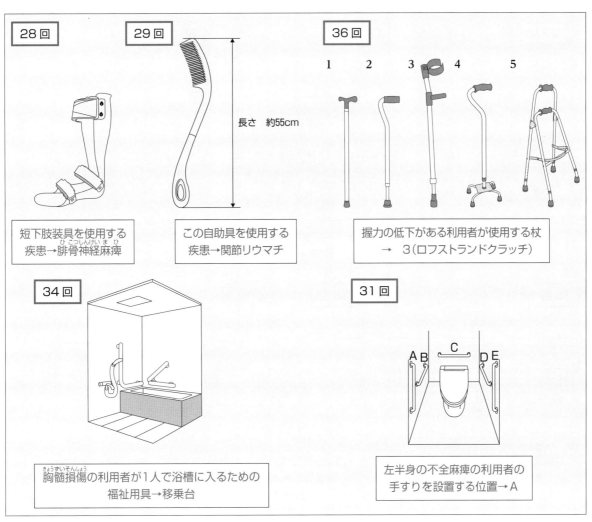

28回
短下肢装具を使用する
疾患→腓骨神経麻痺

29回
長さ　約55cm
この自助具を使用する
疾患→関節リウマチ

36回
1　2　3　4　5
握力の低下がある利用者が使用する杖
→　3（ロフストランドクラッチ）

34回
胸髄損傷の利用者が1人で浴槽に入るための
福祉用具→移乗台

31回
A B　C　D E
左半身の不全麻痺の利用者の
手すりを設置する位置→A

こころとからだのしくみ

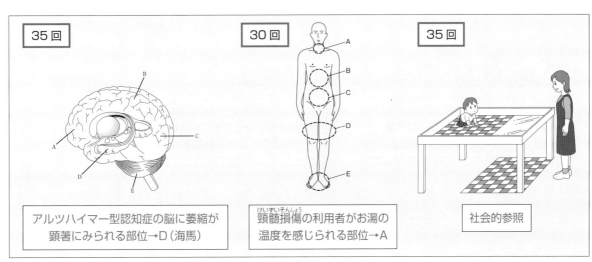

35回
B
A　C
D
E
アルツハイマー型認知症の脳に萎縮が
顕著にみられる部位→D（海馬）

30回
A
B
C
D
E
頸髄損傷の利用者がお湯の
温度を感じられる部位→A

35回
社会的参照

身体介護

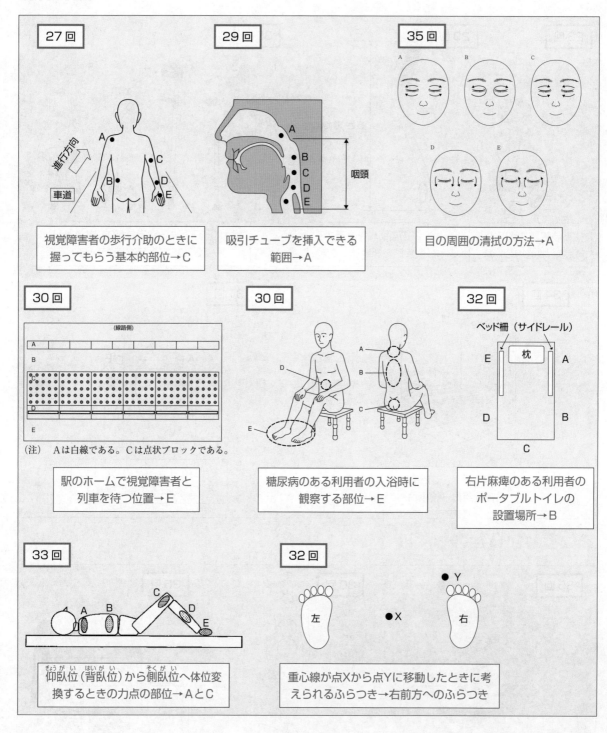

27回 視覚障害者の歩行介助のときに握ってもらう基本的部位→C

29回 吸引チューブを挿入できる範囲→A

35回 目の周囲の清拭の方法→A

30回 （注）Aは白線である。Cは点状ブロックである。 駅のホームで視覚障害者と列車を待つ位置→E

30回 糖尿病のある利用者の入浴時に観察する部位→E

32回 右片麻痺のある利用者のポータブルトイレの設置場所→B

33回 仰臥位（背臥位）から側臥位へ体位変換するときの力点の部位→AとC

32回 重心線が点Xから点Yに移動したときに考えられるふらつき→右前方へのふらつき

生活援助

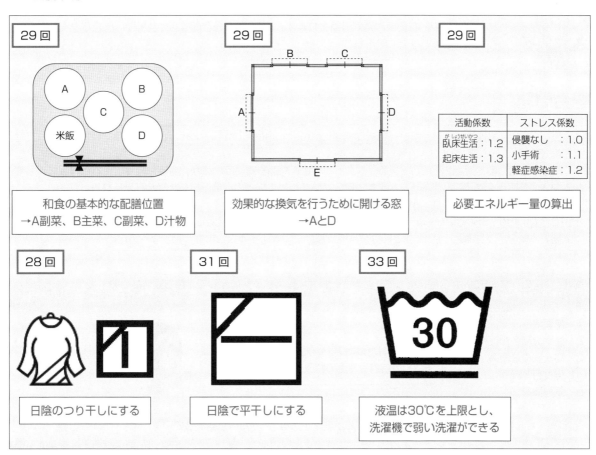

29回

和食の基本的な配膳位置
→A副菜、B主菜、C副菜、D汁物

29回

効果的な換気を行うために開ける窓
→AとD

29回

活動係数		ストレス係数	
臥床生活	：1.2	侵襲なし	：1.0
起床生活	：1.3	小手術	：1.1
		軽症感染症	：1.2

必要エネルギー量の算出

28回

日陰のつり干しにする

31回

日陰で平干しにする

33回

液温は30℃を上限とし、
洗濯機で弱い洗濯ができる

統計データ

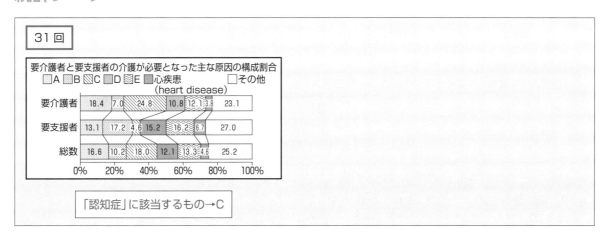

31回

要介護者と要支援者の介護が必要となった主な原因の構成割合
□A ▨B ▧C □D ▨E ■心疾患（heart disease） □その他

	A	B	C	D	E	心疾患	その他
要介護者	18.4	7.0	24.8	10.8	12.1	3.8	23.1
要支援者	13.1	17.2	4.6	15.2	16.2	6.7	27.0
総数	16.6	10.2	18.0	12.1	13.3	4.6	25.2

「認知症」に該当するもの→C

総合問題は、「人間と社会」「こころとからだのしくみ」「医療的ケア」「介護」の4領域の知識を横断的に問う問題が出題されます。第36回の総合問題4を参考に、出題パターンを整理しましょう。

総合問題

Fさん（20歳、男性）は、自閉症スペクトラム障害（autism spectrum disorder）と重度の知的障害があり、自宅で母親（50歳）、姉（25歳）と3人で暮らしている。

Fさんは生活介護事業所を利用している。事業所では比較的落ち着いているが、自宅に帰ってくると母親に対してかみつきや頭突きをすることがあった。また、自分で頭をたたくなどの自傷行為もたびたび見られる。

仕事をしている母親に代わり、小さい頃から食事や排泄の介護をしている姉は、これまでFさんの行動を止めることができていたが、最近ではからだが大きくなり力も強くなって、母親と協力しても止めることが難しくなっていた。

家族で今後のことを考えた結果、Fさんは障害者支援施設に入所することになった。

問題1 次のうち、Fさんが自宅に帰ってきたときの状態に該当するものとして、最も適切なものを1つ選びなさい。

1 学習障害
2 注意欠陥多動性障害
3 高次脳機能障害
④ 強度行動障害
5 気分障害

「こころとからだのしくみ」の領域
Fさんの疾病や障害の特徴を選択する。

問題2 Fさんが入所してからも月1、2回は、姉が施設を訪ね、Fさんの世話をしている。

ある日、担当の介護福祉職が姉に声をかけると、「小学生の頃から、学校が終わると友だちと遊ばずにまっすぐ家に帰り、母親に代わって、弟の世話をしてきた。今は、弟を見捨てたようで、申し訳ない」などと話す。

介護福祉職の姉への対応として、最も適切なものを1つ選びなさい。

1 「これからもFさんのお世話をしっかり行ってください」
2 「Fさんは落ち着いていて、自傷他害行為があるようには見えませんね」
③ 「お姉さんは、小さい頃からお母さんの代わりをしてきたのですね」
4 「訪問回数を減らしてはどうですか」
5 「施設入所を後悔しているのですね。もう一度在宅ケアを考えましょう」

「介護」の領域
本人や家族に対する介護や
支援の内容を選択する。

問題3 Fさんが施設に入所して1年が経った。介護福祉職は、Fさん、母親、姉と共にこれまでの生活と支援を振り返り、当面、施設で安定した生活が送れるように検討した。

次のうち、Fさんの支援を修正するときに利用するサービスとして、正しいものを1つ選びなさい。

1 地域定着支援
② 計画相談支援
3 地域移行支援
4 基幹相談支援
5 基本相談支援

「人間と社会」の領域
利用する社会保障制度などについて選択する。

総合問題の利用者

総合問題は、毎年4人の利用者が事例問題で出題されます。それぞれ3問設定されて合計12問となります。通常、65歳以上の高齢者が2人、65歳未満が2人出題されています。

	1	2	3	4
24回	78歳 アルツハイマー型認知症	75歳 心不全	55歳 筋萎縮性側索硬化症	24歳 胸髄損傷
25回	84歳 脳梗塞	80歳 糖尿病	43歳 関節リウマチ	12歳 アスペルガー症候群
26回	80歳 脳梗塞	65歳 前頭側頭型認知症	36歳 精神(発達)遅滞	8歳 デュシェンヌ型筋ジストロフィー
27回	80歳 レビー小体型認知症	75歳 アルツハイマー型認知症	46歳 事故が原因で全盲	45歳 統合失調症
28回	71歳 アルツハイマー型認知症	70歳 糖尿病	56歳 脳梗塞	7歳 脳性麻痺
29回	88歳 アルツハイマー型認知症	80歳 脳梗塞	25歳 腰髄損傷	19歳 ダウン症候群
30回	72歳 脳出血	87歳 アルツハイマー型認知症	64歳 頸髄損傷	21歳 両大腿切断
31回	78歳 脳出血	84歳 レビー小体型認知症	26歳 腰髄損傷	15歳 脳性麻痺
32回	80歳 アルツハイマー型認知症	78歳 ラクナ梗塞	59歳 関節リウマチ	22歳 統合失調症
33回	83歳 変形性膝関節症	80歳 認知症	10歳 自閉症スペクトラム障害	45歳 頸髄損傷
34回	83歳 アルツハイマー型認知症	70歳 統合失調症	35歳 筋萎縮性側索硬化症	50歳 脳性麻痺
35回	80歳 アルツハイマー型認知症	75歳 脳梗塞	38歳 脳梗塞	35歳 自閉症スペクトラム障害
36回	70歳 脊髄損傷	59歳 前頭側頭型認知症	34歳 脳性麻痺	20歳 自閉症スペクトラム障害

■…65歳以上　　…18歳～64歳　■…18歳未満

〈疾患別〉

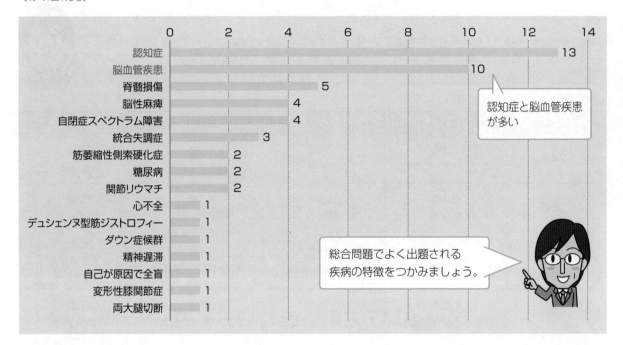

認知症と脳血管疾患が多い

総合問題でよく出題される疾病の特徴をつかみましょう。

〈年齢別〉

年齢別では、65歳以上が約50％、18歳以上64歳以下が約42％、18歳未満が約10％となっています。40歳以上64歳以下の10人の利用者のうち5人が介護保険の特定疾病に該当していました。

65歳以上 25人	40～64歳 10人	18～39歳 12人	18歳未満 5人

特定疾病該当　5人
　①関節リウマチ　2人　②筋萎縮性側索硬化症　1人　③脳血管疾患　1人　④初老期における認知症　1人

〈性別〉

性別では、男性の方が多くなっています。

男　32人	女　20人

活用できる制度

「介護保険法」「障害者総合支援法」「児童福祉法」のサービスは、年齢などの条件により活用できる制度が決まっています。制度を横断的に整理して、活用できるサービスを理解しましょう。

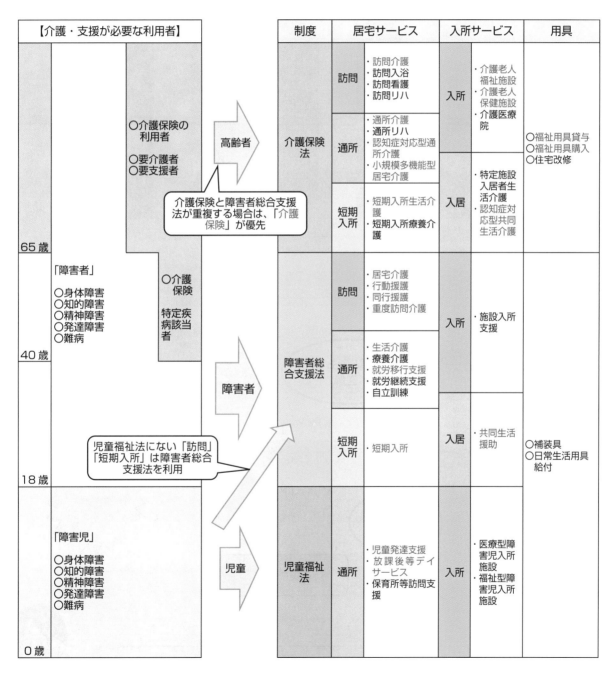

【介護・支援が必要な利用者】				制度	居宅サービス		入所サービス		用具
		○介護保険の利用者 ○要介護者 ○要支援者	高齢者	介護保険法	訪問	・訪問介護 ・訪問入浴 ・訪問看護 ・訪問リハ	入所	・介護老人福祉施設 ・介護老人保健施設 ・介護医療院	○福祉用具貸与 ○福祉用具購入 ○住宅改修
					通所	・通所介護 ・通所リハ ・認知症対応型通所介護 ・小規模多機能型居宅介護		・特定施設入居者生活介護 ・認知症対応型共同生活介護	
65歳					短期入所	・短期入所生活介護 ・短期入所療養介護	入居		
	「障害者」 ○身体障害 ○知的障害 ○精神障害 ○発達障害 ○難病	○介護保険 特定疾病該当者	障害者	障害者総合支援法	訪問	・居宅介護 ・行動援護 ・同行援護 ・重度訪問介護	入所	・施設入所支援	○補装具 ○日常生活用具給付
40歳					通所	・生活介護 ・療養介護 ・就労移行支援 ・就労継続支援 ・自立訓練			
18歳					短期入所	・短期入所	入居	・共同生活援助	
	「障害児」 ○身体障害 ○知的障害 ○精神障害 ○発達障害 ○難病		児童	児童福祉法	通所	・児童発達支援 ・放課後等デイサービス ・保育所等訪問支援	入所	・医療型障害児入所施設 ・福祉型障害児入所施設	
0歳									

介護保険と障害者総合支援法が重複する場合は、「介護保険」が優先

児童福祉法にない「訪問」「短期入所」は障害者総合支援法を利用

補 章　介護福祉士試験の分析

介護福祉士試験の過去7年間の平均では、どの番号も均等に正答となっています。

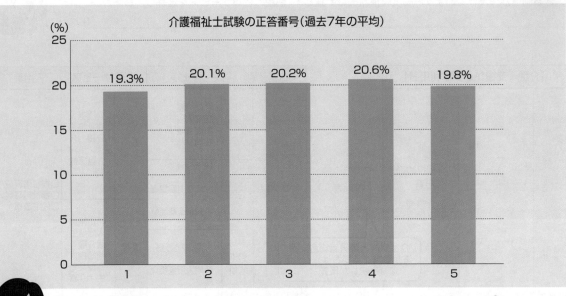

介護福祉士試験の正答番号（過去7年の平均）

番号	割合
1	19.3%
2	20.1%
3	20.2%
4	20.6%
5	19.8%

どの番号を選んでも「20%前後」の確率で得点できます。

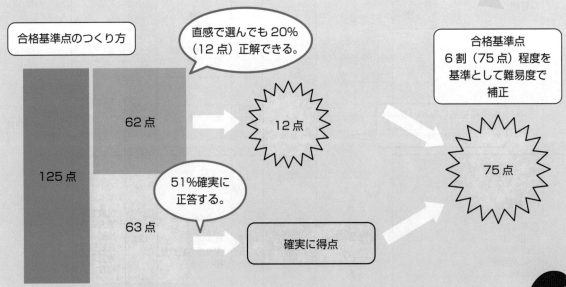

合格基準点のつくり方

直感で選んでも20%（12点）正解できる。

合格基準点
6割（75点）程度を
基準として難易度で
補正

62点

125点

12点

51%確実に
正答する。

63点

確実に得点

75点

介護福祉士試験は、63点（51%）を確実に得点し、残りを直感で選ぶと合格基準点をつくることができます。効果的に合格基準点をクリアするには、繰り返し出題される基本事項を押さえることが重要です。

編 集 元 紹 介

いとう総研資格取得支援センター

「ITO方式」という独自の学習方法で、介護福祉士、社会福祉士、精神保健福祉士、介護支援専門員試験などのDVD講座、ネット配信講座、通学講座で毎年多くの合格者を輩出している。

令和6年度のいとう総研主催介護福祉士受験対策講座はホームページに掲載しています。

いとう総研ホームページ
https://www.itosoken.com/

■**本書に関する訂正情報等について**

弊社ホームページ（下記 URL）にて随時お知らせいたします。

https://www.chuohoki.co.jp/foruser/care/

■**本書へのご質問について**

下記の URL から「お問い合わせフォーム」にご入力ください。

https://www.chuohoki.co.jp/contact/

見て覚える！**介護福祉士**国試ナビ 2025

2024 年 8 月 10 日　　　発行

編　　集　　いとう総研資格取得支援センター
発 行 者　　荘村明彦
発 行 所　　中央法規出版株式会社
　　　　　　〒110－0016　東京都台東区台東 3-29-1　中央法規ビル
　　　　　　TEL 03-6387-3196
　　　　　　https://www.chuohoki.co.jp/
印刷・製本　　株式会社太洋社
本文デザイン　　ケイ・アイ・エス
本文イラスト　　ひらのんさ／フジモリミズキ／土田圭介／小牧良次
装幀デザイン　　二ノ宮匡（ニクスインク）
装幀キャラクター　　坂木浩子

定価はカバーに表示してあります。
ISBN978-4-8243-0042-3

A042